天下文化
BELIEVE IN READING

文創文化 BCC027

# 哲學與人生 下

## 全新修訂版

傅佩榮 ——著

# 目錄

新版序

# 每個人都是哲學家

　　五十年前我開始念哲學。我的學習順序是：先西方，再中國。這種順序使我了解，一套高明的哲學必須兼顧三點，就是：澄清概念、設定判準、建構系統。這三點聽起來像是專業術語，是少數哲學家才能做到的要求，事實上不然，每個人都是或隱或顯、或大或小的哲學家。

　　「哲學」的原意是「愛好智慧」。凡有理性之人，無不希望知道多一點、深一些，到了最高層次，不正是愛好智慧嗎？平常與人聊天，少不得要澄清概念，「我不是這個意思……」、「我的意思是……」這一類的話，可以減少誤會、改善溝通效果，使彼此更為明白真實的狀態。希臘時代的柏拉圖留給世人一部《對話錄》，其中大多數篇章沒有明確結論，因為對話過程即是思想的辯證過程，誰對誰錯，反而不那麼重要了。

　　我們說的每一句話，都是一個判斷，像「今天很冷」、「張三很勇敢」。任何判斷都需要衡量的標準，稱為判準。那麼，判準要如何設定呢？到法院去旁聽一場律師的辯論，就會明白莊子在〈齊物論〉所謂的：當兩人辯論時，天下沒有人可以擔任裁判。哲學的任務在此更進一步了，要分辨「真假、善惡、美醜」等等的判準。

分辨的過程遠比結果更具啟發性，因為你由此知道雙方的立場，是唯心論還是唯物論、有神論還是無神論、理性論還是經驗論、生命哲學還是歷程哲學，然後再往下細分。一個人不必爭取天下人的認同，但至少要了解自己在說什麼，以及為何這麼說。

澄清概念與設定判準之後，才是最大的挑戰，就是建構系統。可以建構系統的，才是哲學家。所謂系統，是指能夠回答一個問題：自然界與人類有沒有「來源與歸宿」？來源與歸宿是一體之兩面，從哪兒來的也回哪兒去，莊子在〈大宗師〉說「善吾生者乃所以善吾死也」，意即：那妥善安排我出生的，也將妥善安排我的死亡。我是如此，萬物亦然。在莊子看來，答案即是「道」。在西方，則答案包括柏拉圖的「善之理型」，亞里斯多德的「第一不動之推動者」，中世紀以來的「上帝」，或「存在本身」。這些名稱，都指向那唯一的來源與歸宿。

能做到建構系統，才可以清楚回應「人生有無意義」的問題。哲學與人生的關係至此確立。由此不難理解為何要說：「沒有哲學，人生是盲目的；脫離人生，哲學是空洞的。」

我自一九八五年起，在台灣大學為全校同學開了一門通識課程，名稱就是「哲學與人生」。這門課被同學們評選為最優通識課程，反映了年輕心靈對人生的關懷與對智慧的嚮往。以上課錄音為底本，修訂成書於二〇〇三年出版，又於二〇〇五年在大陸出版，印行的正版與非正版的總數約有八十萬冊以上。

二〇一六年秋，大陸開始流行線上課程，我受邀把「哲學與人生」重講一遍，每集十分鐘，共二六〇集。我珍惜這樣的機緣，於是認真思考這些年的學習心得，在三個月內完成這份工作。由字數與篇幅看來，新版的材料比原版增加百分之五十以上。增加的部分有西方的，也有中國的。對西方哲學，我努力做到選擇重點與忠實

介紹；對中國哲學，我的心得與新見就遠遠超出原版的範圍了。我還在繼續學習與思考中。

新版的完成，要特別感謝王喆先生與他的工作團隊。王先生畢業於上海交通大學，是核子工程方面的高材生。他事業有成而熱衷求知，參加我在民間開設的一系列國學經典課程，熟悉我的哲學立場與人生觀。最初他表示有意把「哲學與人生」的錄音檔改寫為文字時，我還有些疑慮，怕給他添麻煩，也擔心工作成效未必理想。結果呢？只能用「喜出望外」來形容我的心情。他還為許多重要引文找到出處，方便讀者參考。這本書總結了我五十年來的哲學心路歷程，無疑是最貼近時代與社會的，希望與讀友共勉。

二〇一八年一月九日

初版序

# 哲學與人生

先引一段簡單的對話。

學生問：「人生有什麼意義？」

老師答：「人生的意義就在於：你可以不斷地詢問『人生有什麼意義？』」

這也是一段真實的對話。人生無異於詢問的過程，因為人有理性，所以要求解釋，於是每一個人在生命的某一階段，總會浮現一種深刻的願望，想要了解「與自己有關的這一切」究竟是怎麼回事。

「哲學」做為一門學問，原來只是一種生活態度，就是保持好奇的天性，探詢一切事物的真相。這種態度稱為「愛智」。自從蘇格拉底說：「沒有經過反省檢驗的人生，是不值得活的。」許多人開始覺醒，並且思考自己的人生應該何去何從。的確，哲學脫離人生，將是空洞的；人生缺少哲學，將是盲目的。我的老師方東美說：「哲學不能烘麵包，但是能使麵包增加甜味。」換言之，哲學不能當飯吃，但是能使人知道吃飯是為了什麼。

我自十八歲開始研習哲學，至今三十五年。先由西方哲學入手，知道哲學家必須具備「澄清概念、設定判準、建構系統」的功

力，否則難以形成一貫的見解，更談不上引領時代的思潮。西方如此，中國亦然。我近年致力於解讀儒家與道家的經典，發現其中所蘊含的人生智慧，可以與西方哲學家的最高境界並駕齊驅而相融互攝。經由合宜的詮釋，我們可以同時品味及享用中西雙方的成果，進而在回答自己「人生有什麼意義？」這個問題時，會覺得充實、圓滿而喜悅。

我在台灣大學為全校同學所開的通識課程，名稱即是「哲學與人生」，十餘年來選課學生將近一萬人。我在設計課程內容時，兼顧西方與中國，側重人生與文化，而以哲學的思辨方法貫穿其間。以下稍作說明：

在開宗明義介紹「哲學是什麼？」之後，我以西方為焦點，探討「思想方法」、「人性的真相」、「神話與悲劇」。這些是普遍的知識背景，提供了由人生省思走向哲學的途徑。接著，西方哲學家之中對人生做過親切考察的不在少數，我以希臘時代的「蘇格拉底」與當代的「存在主義」為代表，並且以「荒謬之超越」為其壓軸，由此顯示現代人困處於荒謬情境，仍可力圖超越。

到了課程後半段，首先綜述「中國哲學的起源與特質」、「儒家的風格」與「道家的智慧」。許多同學至此忽然覺悟，原來自己的傳統文化中也有哲學，也有體大思精的人生哲理，也有玄妙卓越的人生境界。只要心平氣和，不存任何偏見，將會發現所有文化都有其安身立命的祕方。我們對自己的文化多加認識，取精用宏，使之再現生機與活力，不是十分恰當嗎？

既然談到人生，就不可忽略「藝術與審美」、「宗教與永恆」、「教育與自我」這三個題材。我們由哲學角度所作的解析與評論，是否較為周全？是否會比「見仁見智」稍好一些？最後的結論是「文化的視野」，這也是通識教育的目的所在，希望有助於拓展學生

的眼界與心胸，使他們不僅培養獨立思考的能力，也能在特定議題上採取合理的原則與立場。

這門課於一九八六年開始講授，當年我即倖獲民生報評選為校園熱門教授。十年之後，竟又被台大學生的「終身學習網站」票選為全校最佳通識課程第一名。我在教學時「樂在其中」，而無意以此自滿。

我從歷年來每次上課之後的「問與答」，學會了表達、答問與論辯的技巧，使我提升了與人分享心得的能力。我的講義內容不斷增訂，並由清涼音文化公司製成錄音帶，但未發行。承天下文化出版公司美意，將上課錄音整理為文字，再經修訂潤飾而成此書。在此，要特別感謝天下文化的編輯同仁，尤其是主編李桂芬小姐、特約策畫曾文娟小姐，以及編輯方怡雯小姐。十餘年來的心血付梓，只有感恩與喜悅可說。

二〇〇三年十月

第九章

# 中國哲學的起源

# 中國有哲學嗎？

從本章開始，我們將介紹中國哲學的起源和發展。不少學者編寫《中國哲學史》，常以道家創始人老子（約 571 － 471 B.C.）和儒家創始人孔子（551 － 479 B.C.）做為中國哲學的起源。然而，老子和孔子生活在距今兩千五百年前的東周春秋末期[1]，在此之前有資料可查的歷史尚有兩、三千年之久，在如此漫長的歲月中，中國人是如何生活的？是否也有一套特定的人生觀和價值觀？

在此首先要界定「哲學」一詞的含義。「哲學」（Philosophy）一詞最早出現於古希臘時代，源於希臘文，由 Philia 和 Sophia 兩字合成，意為「愛好智慧」。將哲學定義為「愛好智慧」，體現出人的生命要追求精神境界的提升。對古希臘人來說，智慧是屬靈的，人不可能完全擁有智慧，只能愛好智慧，不斷追求真理。

我們可以給哲學下個新的定義，即哲學是對人生經驗做全面的反省，進而歸納總結出人生的指導原則。這樣的定義更符合「哲學」一詞在實際生活中的應用。

雖說人有理性可以思考，但對於遠古時代的先民來說，當時的科學不夠昌明，為了使人生得到安頓，人們不約而同地訴諸信仰，描繪人生有何意義；並對人生做出各種規定，什麼事可做，什麼事不能做，據此區分好人、壞人。這些區分和判斷的背後，一定隱含著某些原則做為評價的標準。哲學的作用就是「化隱為顯」，把隱藏在生活秩序中的信念以清晰的概念表達出來。

中國歷史悠久，文明源遠流長，其中也蘊含了一套基本觀念，使中華民族得以長期存續發展，並啟發老子、孔子的思想，發展至戰國時代出現諸子百家爭鳴的局面。中國哲學的起源問題值得我們深入探尋。

　　西方哲學系統完整，條分縷析。在國外大學的哲學系中，有人專門研究邏輯和知識論，邏輯是思維的方法，知識論探討認識的範圍和知識的有效性，即我們到底能夠認識什麼；有人專門研究形上學，探討宇宙萬物背後是否有所謂的「本體」，宇宙的真相和人性的奧祕究竟是什麼；也有人專門研究倫理學、美學這類將哲學應用於實際生活中的學問。

　　真正的大哲學家，必須將上述各部分結合在一起，構成完整系統。中國古代哲學沒有類似的完整系統，不像現代人做學問這樣條分縷析，透過撰寫專門的論文來表達自己的觀點。

　　西方文化從古希臘神話與悲劇、蘇格拉底、倫理學一路發展到現代存在主義，不同歷史時期的人們對人生的看法各不相同，其鮮明的特色是保持開放的心態，不斷加以探討。

　　古希臘時代從研究自然界著手，以萬物為本，稱為「物本」；一千三百多年的中世紀以基督宗教中的「神」為一切的基礎，稱為「神本」；文藝復興之後，要回溯古希臘和羅馬時代初期的人文精神，稱為「人本」。對於不同的階段，人的生命價值的界定各有不同的標準。

　　中國人談哲學最關心「如何安身立命」。「安身」就是活下去，「立命」就是肯定自我生命的意義和人生的價值。面對「宇宙」和「人生」兩大範疇，中國人逐漸形成獨具特色的理解。

　　譬如，關於宇宙，中國人也要探尋宇宙的起源，並且參考神話資料來做進一步的解釋。關於人生，中國人要問：人生是怎麼一回事？人性究竟是善是惡？抑或需要不斷修養？修養可以達到何種境

---

1　春秋時期（770 － 476 B.C.）共兩百九十五年，始於周平王將國都東遷洛陽。

界？哪些人堪稱典範，值得後人效法和懷念？這些背後都蘊含了一套完整的思想。

從歷史發展來看，中國古代原本只有統治者和被統治者兩大階層，統治者以天子為主，輔以各級官員。古代「學在官府」，知識文化只在統治階層傳播，國家負責培養行政官員和各類專業人才。到了東周時期，天子勢力衰微，諸侯群雄並起。「天子失官，學在四夷[2]」，各類人才流散到民間，教育隨之廣為傳播，優秀人才陸續從民間湧現。這些人才都有一個共同的願望，就是希望重新找到安身立命的基礎。

因此，探尋中國哲學的起源首先要肯定：任何一種文化演進到一定歷史階段，都會自然而然地發展出一套對宇宙、人生的理解，其中一定蘊含了一套完整的價值觀，做為真假、善惡、是非、美醜的判斷標準，可稱之為完整哲學的雛形。

西方哲學的發展可用「江山代有才人出，一代新人換舊人」來形容，幾乎每個世紀都可選出幾位有代表性的哲學家，給人一種學術不斷進步的感覺。而中國自漢代以來，談哲學不是儒家就是道家，或是先秦時期的法家、名家、陰陽家的思想，給人一種停滯不前的印象。

科學研究領域總在推陳出新，日新月異，我們要不斷關注最新的科研進展。人文領域則不然，西方國家至今仍要求學生閱讀自古希臘荷馬（Homer）史詩、柏拉圖（Plato，427 － 347 B.C.）、亞里斯多德（Aristotle，384 － 322 B.C.）到近代康德（Immanuel Kant，1724 － 1804）等經典作品，因此人文領域不以年代為衡量價值的標準。

中國古代屬於「早熟的文明」，我們的祖先很早就基本掌握了人生全盤的智慧，後人只需在此基礎上加以應用和發展。從西方哲

學來看，從柏拉圖《對話錄》開始，大家各抒己見，不同立場相互溝通，並不急於下結論，探索的過程配合哲學家個人生命的成長而不斷發展。接下來，我們將介紹中國哲學的特色。

## 分辨六家學說

關於中國哲學的起源有不少相關資料可供研究，春秋末期到戰國時代諸子百家的作品都可視為中國古典哲學著作。如果想提綱挈領地了解中國古代的思想，首先應閱讀三篇文章。

第一篇為《莊子・天下》，該文將當時的社會思潮分為七大派加以評論和研究。不少學者認為，〈天下〉出於《莊子》的雜篇[3]，並非莊子親筆所作。不過從內容來看，應是莊子後學中的高明人才所著。

第二篇為荀子（約313 − 238 B.C.）的《荀子・非十二子》。他將十二位哲學家分為六組，一一加以批評。不過令人遺憾的是，荀子為了凸顯自己是儒家的正宗傳人，也嚴詞批評了同屬儒家的子思[4]（483 − 402 B.C.）和孟子（372 − 289 B.C.），將兩人合稱為「思孟」。子思是孔子的孫子，相傳是《中庸》的作者，孟子更是後世尊崇的「亞聖」。

---

2　出自《左傳・昭公十七年》。原文：子曰：「吾聞之，『天子失官，學在四夷』，猶信。」譯文：孔子說：「我曾經聽說過，『天子喪失了自己的職守，官守的學術散落到東夷、西戎、南蠻、北狄所處之地』，的確如此。」

3　《莊子》全書共三十三篇，分為內篇七篇，外篇十五篇，雜篇十一篇。

4　子思，姓孔，名伋，字子思，孔子的嫡孫、孔子之子孔鯉的兒子。

　　第三篇相對而言更具代表性，為司馬遷之父司馬談（約165 −110 B.C.）的《論六家要指》。西漢司馬遷（約145 −約 90 B.C.）生於史官之家，繼承父親的太史一職，故自稱太史公，他將父親司馬談的《論六家要指》放在《史記‧太史公自序》中。

　　這篇文章將先秦到漢初的重要思想歸為六家，分別為儒家、道家、墨家、法家、名家和陰陽家。歷史上所謂的「九流十家」或「諸子百家」（如縱橫家、農家等）的思想大都缺乏系統，很容易被批判。我們介紹中國哲學，將把焦點集中於儒家和道家，在此先要簡要說明為何後面四家並不值得多加介紹。

## （一）墨家

　　墨家創始人墨翟（約468 − 376 B.C.）是位了不起的學者，他的年代比孔子晚，比孟子早。其基本觀念是上有「天志」（天的意志），百姓要「兼愛」，人群相處應不分差等，一視同仁，普遍平等的愛每一個人。這是很好的理想，卻有違人情而難以實現。

　　於是他撰寫《明鬼》[5]，共列了七個鬼故事，描寫的都是社會名流做壞事後如何遭到報應，他希望藉此讓百姓知道善惡有報，達到教化的目的。然而，世上為惡之人不可勝數，真正善惡公平報應幾無可能，僅以幾則故事就希望達成教化效果，實難奏效。

　　墨家被認為是古代最保守的學派，他們所相信的「天」是古代的至上神，是最高的神明。「天」既然生了百姓，就希望百姓好好相處，怎能彼此傷害呢？墨家用心很好，但哲學理論難以發展。墨家後來演變成像一個特殊的幫派，其領袖稱為「鉅子」。鉅子的命令任何人不得違抗，為了完成任務，信徒不惜犧牲生命，因此墨家思想很難傳續發展。

## （二）法家

　　法家思想在春秋戰國時期大為盛行。自商鞅變法之後，秦國廣

泛吸納各國法家學者，靠法家的力量兼併六國，一統天下。但秦始皇得天下後二世而亡，僅十五年大秦帝國就土崩瓦解。法家「富國強兵」的思想可用於軍事統一戰爭，卻不能治理天下，因為它無法照顧百姓的需要，且有內在的理論困難。

　　法家代表人物韓非（280－233 B.C.）和李斯（約284－208 B.C.）曾經同是荀子的學生，荀子自認為承接孔子真傳，卻教出兩位法家弟子，也反映出荀子思想有內在的缺陷。《韓非子》一書中有〈解老〉和〈喻老〉兩章專門闡述老子思想，說明法家思想是由儒家、道家思想雜糅而成，本身無法構成完整系統，難以自圓其說，所以發展到後期會產生各種問題。

　　譬如「三綱五常」的思想，「三綱」即是法家思想，「五常」是漢代整合而來，在原始儒家孔子、孟子的學說中不曾出現「三綱五常」的觀念。

　　談法家思想也要與現代所謂的「民主法治」分開，法家完全沒有「民主」這種觀念。

**（三）名家**

　　名家專門研究名實關係與修辭辯論，許多思想聽起來很有趣。名家代表人物為惠施（390－317 B.C.）和公孫龍（約320－250 B.C.）。惠施曾任梁國宰相，是莊子的好朋友。惠施認為「卵有毛」，雞蛋有毛是因為孵出的小雞有毛。乍一聽似乎有理，但他忽略了時間的過程，忽略了從「潛能」到「實現」是不同的階段，因而名家流於詭辯而無以為繼。

5　見於《墨子》第二十九至三十一篇。

### （四）陰陽家

陰陽家受《易經》陰陽變化的啟發，提出「天人感應」學說，在漢代大行其道，發展出讖緯之學。「讖」（ㄔㄣˋ）指宗教式的預言，如「一語成讖」是指偶爾說的一句話後來應驗。「緯」[6]是對儒家的「經」（經典）進行解釋與比附的作品。讖緯之學講預言應驗和天人感應，各種讖語災異之說令人目眩神迷，漢代人常因相信預言而有反常之舉，甚至犧牲生命。

因此司馬談的《論六家要指》中，能夠穿越時空、存續至今，仍值得我們認真研究的只有儒家與道家。這兩家不但有其代表性著作，而且有完整的系統。譬如《老子》一書受到西方哲學家雅士培（Karl Jaspers，1883 － 1969）和海德格（Martin Heidegger，1889 － 1976）等著名學者的重視和研究，海德格還曾希望把它再度譯為德文。可見，儒家、道家絕非一般的思想，而是體大思精的哲學。

中國的哲學起源何在？能讓儒家、道家共同學習的經典存在嗎？答案是肯定的。

## 永恆的理想

人活在世界上，如果希望長期存續和發展，一定需要兩方面的思想：一方面，在時間之流中面對生老病死，思索如何面對剎那生滅的變化；另一方面，在變化的世界裡確立永恆的信念，找尋值得一生追求的理想。中國哲學早在儒家、道家出現之前，在理念上已經肯定了一套永恆哲學和一套變化哲學，使中華文明可以歷數千年而不墜。

　　代表永恆哲學的是《尚書》中的《洪範》，代表變化哲學的是《周易》。我們以下分別介紹之。

## 《尚書·洪範》：永恆哲學

　　「洪範」意為「大的法則」，該篇文章闡述了古代國家建構與治理的基本原則，說明了國家存在的目的和政治的最高理想。《尚書·洪範》年代久遠，內容豐富，資料詳實，代表了古聖先賢的高明智慧。

　　首先簡單介紹《尚書·洪範》的歷史背景。中國歷史自遠古伏羲氏、神農氏、黃帝[7]一直發展到堯、舜、禹時代，第一個成立的國家是夏朝，「夏」代表大，表明夏朝是由許多部落組成的大國。

　　夏朝存續了四百多年。約西元前一六〇〇年，商湯推翻夏桀的統治後建立商朝，存續了約六百年。西元前一一二二年[8]周武王（姬發）推翻商紂王（帝辛）統治後建立周朝，追封其父西伯侯姬昌為周文王，建都陝西鎬京。

　　周武王深知，想要治理天下必須借重前朝的經驗。於是他將商朝遺賢箕子（商紂王的叔父）從監獄中釋放，虛心向他請教治國之策。周武王說：「上天庇蔭保佑下界人民，使他們安居樂業，但我不明白其中的常法常則，請您指教。」

　　箕子[9]德行、能力、智慧出眾，他覺得商朝近六百年基業亡於這一代，實在有愧於祖先，於是將治國方略推源於夏朝，說：大禹

---

6　「緯」與「經」相對，「經」代表縱向，「緯」代表橫向，原指織布時用梭穿織的豎紗、橫紗。
7　見本書第四章相關部分。
8　另一說法，西元前一〇四六年周武王伐紂成功，建立周朝。
9　孔子認為箕子是仁人。《論語·微子篇》：微子去之，箕子為之奴，比干諫而死。孔子曰：「殷有三仁焉。」

治水成功後，上天為褒獎他的功績，賜予他「洪範九疇」（洪範為大法，九疇為九類），其中清晰闡述了治理國家最重要的九大範疇的方針策略。大禹遵而不失，使夏朝綿延四百餘年，商朝接續此一傳統，使商朝立國約六百年。

西漢孔安國說，相傳伏羲氏時代，有龍馬從黃河出現，背負「河圖」；大禹治水時，有神龜從洛水出現，背負「洛書」。河圖上的數字到八，是《易經》「八卦」的起源，洛書上的數字到九，就是《尚書》中的「洪範九疇」。

《洪範》做為最古老的治國綱領性文件，闡明了國家建立的目的和治國理政的方法。後來儒家孔子提出「為政以德」的原則，孟子提出「民貴君輕」的理念，都是此一傳統的發展。

古人認為天子受天所命來照顧百姓，最為尊貴，但沒有百姓哪有天子？治理國家不僅需要良苦用心，還需要具體方略。孟子說：「徒善不足以為政，徒法不能以自行。」（《孟子・離婁上》）即只靠善心不足以辦好政治，光有法度也不會自動運作。因此，理想的政治需要人才和法律的配合。

《洪範》是對天子和官員的最高要求。依當時的觀念，百姓由於缺乏受教育的機會好比是羊群，天子、官員好比是牧羊人，政治需要上行下效，百姓要在天子和官員的引領下前進。《尚書》與《論語》中都有「風動草偃」[10]的類似說法。

今天教育普及，每個人都有自主選擇的空間，可自己做出選擇。古代是農業社會，百姓生活簡單，平時忙於耕田。帝堯時流傳一首民謠〈擊壤歌〉：「日出而作，日入而息，鑿井而飲，耕田而食，帝力何有於我哉？」意思是太陽出來就去耕田，太陽落山就回家休息，口渴了就鑿井飲水，要吃東西就去耕田，我做好這幾件事，帝王的權威對我有什麼影響呢？不論誰是天子，百姓自得其

樂。

　　人活在世界上，不分古今中外，有兩個普遍的要求：一是仁愛，希望受到好的照顧；一是正義，希望善惡有報。《尚書‧洪範》很好地回應了人類的普遍要求，清晰地闡述了以仁愛和正義為原則的施政綱領。

　　《尚書》的「尚」代表「上古」，它是中國最古老的一部歷史文獻，主要記錄了從堯舜開始，到夏商周三代的歷史事件及官方文書。比如分封諸侯要頒布文誥，說明治國理政的方法、領導者德行修養的要求和防範邪惡的警示。隨著了解的深入，我們將逐步領會《尚書》背後蘊含的永恆哲學。

## 最初的五行

　　下面我們詳細介紹《尚書‧洪範》的「九疇」。

### （一）五行

　　五行：一曰水，二曰火，三曰木，四曰金，五曰土。水曰潤下，火曰炎上，木曰曲直，金曰從革，土爰稼穡。潤下作鹹，炎上作苦，曲直作酸，從革作辛，稼穡作甘。

　　「五行」是「水、火、木、金、土」，所指的是五種樸素的自然材料，這些也是人類生活不可或缺的憑藉。「行」指「周流不息」，即隨處可見，自然界會源源不絕地給人類提供這些基本材料。比如，樹木砍伐之後還會再生，生生不息。這樣的五行觀念

---

10　《尚書‧君陳》：爾其戒哉！爾惟風，下民惟草。《論語‧顏淵篇》：君子之德風，小人之德草。草上之風，必偃。

無疑是最古老的，並非《易經》後天八卦的「木、火、土、金、水」──可以相生相剋的順序。

《尚書·洪範》中將水與火排在最前面，正如孟子所說的「民非水火不生活」（《孟子·盡心上》）。水與火是維繫百姓生存最重要的自然資源，沒有火則無法煮熟食物、取暖禦寒和驅逐野獸，人的生命安全無法得到保證。人的生活不能脫離自然界，因此在建立國家時，首先要能把握「五行」等自然資源，以求互通有無，均衡發展。

水的特性是向下流，最終百川歸海，因而味道為鹹；火的特性是向上燒，東西燒焦的味道為苦；木的特性是可以彎曲、可以伸直，可用來製作家具，樹上所生的各種果實味道為酸，必須摘下放置一段時間才會變甜；金的特性是可以順從、可以改變，通過冶煉可製成各類工具方便人的生活，冶煉中散發的味道辛辣刺鼻；土的特性是可以生長稼穡，五穀雜糧並非淡而無味，只要細加品嘗就能感覺到甘甜之味，吃多了也會導致血糖升高。

了解五行可幫助人們明辨其性質，充分利用自然資源，創造對人類生活有利的條件，實現在自然界中的生存和發展。

## （二）敬用五事

五事：一曰貌，二曰言，三曰視，四曰聽，五曰思。貌曰恭，言曰從，視曰明，聽曰聰，思曰睿。恭作肅，從作乂，明作晰，聰作謀，睿作聖。

古代政治的基本原則是「上行下效」，百姓會效法官員的表現，因此官員應在五種人類天賦能力的基礎上謹慎修養，做出表率。

第一，容貌要保持恭敬，恭敬方顯嚴肅，身為領導者不能與百姓嬉皮笑臉，必須態度端莊而嚴肅；第二，說話必須使人可以做

到，即出令而治，如此才可達成治理的效果；第三，眼睛觀察要看得清晰明白，做到「目明」，如此才能明辨是非，不致受人蒙蔽；第四，耳朵要善於聽取各方意見，做到「耳聰」，如此才能謀劃完善，面面俱到；第五，思考要做到理解而通達，人有理性可以思考，思考要有邏輯，符合思維的規則，推理應當合理，前後不能矛盾，這樣才能思維暢通，做事才能一通百通。

古代官員治理百姓不會要求百姓提高德行修養，因為中國廣土眾民，古代並不具備普遍教育的條件，以當時的生產技術水準，能做到豐衣足食、平安度日已屬不易。但做為行政官員需負責溝渠、城防等公共事務，因此要以「敬用五事」來規範官員的個人修養。五事立足於人的天賦本能，使之朝正確的方向培育發展：容貌要恭敬嚴肅，說話要言之可行，視察要清晰明辨，聽受要廣納眾議、聰敏善謀，思慮要流暢通達，如此才可成為聖人。

值得注意的是，「聖」這個字並非指「人格完美的聖人」，它原來的寫法是「聖」，左邊為「耳」，代表與耳有關，右邊為「呈」，代表發「呈」音。一個人是否聰明要看他能否聽懂別人的話，理解話中蘊含的深層含義，這就是「聖」字最早的意思，指聰明通達、一點就通的智者。

「洪範九疇」先講自然資源，其次是人力資源，目的是要培養高素質的官員以造福百姓。


# 政治的架構

### （三）農用八政

八政：一曰食，二曰貨，三曰祀，四曰司空，五曰司徒，六曰

司寇，七曰賓，八曰師。

「八政」就是八個政治部門。第一個是食，負責農業生產；第二個是貨，負責財貨流通；第三個是祀，負責祭祀祖先；第四個是司空[11]，負責工程建設；第五個是司徒，負責教導百姓；第六個是司寇，負責社會治安；第七個是賓，負責外交事務；第八個是師，負責國防武力。

這八政聽來並不陌生，但應注意其排列順序。

第一為「食」。民以食為天，百姓如果吃不飽則無法生存，國家亦將不復存在。《論語·堯曰篇》特別指出古代所重視的四件事情：民、食、喪、祭。首先要解決百姓的吃飯問題，然後重視喪葬和祭祀的安排。因此，「食」排第一理所應當。

第二為「貨」。人類社會必須分工合作，因此應確保財物、貨物的有效流通。《孟子·滕文公上》中，「農家」認為國君不應收稅及建立倉庫，應與百姓一起耕田才能吃飯。孟子反問：「耕田人能否自己做衣服、帽子、鐵鍋、鐵鏟等工具？如果樣樣都親力親為又怎能耕田？」因此，古代有「百工」之稱，百貨相通對於人的生活十分重要。

第三為「祭祀」，需特別注意。春秋時代的觀念認為「國之大事，在祀與戎」（《左傳·成公十三年》），國家重要的事情首先是祭祀，可讓人們追憶祖先，第二才是武備。古代國家的分封與祖先有關，比如魯國人知道其祖先為周公，周公的兒子伯禽被分封在魯國，是第一代魯國國君；齊國人知道其祖先為姜太公[12]。祭祀活動可以使人想到彼此有共同的祖先，從而化解人與人之間的利益爭奪，忘掉現實的得失成敗。因此，祭祀對維護國家和民族的團結統一有重要作用。

隨後的司空、司徒、司寇的「司」意為「管理」，這三種官員

分屬三個部門，分別負責建設城邦、教導百姓基本的生活規範和維護社會治安，讓百姓能夠安居樂業。

第七為「賓」，代表外交，負責接待前來朝見天子的諸侯，或各諸侯國之間禮尚往來。

第八為「師」，代表軍隊。古代社會武力不足很容易被兼併。夏朝號稱萬國，有一萬個大大小小的諸侯國，後來不斷兼併，到周朝初期剩下一千八百多國，到東周戰國時代只剩下戰國七雄。因此，應加強武備以保護國家和百姓。

### （四）協用五紀

五紀：一曰歲，二曰月，三曰日，四曰星辰，五曰歷數。

「協用五紀」指要配合天時與節氣，五紀直接決定了農業社會的生產方式與成效。今天做到「春耕夏耘，秋收冬藏」似乎並不困難，但古代沒有文字，讓百姓掌握時間絕非易事。

最早掌握天時和節氣的是伏羲氏，他創作了「甲曆」以掌握日、月、歲、時。日是一天；月是一個月；歲是一年；時是適當的時候，指春分、夏至、秋分、冬至等節氣。

黃帝的時候正式使用甲子紀年。「甲」是十天干之首，「子」是十二地支之首。天干的「干」象徵「樹幹」，地支的「支」象徵「樹枝」，好比樹有樹幹和樹枝。古人使用十天干、十二地支按順序配合來計年，六十年循環一次，稱為一「甲子」。現在中國的書法及繪畫作品仍習慣以甲子紀年標注創作日期，但甲子六十年循環一次，時間一久，則不易分辨到底創作於哪一年，現行的西曆可以避免這一困難。

---

11　古代北方多鑿山洞而居，故稱「司空」。

12　姜姓，呂氏，名尚，字子牙，也稱呂尚，俗稱姜太公。輔佐周武王伐紂建立周朝。

五紀第一是歲（就是年）；第二是月；第三是日；第四為星辰，代表二十八宿、十二辰。古代已經了解二十八星宿，「辰」[13]為日月的交會點，星辰代表與星象相關；第五為歷數，代表節氣的規則，在不同節氣各有適宜之事。

對古代農業生產來說，「五紀」的重要性不言而喻，只有掌握了自然界循環往復的運行規律，才能更好地從事農業生產和安排日常生活。

可見，《尚書・洪範》九疇非常務實。上述四疇考慮了自然界的資源、官員的修養、政府的主要部門以及天時的循環規律。具備這些條件可以建立國家，但還稱不上是理想的國家，建立理想國家的關鍵在於第五疇的「皇極」。

## 最高的正義

### （五）建用皇極

「洪範九疇」前四項側重的是保障百姓生活的各種條件。第五項「建用皇極」在「洪範九疇」中位居中間，也是最為重要的一疇。清朝皇帝取名「皇太極」，即來自於此。

「皇極」就是「皇建其有極」，即國家最高領導人「天子」建立的標準原則和最高理想。「皇極」意為「大中」，代表絕對正義，有如房子的屋脊，左、右兩邊各有一個斜面，居中的屋脊使一建築得以完成。《尚書・洪範》蘊含了一套「永恆」哲學，所指就是「絕對正義」。

君主統治百姓必須做到兩點：一是仁愛，要使百姓生活無虞，即洪範九疇的前四項；二是正義，即善惡皆有適當報應。國泰民安

的關鍵在於：天子做為國家最高領導人應如何表現「絕對正義」，才能使百姓對正義的要求得以實現，並使百姓走向至善的目標？

《洪範》中描寫「皇極」的手法十分精采，連續用十個「無」來展現「絕對正義」。「無」即「毋」，表示「不要如何」。

西方哲學家描寫上帝時，因為上帝是永遠存在的完美代表，所以不能直接描寫上帝是什麼，標準的表述只能說「上帝不是什麼」。上帝不是太陽，不是月亮，不是海洋，不是父母……用否定的方式凸顯什麼才是「絕對的存在」。《尚書・洪範》也採用了這種方法：

**無偏無陂，遵王之義；無有作好，遵王之道；無有作惡，遵王之路；無偏無黨，王道蕩蕩；無黨無偏，王道平平；無反無側，王道正直。會其有極，歸其有極。**

不要有偏差，不要有偏斜，要遵照王的正義；不要有自己的偏好，要遵守王的正道；不要為非作歹，要遵照王的道路；不要偏私，不要結黨，王道坦坦蕩蕩；不要結黨，不要偏私，王道平平正正；不要違反，不要傾斜，王道既正且直。所有的官員都要遵照王所規定的正義。

其中，「極」代表「中」，即「正義」；「王」指天子，應表現最高的正義；以「無」字來說明「絕對」，代表至高無上的理想和永無止境的期許，三代王道正建基於此。

所有官員都要清楚，自己是代表天子來執行「絕對正義」的要求，如果不能把握這一原則，官員極易出現收受賄賂、以權謀私、以私害公等問題，最終受害的是百姓。歷史上偉大的帝王，如堯、

---

13　《左傳・昭公七年》：日月之會是謂辰。十二辰為夏曆一年十二個月的月朔時，太陽所在的位置。

舜、禹、商湯、周文王、周武王，都能自覺地執行「絕對正義」的要求，使國家繁榮昌盛。但後代繼承者卻逐漸淡忘此一原則，使國家陷於昏亂滅亡的境地。

「皇極」最後一段提出對百姓的要求，要順從國家領導的要求走上正路，如此才能接近「天子之光」。「天子之光」象徵光明，邪惡在天子之光的照耀下無所遁形，沒有人可以欺瞞舞弊。

最後一句「天子作民父母，以為天下王」，以「天子」為百姓父母，顯示出中國最早的國家觀念。我們現在常說「醫者父母心」，希望醫生能像對待自己的孩子一樣關愛病人，如此顯然是病人之福。但現實是病患眾多，醫生常常忙得不可開交，「醫者父母心」的理想無法實現。

天子要成為百姓的父母，這無疑是中國最好的政治觀念。天子和官員負責國家的治理，對百姓有仁愛照顧的責任，如此才可得到百姓的「歸往」。「天下王」的「王」最早代表「歸往」。後來，中國百姓習慣連縣太爺都稱為「父母官」。一個剛考中科舉的年輕人被分配到縣衙當縣長，即使老年人也稱其為「父母官」，這是中國的優良傳統。

天子做為天的兒子，表面看來無人約束，可以為所欲為；但上天賦予天子的重要職責是，代替做為父親的「天」在人間照顧百姓、主持正義。能否做到此一要求，正是王朝興衰的關鍵所在。

《尚書‧洪範》的核心在於「皇極」這一疇，以前面四疇為準備，「皇極」列為九疇中的第五疇，也有居九之中位的意思。天子的統治應表現出對百姓的仁愛，照顧百姓生活；同時又能夠主持絕對正義，讓善惡有適當報應。二者兼顧，才能實現天下太平、國泰民安，使國家成為人間幸福的場所，這是中國人幾千年來一直孜孜以求的最高理想。

# 分別對付善惡

## （六）乂用三德

「洪範九疇」的第六疇「乂用三德」，即用三種方法治理百姓。「德」可指「好的德行」或「方法」，在這裡的意思是，希望用三種方法使百姓走上正路。

自古以來，社會上只要有法律或規範，就可區分出好人、壞人。不要以為人本來都是好的，後來少數人變壞了，一個人變好、變壞有錯綜複雜的深層原因。

古代治理百姓有四個層次：德治、禮治、法治、刑治。

第一為「德治」，即用高尚的道德來治理國家，需要天子的德行達到如堯、舜般完美的境界。孔子曾稱讚舜：「無為而治者其舜也與！夫何為哉？恭己正南面而已矣。」[14]（《論語‧衛靈公篇》）孔子所言的「無為而治」不同於道家的「無為而治」，它需要領導者態度嚴肅恭敬，修養自身德行。然而，隨著國家疆域日益擴大，能直接接觸到天子的百姓畢竟寥寥可數，大多數人終其一生也無法見到天子，因此需要禮治的配合。

第二為「禮治」，即制定禮儀等行為規範來教化百姓。禮與法的差別是：法律規定的是禁行之事，意在防範邪惡，不會鼓勵你去做好人；禮儀根據你的身分，規定的是當行之事，意在正面引導，使人表現出文質彬彬的教化。因此，德治與禮治要配合運用才可取得人文化成的效果。

第三、四為「法治」與「刑治」。任何一個社會都有法律，自

---

14　譯文：無所事事而治理好天下的人，大概就是舜吧！他做了什麼呢？只是以端莊恭敬的態度坐在王位上罷了。

古以來，國家統治一定是同時使用四種方法，即使堯舜時代，只靠德治與禮治也不可能治好國家，舜的時代已有「五刑」之說。

「五刑」[15]第一種是直接對身體的處分：墨刑為在面上或額頭上刺字並染上墨；劓（ㄧˋ）刑為割鼻；刖（ㄩㄝˋ）刑為砍一條腿；宮刑為閹割男性生殖器，司馬遷即遭受宮刑；大辟即處死。「五刑」第二種為流放（流），舜登上帝位後流放「四凶」（共工、驩〈ㄏㄨㄢ〉兜、三苗、鯀〈ㄍㄨㄣˇ〉）到邊遠地區；第三種為鞭打（笞）；第四種是棍打（杖）；第五種是贖金罰款。

三德：一曰正直，二曰剛克，三曰柔克。平康，正直；強弗友，剛克；燮（ㄒㄧㄝˋ）友，柔克。沉潛，剛克；高明，柔克。

當國家承平、社會安定之際，用「正直」的方法，即用正當、公平的方式來治理，使百姓循規蹈矩，社會長治久安。

「克」為「治」。剛克分兩個方面：

1. 以剛克剛。對於殺人越貨、兇殘暴虐之徒，絕不能手下留情，舜的時代就有「五刑」來懲治歹徒。我們常說「治亂世用重典」也有「剛克」之意。

2. 對於深沉潛退之人，要鼓勵他勇往直前。

柔克為「以柔克柔」，對和順從命之人應以柔順手段對待，絕不能欺善怕惡，亦即對柔順者剛強，對剛強者退讓。

古代由於中國幅員遼闊，各地風土人情差別極大，在自然條件艱苦惡劣的地方，生存需要競爭，往往民風剽悍；在物產豐饒之地，往往民風淳樸、樂善好施。

《論語・述而篇》提到「互鄉難與言」，就是說「互」這個鄉的人們難以溝通，對外來之人不太友善，很可能此地民風強悍，擔心外來之人搶奪本地有限的資源。

有趣的是後半句「童子見，門人惑」，童子指年齡小於十五歲

者，童子來向孔子請教，孔子接見了他，為什麼會引起學生的困惑呢？這裡涉及《論語‧述而篇》另一句常被誤解的話：「自行束脩以上，吾未嘗無誨焉。」正確的解釋為：十五歲以上的人，我是沒有不教導的。

「行束脩」為古代男子十五歲以上，這一說法出自東漢著名學者鄭玄[16]。這句話常被誤解為孔子要收十束肉乾才肯收徒，其實不然。古代男子十五歲以下進行鄉村教育，十五歲以上就要跟從父親做祖先傳下的家業。對於想繼續學習深造的人，孔子都悉心予以教導。互鄉童子未滿十五歲，孔子居然予以接見，這才使學生們感到困惑。

「三德」就是治理百姓的三種方法。承平之世採用正當及正常的方法來治理，再以剛強的手段對付忤逆不順者，以柔軟的手段對付和順從命者，接著告誡統治階級不可「作威」、「作福」、「玉食」，否則國家必定陷於危亡。

「洪範九疇」顯示出中國古代的一套永恆哲學，它站在國家和統治者的立場上，建構了一套治國的原則規範。中國古代的情況與西方社會的背景完全不同，直接對照西方民主的發展歷程，對於了解中國古代政治的幫助不大。

---

15　又一說，上古五刑是殘害肢體的刑罰，即墨、劓、刖、宮、大辟，隋唐之後，五刑指笞、杖、徒、流、死。

16　《後漢書‧延篤傳》的李賢注所引。

# 人算不如天算

### （七）明用稽疑

在考察疑惑時，如何辨明某一抉擇是否適當？古往今來，國家領導人遇到重大困惑時，如果輕舉妄動，決策失誤，其後果不堪設想。所以，抉擇之際要慎之又慎，方法是「擇建立卜筮人，乃命卜筮」，即擇用善於卜筮之人預測未來。

天子在遇到重大疑惑時需要考慮五方面的意見：

汝則有大疑，謀及乃心，謀及卿士，謀及庶人，謀及卜筮。

1. 謀及乃心：天子身居高位，應高屋建瓴，把握全局，自己用心思考該怎麼做。

2. 謀及卿士：卿士各有負責的部門，要以各自的專業視角提供建議，比如戰爭要問國防部門官員的意見。

3. 謀及庶人：詢問百姓的看法。古代國家相對較小，可以去了解百姓的想法和願望。

4. 謀及卜筮：卜為龜卜，即以龜甲或牛骨問卜。大致方法是殺一隻烏龜，烏龜的腹部是平的，中間依天然紋路一分兩半，左邊刻「要打仗」，右邊刻「不要打仗」，再刻上問卜時間和君王的名字，之後在火上烤，哪邊先裂開就代表天意支持哪一邊。

由此形成的甲骨文成為中國文化最早的文獻證據，證明了古代夏朝、商朝的歷史都是真實的。占問之事多為國家的重要政策事宜，包括：戰爭、遷都、天子的健康、天氣及降水情況等。龜卜有人為操縱的可能，比如可以揣測領袖的意圖，如果想發動戰爭，則這一邊刻得用力些，使其在烘烤時先裂開。

5. 謀及卜筮：筮為占筮，即以蓍草問卜。蓍草在今日河南仍有生長，其形狀特別，從根到莖為一樣粗細的圓柱形，被稱為「天

生神物」。《易經・繫辭上傳》中介紹了用五十根蓍草進行占筮的方法。用蓍草占筮，人不能干預，其結果具有高度的偶然性；但此種偶然性不是碰巧，而是「有意義的偶然」。

古代其他國家或民族也有各種預測未來的方法，但唯獨《易經》附有文本做為解卦的依據。一般認為《易經》由伏羲氏畫卦，周文王和周公寫下卦辭和爻辭。《易經》占筮得到的結果是哪一卦、哪一爻，可以參考其卦辭、爻辭得到啟發。

在「稽疑」過程中，需參考以上五方面的意見，其中三方面為「人意」，兩方面為「天意」。一般採用「多數決」，即在五方面中，有三方面意見一致就可實行。可見，我們不能簡單地認為古人迷信，古人清醒地認識到：人只能掌握過去和現在，不能充分把握未來；對於影響未來的重大決策，一旦失誤，可能導致國破家亡的嚴重後果，因此決策不可不慎。古人在面臨戰爭、災難等重大變局時設法占問天意，這對於安定民心和鼓舞士氣實有莫大的幫助。

## （八）念用庶徵

古代是農業社會，施政的成敗和照顧百姓的成效可由農業收穫做為直接的驗證。是否有好收成，有五方面徵兆：雨、暘（一尢ˊ）、燠（ㄠˋ）、寒、風。

第一為雨，雨潤萬物；第二為暘，晴天乾燥萬物；第三為燠，溫暖使萬物得以生長；第四為寒，寒冷使萬物得以完成；第五為風，風鼓動萬物，使空氣流通。

以上五者要配合「時」，即「適當的時候」。君王統治富有成效，則上述五種天氣會適時出現，該下雨時下雨，該出太陽時出太陽，此為「休徵」，即「好的徵兆」。

如果君王統治有過失，則會出現大雨、乾旱等「壞的徵兆」，稱為「咎徵」。由此可見，古代社會不靠輿論宣傳，而以五種氣候

是否各以其時（使農業豐收和百姓和樂）來評價政治的優劣，並做為決策的驗證。古人順應天時地利，與自然界保持和諧的心態十分明顯。


## 善惡報應

### （九）向用五福，威用六極

「洪範九疇」的第九疇為「五福六極」。「向」為勸導，「威」為懲戒。五福是五種福報，我們常說的「五福臨門」即典出於此；六極是六種惡報。「五福六極」指人在現世會遇到的善惡報應。古代國家希望百姓行善避惡，君王只能就現實世界的福與禍來勸導或懲戒百姓。

五福：一曰壽，二曰富，三曰康寧，四曰攸好德，五曰考終命。

第一為壽。古代醫療技術不發達，在自然狀態下得享長壽是人生的幸福，活到百歲以上可謂長壽，家中有長壽的長輩實為一家之幸。現代科技先進，有人雖疾病纏身，卻可依靠先進的醫療設備和醫藥維持生存，但有時求生不得，求死不能，苦不堪言。

第二為富。只是長壽卻很貧窮，日子也十分艱難。人生在世，若能擁有充足的資源和豐厚的財產，當然是幸福的。富裕要以從事正當行業為前提，比如努力耕田，不辭勞苦，收穫自然豐厚。

第三為康寧。健康平安當然是福報。

第四為攸好德。「攸」意為「所」，「攸好德」即「所愛好的是德行」。一個人愛好美德，自然與同樣愛好美德之人交朋友，朋友間切磋琢磨，進德修業，氣氛融洽。孔子說：「友直、友諒、友多

聞，益矣。」[17]（《論語‧季氏篇》）結交志趣相投的朋友，實為人生幸事，但不要忘記德行修養應從自身開始做起。

第五為考終命。「考終命」與「長壽」有區別，長壽只是一個客觀現象，考終命代表安其天年、壽終正寢。一個人的「天年」與其基因有關，用現代科學的方法能大致推測一個人的「天年」如何，比如一個人的父母各向上推三代的平均年齡大概就是此人的「天年」。因此考終命不一定多麼長壽，不可能每個人都能活到一百歲，只要安其天年、得享善終就是福報。

五福是人在現世可以看到的五種福報，這種想法十分原始與淺顯，禁不起深入分析和推敲。五福中只有「攸好德」可被現代人普遍欣賞和接受。

六極：一曰凶短折，二曰疾，三曰憂，四曰貧，五曰惡，六曰弱。

與五福相對的是六極，即六種惡報，六極使人陷入困境。

第一為「凶短折」。「凶」是指遇事皆凶，到處碰到倒楣之事，此時要問自己是否什麼地方做錯了；「短」代表年不及六十；「折」代表年不及三十，即「夭折」。直至今天，一個人不到六十歲而過世只能說「得年」，六十歲以上才可說「享壽」或「享年」。孔子的學生顏淵學問和德行一流，可惜活到四十一歲就過世了，還來不及為社會做出貢獻。孔子認為一個讀書人具備了專業的學問和能力後，應出仕做官，設法造福百姓。

第二為「疾」。即經常生病。

第三為「憂」。有憂鬱症，每天憂愁煩惱，心中苦悶。

---

17 譯文：與正直的人為友，與誠信的人為友，與見多識廣的人為友，那是有益的。參考《人能弘道：傅佩榮談論語》，天下文化出版。

第四為「貧」。即貧窮。

第五為「惡」。指相貌醜陋。《莊子‧人間世》中描寫支離疏長得「支離破碎」：頭低縮在肚臍下面，雙肩高過頭頂，髮髻朝著天，五臟都擠在背上，兩腿緊靠著肋旁[18]。但他的修養和智慧非常人所能及，這正是道家思想的獨特之處。

第六為「弱」。即體弱多病。

以這六種不好的報應做為行惡的懲戒，實為淺顯之見，禁不起現實的檢驗。比如顏淵就是一個反例。歷史上多少大奸巨憝，德行卑劣卻得享高壽，享盡富貴榮華；多少人為國捐軀、為理想獻身，卻未得到應有的肯定。如果把現世的五福六極當做善惡的報應，很多時候都有失公平。因此，這種觀念只是中國哲學的雛形，對今天理性昌明的時代並不適用。

「洪範九疇」體現古代建立國家的完整思維，它提醒國君：從自然資源、人事修養、政權劃分到天時節氣，都應認真面對；不但要使百姓豐衣足食、平安度日，更要以「皇極」展現「絕對正義」，使善惡都有適當報應。最為精采的是連用十個否定詞來描寫「絕對正義」的特色，其中蘊含了中國的永恆哲學。

《尚書》是中國第一部歷史，孔子後來寫作《春秋》，所謂「孔子成《春秋》，而亂臣賊子懼」（《孟子‧滕文公下》），正是延續了《尚書》中對「絕對正義」的要求。這些作品共同構成了中國哲學的基礎。

# 《易經》很神奇

## 《易經》：變化哲學

人生在世，第一個經驗就是變化。晝夜交替，四季更迭，變化使人心中茫然，無所適從。變化意味著未來會變得和現在不同，不管累積多少過去的經驗，也不能保證下一刻會變成什麼樣子。變化使人感到不安和恐懼，我們不禁要問：活著到底是怎麼一回事？

《易經》位列中國古代經典「十三經」[19]之首，在時間上最為古老，歷經漫長歲月才呈現出今天我們看到的模樣。根據唐朝孔穎達《周易正義序》中所述，最早製作《易經》的是距今五千多年前的伏羲氏。

根據「三墳五典」[20]的說法，按年代順序排列依次為伏羲氏、神農氏和黃帝。黃帝是中國歷史上的文化超人，許多文化發明都歸功於他，倉頡造字就處於黃帝時期。因此，伏羲氏的年代顯然還沒有出現文字，無法實現經驗的有效積累和傳播，每個人只能憑親身體驗或口耳相傳來獲取經驗，不可能掌握豐富的知識，無法有效地趨利避害。

伏羲氏是古代偉大的天才，《易經・繫辭下傳》中描寫伏羲氏「仰則觀象於天，俯則觀法於地」，透過觀察宇宙萬物的存在與變化，製作了基本的符號，以符號代表實物，以符號的不同組合代表

---

18　原文：支離疏者，頤隱於臍（ㄑㄧˊ），肩高於頂，會撮指天，五管在上，兩髀（ㄅㄧˋ）為脅。

19　十三經：儒家的十三部經書，即《易經》、《尚書》、《詩經》、《周禮》、《儀禮》、《禮記》、《春秋左傳》、《春秋公羊傳》、《春秋谷梁傳》、《論語》、《孝經》、《爾雅》、《孟子》。

20　三墳：指伏羲氏、神農氏、黃帝的書；五典：指少昊、顓（ㄓㄨㄢ）項（ㄒㄩˋ）、帝嚳（ㄎㄨˋ）、堯、舜的書。

實物的變化。因此，伏羲氏所作《易經》屬於一套符號系統。

何謂符號？舉例來講，小學畢業三十年後組織同學會，如果不看名字則很難認出誰是誰，三十年中，每個人的容貌都發生了很大變化，但每個人的名字不會改變，名字就是符號。

人類是唯一能夠用符號代表實物的偉大生命。《易經》中有兩個基本符號，一個為陽爻（—），一個為陰爻（--）。所謂「爻」，其意為「效」，即效法萬物之變化。「變化」兩字，「變」代表主動力，「化」代表受動力，任何變化均有主動力和受動力。《易經》就以「陽爻」代表主動力，「陰爻」代表受動力，效法變化的兩種基本力量，這樣的想法堪稱高明。

十七世紀歐洲最有學問的德國哲學家萊布尼茲，設計了第一部計算器，他在閱讀了傳教士用拉丁文翻譯的《易經》後，認為其原理「二進位」與《易經》不謀而合，以陽爻代表1，以陰爻代表0。萊布尼茲專門撰寫了一篇論文闡述「二進位」的原理，副標題就提及伏羲氏[21]。萊布尼茲是普魯士學院的首任院長，該文至今仍保留在該學院中。

伏羲氏時期，文字尚未出現，不可能用文字記錄事情，但用「陽」和「陰」兩個符號可以在人群間方便地傳遞資訊。伏羲氏創作了基本八卦（卦為掛示出來），卦象由三爻組成，上面一爻代表天，中間代表人，下面代表地。

三爻隨意排列組合，只有八組卦象，代表自然界八大現象。其中乾卦（☰）代表天，坤卦（☷）代表地，震卦（☳）代表雷，坎卦（☵）代表水，艮（《ㄣˋ）卦（☶）代表山，巽（ㄒㄩㄣˋ）卦（☴）代表風，離卦（☲）代表火，兌卦（☱）代表澤。

伏羲氏畫八卦後，又將基本八卦兩兩相合，成為具有六爻的六十四卦，由此形成天羅地網，把人生的可能情況都涵蓋其中。

古代只有結繩記事。伏羲氏時代尚處於漁獵社會，人們以打獵為生，已經開始馴服野獸。如果發現某地水草豐盈，打獵滿載而歸，另一地則充滿危險，常常有去無回，就要設法做記號告訴族人。

古代樹藤很長，可將樹藤拉開，從左到右以手肘為單位，中間打結的為陰爻，不打結的為陽爻。從一頭到另一頭共分六段，三個陽爻代表乾卦，三個陰爻代表坤卦，只有族人懂得其中的含義。由此本族群的經驗得以積累，逐漸掌握了更多生存資源。

伏羲氏的智慧使我們這個部族可以在與其他部族的競爭中立於不敗之地，從而綿延長久。《易經》在最初使用的時候只講「吉凶」，不談「道義」。吉就是利，凶就是害，在原始社會階段，只要知道利害，族人的生存就有保障，生命就有發展的機會。

《易經》的「易」代表變化。「易」字有「變易」、「不易」、「易簡」三個意思。

第一是「變易」。即不斷的變化。

第二是「不易」。變化中存在不變的規則，如陽變陰，陰變陽，就是不變的規則。

第三是「易簡」。「易」表示容易，代表乾卦。乾卦六爻皆陽，主動力、創造力、生命力無比充沛，很容易就可以創生萬物，乾也代表時間。「簡」表示簡單，代表坤卦，因為「簡」與「間」相通，坤也代表空間。乾卦展現出創造力，由坤卦配合來完成造物的過程。乾卦創造，坤卦完成，合起來稱為「易簡」。「大道至易，大道至簡」的說法就發源於此。

---

21　原標題《二進位算術的闡述——關於只用0和1，兼論其用處及伏羲氏所用數字的意義》。一七〇三年五月發表在法國《皇家科學院院刊》上。

# 誰寫了《易經》

《易經》始創時沒有文字，後來出現了包含文字的不同版本。夏朝有《連山易》，商朝有《歸藏易》，周朝有《周易》。從名字來看，夏、商兩朝的版本應各具特色，可惜後來均失傳了。今日學術界所謂的《易經》指的是《周易》，其中的卦辭、爻辭相傳為周文王所作。

周文王在商朝時是西邊的霸主，稱為「西伯」，他的德行、能力、智慧均屬一流。商紂王生性猜疑，他聽信讒言，將周文王拘禁於羑（一ㄡˇ）里[22]長達七年之久。周文王在此期間為《易經》的每一卦寫下一句卦辭，並為每一爻寫下一句爻辭。

一般認為周文王沒有完成全部的爻辭，剩餘部分由周文王的兒子周公來完成。周武王革命成功後，短短五、六年即辭世。周公輔佐周成王東征西討，平定叛亂，後來制禮作樂，使周朝得以綿延長久。從爻辭內容來看，有兩處顯然描寫的是周文王之後的事件[23]。也有學者認為，應該還有一位西周末年的卜官，將之前的占卜紀錄等資料加以整合後完成了卦辭、爻辭。

《易經》六十四卦，每一卦都用一句話來描述全卦的意義，稱為卦辭，用以說明卦象對人的啟發。譬如，《易經》第一卦乾卦（☰）六爻皆陽，象徵無限的生命力。卦辭為「元亨利貞」，代表萬物都由乾卦而來。

「元」代表創始，乾卦使萬物得到了創造的機會，今天我們常說的「一元復始」、「元旦」均含有「開始」之義。「亨」代表通達，萬物因為有共同的來源──乾卦，所以彼此相通，好比一家兄弟姊妹有共同的父母而血脈相通。這也反映出中國古人獨特的宇宙觀，認為宇宙是一個有生命的整體，生命在其中循環不已。

最初的《周易》由三部分構成：1. 六十四卦的卦圖；2. 六十四句卦辭；3. 三百八十四句爻辭。以今天的印刷方式來算，只有大約二十頁篇幅。如果單看這部分內容，幾乎無人能曉其中的含義。

談到周朝的祖先，可以上溯到后稷（姬姓，名棄）。后稷與大禹均為堯舜時代的大臣，大禹負責治理洪水，后稷負責教人種植五穀。堯立后稷為大農，賜姓姬[24]。

后稷後代歷經千餘年發展，到周文王時代成為西邊的霸主。周文王名叫姬昌，一般稱為西伯姬昌。他的治理卓有成效，深得民心，「三分天下有其二」。大禹治水後分天下為九州，周文王時九州中有六州歸附，只有三州仍支持商紂王。但姬昌仍恪守臣子本分，盡心治理百姓，並未起而革命。

周文王德行高尚，修己治人，天下歸心，以通天下之志（心意）；他能力卓越，興修水利，造福於民，以定天下之業；他智慧出眾，裁斷是非，主持正義，以斷天下之疑。《易經》希望領導者應具備德行、能力、智慧三項條件，今天學習《易經》，每個人都應在這三方面拓展自己的潛能。

《易經》的卦、爻辭晦澀難懂，需要借助其他材料的發揮和引申來幫助理解。孔子與後代弟子將研究心得彙集為《易傳》，目的是對原始的「經」做出解釋和發揮。

比如乾卦卦辭為「元亨利貞」，意為「創造、通達、適宜、正固」；坤卦卦辭為「元亨，利牝（ㄆㄧㄣˋ）馬之貞」，意為「開

---

22　今河南省安陽市湯陰縣北四點五公里有羑里城遺址。

23　《易經·明夷卦》六五爻「箕子之明夷」以及《易經·晉卦》卦辭「康侯用錫馬蕃庶」，反映了周文王以後的史實。

24　參考《史記·三代世表》：堯立后稷以為大農，姓之曰姬氏。關於姬姓的來源，參考《國語·晉語》的說法，華夏民族的人文始祖黃帝，因長居姬水，故以姬為姓。

始，通達，適宜像母馬那樣的正固」。乾、坤兩卦的卦辭為何不同？這需要用《易傳》來加以闡釋。

《易經》基本八卦的每一卦都可以象徵不同的事物，從而構成一套複雜的系統。

以乾（☰）、坤（☷）兩卦為例。在自然界中，乾卦代表天，坤卦代表地；在一家之中，乾卦代表父親，坤卦代表母親；以人的身體來說，乾卦代表頭部，坤卦代表腹部；以動物來說，乾卦代表馬，坤卦代表牛。我們常說父母為子女「做牛做馬」即來源於此。《易傳》中《說卦傳》詳列了基本八卦的象徵，有如小字典。

詳細了解了八卦的象徵後，將八卦應用於生活中的各個領域，都會發現有相關性。八卦兩兩重疊形成《易經》六十四卦，可代表整個自然界的狀況以及整個人類社會的處境，使得《易經》在預測未來時形成「有意義的偶然」，供人們參考借鑑。


## 誰來說明《易經》

《易經》包括兩部分：一是「經」，內容很少，只有六十四卦的卦圖、卦辭及爻辭；二是「傳」，即對「經」所做的注解。

一般認為，《易經》是經由孔子講授，部分學生傳承下來的。司馬遷的《史記・仲尼弟子列傳》中提到「孔子傳易於瞿[25]，瞿傳楚人馯臂子弘」，後面世代相傳，至司馬遷之父司馬談已是《易經》的第十代傳人。由於《易經》是司馬遷的家學，故傳承次序記錄得十分清晰。

唐代學者認為《易傳》都是孔子所作，今日學者普遍認為《易傳》不是孔子親撰。《易傳》很多地方與《論語》一樣，以「子曰」

開頭，內容是學生記下孔子在教學中如何發揮《易經》的道理。《易傳》應為孔子及其後學的合作成果。

　　《易傳》共十部分，內容十分豐富，一般稱為「十翼」（「翼」為「輔助」，即用來輔助解釋《易經》），包括彖傳（上、下）、象傳（上、下）、繫辭傳（上、下）、文言傳、說卦傳、序卦傳和雜卦傳。

　　**（一）彖傳（上、下）：用來解釋卦辭，並說明每一卦的卦名、卦象與卦義**

　　「彖」（ㄊㄨㄢˋ）音近「斷」，意指裁斷一卦之吉凶。《易經》從第一卦（乾卦）到第三十卦（離卦）為「上經」，從第三十一卦（咸卦）到第六十四卦（未濟卦）為「下經」，因此解釋卦辭的《彖傳》也分為上、下兩部分。

　　**（二）象傳（上、下）：說明每一卦的卦象與每一爻的爻象與爻辭，依六十四卦分為上下兩篇**

　　「大象」解釋整個卦象，「小象」解釋每一爻的爻象。自坤卦起，小象附在各爻的爻辭之後，都用「象曰」來表示。以乾、坤二卦為例，乾卦大象為「天行健，君子以自強不息」，坤卦的大象為「地勢坤，君子以厚德載物」，這兩句話國人耳熟能詳。清華大學採納梁啟超建議，將「自強不息，厚德載物」做為清華大學的校訓，傳承了古人的智慧。

　　**（三）繫辭傳（上、下）：提供《易經》的哲理闡述，因內容豐富而分上下兩篇**

　　《易經》的「經」部分，文辭古奧，晦澀難懂。比如看乾卦（☰）

---

25　商瞿，字子木，魯人，孔子的弟子，小孔子二十九歲。

卦圖，我們無法理解一條條線代表的含義。看卦辭「元亨利貞」四個字則完全不知所云，如果不了解《易經》背後基本的宇宙觀和人生觀而直接看卦象、卦辭，實在無法理解其意義。

《繫辭傳》一開頭就說：「天尊地卑，乾坤定矣。卑高以陳，貴賤位矣。動靜有常，剛柔斷矣。方以類聚，物以群分，吉凶生矣。」這裡出現了「定」、「位」、「貴賤」、「吉凶」，說明人生在世需要「觀天道以立人道」，即觀察萬物的變化規律，然後安排人類的生活，使人們趨利避害，活得平安快樂，這就是《易傳》中所發揮的《易經》的哲理。

**（四）文言傳：**充分解說乾卦與坤卦

文言傳以《易經》中最重要的乾卦、坤卦做為示範，充分解說乾、坤兩卦，將兩卦蘊含的道理發揮得淋漓盡致。乾卦六爻皆陽，坤卦六爻皆陰，後面六十二卦都是由陽爻、陰爻交錯而成，不能一一展開闡述，否則篇幅過長。

**（五）說卦傳：**有如小字典，介紹基本八卦的組合與用意，以及各卦所象徵的實物、特性與處境

比如，乾卦（☰）象徵馬，坤卦（☷）象徵牛；乾卦象徵國君，坤卦象徵百姓；乾卦象徵白天，坤卦象徵夜晚；乾卦象徵金玉，坤卦象徵布。每個基本八卦都有複雜的多重象徵。

**（六）序卦傳：**敘述六十四卦的排列順序，找出簡單的因果關係

有如看圖說故事，先射箭，再畫箭靶，並沒有特別高深的道理。

**（七）雜卦傳：**分六十四卦為三十二組，並做扼要詮釋

只有一頁內容，不成系統，但古人認為這份材料有保留的價值，於是流傳下來。

《易傳》「十翼」就像十隻翅膀來幫助人們了解《易經》的道理，其闡發的義理無不希望人們修德行善，成為君子。比如乾卦、坤卦中多次提到君子，且每每與德行修養相結合，強調德行應不斷提升，體現了儒家思想的特色。

《易經·繫辭上傳》中提到《易經》的四種應用：

《易》有聖人之道四焉：以言者尚其辭，以動者尚其變，以制器者尚其象，以卜筮者尚其占。

1. 用在言語方面的人會推崇它的言辭。《易經》詞句文雅凝練，聯想豐富。

2. 用在行動方面的人會推崇它的變化。透過研究卦與卦之間的變化，獲得啟發。

3. 用在製造器物方面的人會推崇它的圖像，根據卦象製作器物。比如火風鼎卦（䷱），上卦為離卦（☲），下卦為巽卦（☴），組合在一起很像一只鼎。鼎在古代用於燒火做飯，將東西煮熟了吃，既健康又美味。

4. 用在占筮方面的人會推崇它的占驗。學《易經》不能忽略它的占卜，後世有人認為《易經》是迷信，這是一種誤解。《易經》原本就做為解決疑惑的方法之一，在前面介紹《尚書·洪範》的「稽疑」部分已經解說過。

由此可知，伏羲氏畫卦，周文王（周公或西周的卜官）作卦辭與爻辭，孔子及其後學充分發揮其義理，形成儒家的思想傳統。三部分匯合，才形成了我們今日見到的《易經》一書。

# 乾坤是硬道理

我本來完全不了解乾、坤是怎麼回事，第一次接觸到乾、坤兩卦是在金庸的小說中。如《射鵰英雄傳》中丐幫的鎮幫之寶「降龍十八掌」的招式有「飛龍在天」、「亢龍有悔」，《倚天屠龍記》中明教教主張無忌練成了「乾坤大挪移」的功夫。

《易經·繫辭下傳》強調，乾卦與坤卦是進入《易經》的門徑。乾卦（䷀）六爻皆陽，代表天；坤卦（䷁）六爻皆陰，代表地。由天地構建了時間與空間，萬物在其中得以生存發展。本節先介紹乾、坤兩卦。

### （一）乾（䷀）：元亨利貞

乾卦的卦辭「元亨利貞」四字是對古代宇宙觀最早的描述，有「一錘定音」之效。

1. 元：代表創始。說明宇宙萬物均由乾卦創造生成。

2. 亨：代表通達。宇宙萬物有共同的來源，因此萬物之間彼此相通。譬如，牛吃的是草，卻能產牛奶，說明牛奶中含有草的成分。人喝牛奶慢慢長大，卻不會變成牛，說明人的身體有牛奶的成分；再往上追溯，人的身體也含有草的成分。這說明植物、動物和人類是相通的。

3. 利：代表適宜。萬物各有適宜其生存的時空條件，有些花適宜在江南水鄉生長，有些植物適宜在乾旱沙漠中生存。每樣東西只要存在就有適宜其生存發展的特定條件，一個地方不可能同時適宜萬物生長。

4. 貞：代表正固。有人認為「貞」表示「問」，其實並非如此。「貞」表示一種特定的德行表現，即堅持走在正路上。「貞」代表「正」，「固」代表「堅持」。每樣東西的存在都會維持或長或

短的一段時間。比如,一朵花之「貞」就是一個月枯萎,一棵草之「貞」是三個月消亡。所以,對每樣東西或人生每個處境來說,「正固」的含義各不相同,應區別對待。

真正進入乾卦的爻辭,會讓人驚訝。從下往上看:初九,潛龍勿用;九二,見龍在田;九五,飛龍在天;上九,亢龍有悔;用九,見群龍無首。真可謂是一套「降龍十八掌」的招式。

前面《易經‧說卦傳》中提到乾卦象徵馬,為何這裡變成龍了呢?這是因為《易經》在象徵上十分靈活。乾卦六個陽爻代表人活著的時候具有無限的可能性,龍是最能體現這一特點的動物。龍可在水中游,可在地上跑,可在天上飛,變化莫測,只有龍才能同時具有水、陸、空三棲的能力。

龍象徵了人的生命力不可限量,一個小孩生下來具有無限的潛力,日後的發展總給人無限的想像空間。中國人所謂的「望子成龍」正是受乾卦的啟發。乾卦的每一個陽爻分別代表一個人生命的不同發展階段。

### (二)坤(☷):元亨,利牝馬之貞

坤卦六爻皆陰,沒有任何主動力。「牝馬」為母馬,「利牝馬之貞」意為「適宜像母馬那樣的正固」,這是因為坤卦必須跟隨乾卦而行。古人認為「天旋地生」,乾卦剛健前行,坤卦必須像馬一樣緊緊追隨才能跟得上。之所以稱為「母馬」,是因為坤卦主陰柔隨順,絕不能帶頭前行,一定要謙恭居下,尾隨而行。

人生在世只有兩種處境:一種好比乾卦,我居領導之位,有決策之權,帶領別人前行;另一種好比坤卦,我追隨別人前行,聽從領導的命令,一步步腳踏實地把事情做好。我們在任何團體中與人互動,只會出現這兩種情況。坤卦提醒我們,當自己不處於領導之位時,要收斂持重,修養德行,如此才是正確的態度。

坤卦自下而上，第一爻的爻辭為「履霜，堅冰至」，意為腳下踏著霜，堅冰將會到來。看到樹葉飄落，就應該知道秋天已到，冬天將至。若不提前準備、未雨綢繆，真到下雪時再準備過冬就來不及了。坤卦從下而上全是陰爻，給人一種肅殺寒冷的感覺。

但坤卦第二爻卻並非描寫下雪。《易經》中，每一爻都有特定的位置，呈現出獨立的姿態，表示生命的不同階段或處境，每一爻都通過象徵給人以無限的想像空間。

《文言傳》將乾、坤兩卦蘊含的義理發揮得淋漓盡致。乾卦表示生命力不斷向前發展、向上提升，其中兩次提到「誠」這個概念。後面介紹儒家思想，其關鍵就是「真誠」兩字。真誠不是一句口號，如何做到真誠？《易經》給了我們重要的啟示。

1. 閑邪存其誠：防範邪惡，以保持內心的真誠。即真誠與邪惡勢不兩立。

2. 修辭立其誠：修飾言辭，以建立自己的真誠。說話要使別人能夠適當地了解我的心意，說話不是為了動聽，而要恰到好處。

儒家正是從行為和言語兩個方面修練自己以做到真誠：行為要遵守規範，走在人生正路之上；言語要恰到好處，使別人充分理解。修養離不開行為和言語這兩個範疇。

因此，能充分理解乾、坤兩卦的卦辭、爻辭，掌握象傳、象傳、文言傳對卦辭、爻辭進行的發揮，就可得其門而入，進入《易經》的世界。


## 居安要思危

歷代學者研究《易經》，流派眾多，總的來說可分為兩派：

象數與義理。象數根據卦象和數位預測未來，稱為「占筮」，俗稱「算命」。至於義理，則是指做人處事的道理和人生的應行之道。儒家的《易傳》基本上都屬於義理的發揮，可概括為兩個基本觀念：居安思危和樂天知命。

## 居安思危

《易經》的「易」有「變易」、「不易」、「易簡」三義，其中「變易」為普遍現象。既然未來變化莫測，難以預料，人又怎能高枕無憂？因此要做到「居安思危」。可由以下四方面著手：

### （一）主動調整心態

《序卦傳》認為六十四卦的排列順序有其一定的道理，顯示了前後相因、正反相隨、循環往復之理。譬如小畜卦與履卦相鄰，小畜卦（☴☰風天小畜，第九卦）是指「小有積蓄」，即人在社會上奮鬥到一定階段，事業小有成就，衣食無憂；履卦（☰☱天澤履，第十卦）意指穿鞋走路，引申為要謹守分寸與規矩。兩卦連起來看，提醒人們當小有積蓄之時要謹守規矩，有錢人最容易財大氣粗，此時一定要主動調整心態。

孔子在《論語・學而篇》提及「富而好禮」，說明富裕之後不僅不要驕傲（富而無驕），還要主動遵守「禮」的規定。「禮」涵蓋「禮儀、禮節、禮貌」三方面，如此堅持到底，才能得到履卦上九「元吉」的占驗。

又如，大有卦（☲☰火天大有，第十四卦）代表大有積蓄、資源豐盛。緊接著出現謙卦（☷☶地山謙，第十五卦），其卦象是一座山隱藏在地下，這提醒我們：即使擁有權勢、財富、名望、地位、學問，仍要藏山於地下，保持謙虛的態度，使外表平易近人，有如平地一般。謙卦六爻非吉則利，是《易經》中最好的一卦。

　　《易經》經常出現的占驗之辭是「無咎」，代表沒有災難。《易經》三百八十四爻，有九十五爻的爻辭中出現「無咎」，意味著平均占卦四次就會碰到一次「無咎」。這說明在預測未來時，結果並不一定非吉則凶，很多時候事態並沒有太大的變化，沒有明顯變好或變壞，我們不必過於擔心。居安思危提醒我們，當處境改變時，要主動調整心態。

### （二）明白物極必反

　　我們常說「否極泰來」，但《易經》所列的卦序正相反，是先泰後否。泰卦（䷊地天泰，第十一卦）代表通順，而否卦（䷋天地否，第十二卦）代表閉塞不通，合在一起展現了由通順到閉塞的格局。

　　另有兩卦更明顯地展示了不同趨向的轉化，合成一語是「剝極則復」。剝卦（䷖山地剝，第二十三卦）的五個陰爻一路上沖，眼見位於上九的一個陽爻朝不保夕。接著出現復卦（䷗地雷復，第二十四卦），則見初九一陽復起，重現生機。剝、復是兩個極端，剝到極點就會「一元復始」，會有新的機會、新的生機出現。

　　這提醒我們一切都在變化，對於變化不要太過擔心。當一切順利時，反而要擔心如果泰極否來該如何應對；當處處碰壁、剝到極點時，事情往往不會變得更壞，一定會有轉機。

### （三）必須預為籌謀

　　家人卦（䷤風火家人，第三十七卦）描寫家人相聚之溫暖：下卦是火，代表溫暖；上卦是風，可將溫暖傳播開來。我們常說「留一盞燈給最後回家的人」，正體現了家人之間血濃於水的溫情。但一家人感情再好，孩子長大後，男大當婚，女大當嫁，還是要開枝散葉，建立新的家庭。因此接著出現的是睽卦（䷥火澤睽，第三十八卦），睽為睽別分離。只有預為籌謀，分離時才不致過於傷

感。

　　豐卦（☳☲雷火豐，第五十五卦）代表物資豐盈，隨後便出現了旅卦（☲☶火山旅，第五十六卦），正可謂「在家千日好，出門一時難」，人在旅途要處處小心謹慎，居安思危。

### （四）保持憂患意識

　　《易經》有兩卦提到「王假（《さ∨）有廟」，意指君王來到宗廟舉行祭祀活動，都意在提醒人們要祭拜祖先。第一個為萃卦（☱☷澤地萃，第四十五卦），萃為萃聚。人群聚集時容易爭奪利益，見利忘義，此時需要祭拜共同的祖先，讓大家意識到彼此同根同源，不要斤斤計較，而應利益共用。第二個為渙卦（☴☵風水渙，第五十九卦），人群分散之後容易忘記根源，在遠離家鄉、移居海外之後，要記得祭拜祖先，不要忘本。

　　《易經》六十四卦都在提醒我們：在人生的特定階段、特定處境下，哪些是應該做的事，如何做到居安思危、未雨綢繆；如果能主動調整心態、明白物極必反、懂得預為籌謀、保持憂患意識，我們可讓自己時常處於順境之中。《易經》的義理告訴我們做人處事的道理，給我們深刻的啟發。

# 樂天與知命

　　《易經》的義理除了「居安思危」之外，還有「樂天知命」。

## 樂天知命

　　《易經・繫辭上傳》中說：「樂天知命，故不憂。」意為：樂天道而知天命，所以不會憂慮。

在占卦時，所得之卦代表所問事情的整體格局與大勢所趨，是為「天」。每一卦有六爻，每一爻的好壞不同，占卦所得之爻代表個人目前的位置和遭遇，是為「命」。

有時占到一個好卦，代表大的格局很好，形勢比人強，但同時還要看個人所處的位置。如果所處位置不佳，則大環境再怎麼好也與你無關。相反，有時占到一卦很凶險，但個人所處的位置不錯，就不必擔心。

《易經》每一卦有六爻，最好的位置有兩個，各位於上下兩卦的中間，即由下往上數，全卦的第二爻和第五爻。六十四卦中，位於第二、第五爻，占驗之辭好的概率超過百分之九十，體現了中國人的「中庸之道」。譬如，我占到下卦第二爻，上有第五爻與我遙相呼應，可以做為依靠，這表明只要做人處事居中守正，始終不離人生正路，則事事平安順利。

什麼是「樂天」？舉例來說，假如現在經濟形勢不好，這是客觀事實，屬於「天」的範疇，不是人可以改變的。「樂」表示要以正向而樂觀的心態去面對。既然不論高興還是難過都改變不了大的格局，何必傷心難過？不如積極面對。

什麼是「知命」？就是要了解自己的遭遇和命運。事實上，命運往往是由我們的性格造成的。古希臘哲學家赫拉克利特（Heraclitus，535 - 475 B.C.）說過：「人的性格即是他的命運。」所以與其羨慕別人命好，不如了解自己的性格並加以改善。

《易經》講究「時」與「位」：在占卦時，所得之卦代表大的格局，稱為「時」；所得之爻代表個人所處的位置，稱為「位」。我們做任何事都要看時機是否合適，我們所處的位置與他人的關係如何，應該發揮什麼作用。

### （一）如何做到「樂天」？

做到「樂天」顯然需要一定的修養。當看到大的格局與趨勢並不樂觀時，如何還能快樂？此時唯有設法明白變化的道理，把修養的要求放在自己身上。《易經》的乾卦象徵「天」，其中對人的要求就在於「誠」。

1. 閑邪存其誠。防範邪惡以保持自己的真誠。

2. 修辭立其誠。修飾言辭以建立自己的真誠。

這兩句話說明行為和言語都需要認真修練，不然怎能達到「樂天」的境界？「樂天」並非率性隨意的態度，而是經長期修練形成的人生觀，不可能一蹴而就。

### （二）如何做到「知命」？

「知命」特別值得大家深入思考，孔子說自己：「吾十有五而志於學，三十而立，四十而不惑，五十而知天命。」孔子所謂的「知天命」，除了對自己的性格和遭遇有充分了解之外，更重要的是知道自己有什麼使命。因此，首先要了解自己的性格，思考自己為什麼會有這樣的遭遇，如何加以改善？在此要進一步闡述儒家的思想。

「樂天知命，故不憂」的「憂」字十分關鍵，儒家思想的特色之一就是對於人類的存在狀況感到憂慮。人雖為萬物之靈，可以思考、選擇和判斷，但如果沒有受到良好的教育，人這樣的生命很令人感到擔憂。

《易經‧繫辭上傳》提到「一陰一陽之謂道，……鼓萬物而不與聖人同憂」，一陰一陽兩種力量搭配變化，就稱為「道」，它鼓動萬物的變化而不與聖人一起憂慮。聖人憂慮的是：如果百姓未接受良好的教育就會有偏差之念，以錯為對，以假當真，以財富為人生唯一的目標，為了斂財不擇手段甚至作奸犯科，到頭來追悔莫

及，反而錯過人生真正的價值。

儒家經典都不約而同地強調「憂慮」。孔子説：「德之不修，學之不講，聞義不能徙，不善不能改，是吾憂也。」（《論語·述而篇》）孟子説：「是故君子有終身之憂，無一朝之患也。」（《孟子·離婁下》）「無一朝之患」，説明君子並不擔心每天的衣食住行，不擔心得到或失去了什麼外在的東西；「終身之憂」則説明儒家學者一輩子都在憂慮，只擔心自己的人格是否達到了更高境界。

孟子曾引用顏淵的話，説：「舜，何人也？予，何人也？有為者亦若是。」（《孟子·滕文公上》）意思為：舜，是什麼樣的人？我，是什麼樣的人？有所作為的人也會像他那樣。令儒家學者終身憂慮的始終是自己的人格不夠理想。因為人性向善，所以一輩子都要擔心自己是否不斷朝善的方向努力，這就是人的天賦使命。

因此「樂天知命」絕不意味著無憂無慮，相反的，人的心中始終要有「憂」。這種「憂」和「樂天知命」相配合，使人的生命永遠有提升的空間，人格永遠有更完美的境界。

「居安思危」和「樂天知命」是《易經》中義理之精華，值得我們反覆思考，深入揣摩。


# 占卜很準嗎？

中國古代同時具備了永恆哲學與變化哲學。永恆哲學是一個民族的最高理想，成立國家和政府的目的是為了體現仁愛與正義。做為古代的天子，應該「作民父母」，表現絕對正義，滿足人生在世對永恆的嚮往。另一方面，人活在現實世界裡，面對變化這一普遍事實，需要《易經》這樣的變化哲學，使每個人可以了解過去，觀

察現在，預測未來。

從古至今，各個國家和民族都有一套預測未來的方法，中國保存下來較為完整的方法就是《易經》的占筮。占筮能否準確預測未來？人類歷史上既然不約而同地出現了不同的占卜方法，不同方法之間應有共通之處，不可能只有一部分人知道而其他人不知道。

「探索頻道」（Discovery Channel）曾拍攝到一隻烏龜被毒蛇咬傷後，自己爬到山上尋找解藥，這說明生物具有自我保護的本能，可在自然界尋找對自己有利的條件來避開危險和困境。人做為萬物之靈，對於即將發生的事情理應具有更為敏銳的覺察能力。

然而自從人類發明文字之後，人對宇宙萬物的了解需要透過語言、文字和思想，這無形中形成一層隔閡，使人逐漸喪失了直接感應的能力。值得慶幸的是，伏羲氏用基本八卦兩兩相合構成六十四卦，使遠古時代的占筮方法得以保存至今。

占筮預測未來為何有效？二十世紀重要的瑞士心理學家榮格[26]（Carl Gustav Jung，1875 － 1961）曾長期研究《易經》占筮和心電感應現象之間的關係。所謂「心電感應」是指兩人相距遙遠，卻可以相互聯繫，彼此感應。

曾有一個例子，兩個孩子坐渡輪去河對岸，碰上暴風雨來襲，媽媽在家從電視上看到渡輪就要沉沒，心中焦急萬分，大喊：「座位底下有救生圈。」後來兩名孩子得救，說聽到媽媽一直在喊「座位底下有救生圈」。孩子在船上怎麼能聽到媽媽的喊聲？如果孩子能聽到，船上其他旅客為什麼沒聽到？榮格透過研究這類心電感應現象，提出一心理學術語「共時性原理」（Synchronicity）。

---

26　榮格早先師承心理學家佛洛伊德（Sigmund Freud，1856 － 1939），後來自立門派。

一般人的思維常常注意事件的前因後果，依照「過去一現在一未來」做單向思考，稱為「歷時性原理」。譬如，現在發生一件事，就要分析過去的原因；今天做了一件事，就會推測未來可能出現的結果。佛教有句名言「菩薩重因，凡夫重果」，凡夫看到結果才後悔當初不該種那個「因」，但菩薩了解「因」，因此絕不去做可能導致惡果之事。

心電感應證明「共時性原理」的存在，即同時發生之事有其內在關聯。人很容易忽略身邊發生的重要細節，俗話說「魔鬼藏在細節裡面」。譬如古人進京趕考，正在煩惱是否中舉之際，忽然聽到喜鵲的叫聲，頓時覺得好兆頭；另一個人聽到烏鴉的叫聲，心中覺得不妙，後來果然應驗。

喜鵲和烏鴉怎會知道誰能中舉？如果兩位考生當時心中沒有煩惱和掛礙，聽到鳥的叫聲只會覺得是否動聽；但當心中充滿疑惑、面臨選擇之際，周圍出現的某些跡象就會暗示所問之事的結果如何，這就是心電感應現象，榮格稱之為「有意義的偶然」。

通常我們認為「偶然」只是碰巧出現而已，沒有什麼特別的理由，其實天下沒有偶然之事，你認為的偶然只是因為尚未找到原因，並非沒有原因。比如現在念到《易經》的課程純屬偶然嗎？當然不是。如果你不了解《哲學與人生》這個課程體系，沒有從頭認真念到現在，怎麼會了解上面的話呢？

明白共時性原理之後，今後碰到任何情況，我們都要留意同時發生的事件之間的內在關聯，並可利用心電感應原理，根據眼前出現的端倪來預測未來的發展。

中國人認為整個宇宙是一個大的生命有機體，其中的萬物彼此相通，相互感應，《易經》充分顯示了這種宇宙觀。《易經》中介紹的占筮方法是祖先留給我們最好的禮物，面臨困難之際，它會為

我們提供未來發展的寶貴線索，幫我們排疑解惑。

　　古代帝王遇到疑惑需要「稽疑」，方法之一就是用五十根蓍草占筮。蓍草為圓柱形，代表圓融的智慧，占出的卦代表所問之事處於何種格局之中，一卦六爻代表六個不同的位置。有時卦很好，但位置不好，則須慢慢忍耐，不要著急。

　　譬如占到乾卦，六爻皆陽，看起來有充沛的生命力，但如果占到初九「潛龍勿用」則位置不佳。初代表開始，九代表陽爻，初九處於全卦最低的位置，從下往上看，上面全是陽爻，初九沒有任何發揮的空間，好比一條龍困於水中無法施展。此時只能沉潛等待，抓緊時間培養自己的實力。乾卦最好的位置是九五「飛龍在天」。

　　當代西方心理學家幫我們證明了《易經》占筮的準確自有其道理。但與各國占卜方法不同的是，《易經》有文字說明。《易經》的文字內容距今已有三千多年的歷史，我們今天對占筮結果解讀時要進行合理的轉換。

　　因此，《易經》占筮一方面符合全人類在心理上普遍具有的「共時性原理」，同時還保留了文本說明，這是《易經》有別於其他占卜方法的最大特色。

## 解卦不容易

　　談《易經》首先要記住兩句話：1. 天道無吉凶；2. 占卦容易解卦難。

### （一）天道無吉凶

　　天道是整個自然界的運作，涵蓋全部六十四卦，各卦之間都有複雜的關聯，彼此環環相扣，構成一個完整的整體，每卦都不可或

缺，並無吉凶之分。如果我們每次占卦都要避開不好的情況，人生不經歷磨練和考驗，那麼即便遇到機會也會失之交臂。因此，學習《易經》不要心存僥倖，要正視現狀，積極培育自己的德行、能力和智慧。

### （二）占卦容易解卦難

自古以來，研《易》之人不計其數，有句流行語叫「易無定詁」，即《易經》占卦沒有固定的解釋。今天我們均透過文字去解釋卦象，但《易經》最早沒有文字，只有卦象，需要人們將問題與卦象直接連繫，通過參悟得到吉、凶、悔、吝的啟示。

《易經》一般不說「吉凶禍福」，而用「吉凶悔吝」代表四種占驗結果，「悔」代表「懊惱」，「吝」代表「困難」。如果不參考文字，《易經》解卦就像猜謎，容易陷入迷信的窠臼。因此，應充分發揮理性的功能，掌握過去、現在的情況，預測未來時就不會偏離太遠。

《禮記‧經解篇》中，高度概括了古代六經（《詩》、《書》、《樂》、《易》、《禮》、《春秋》）對百姓的教化效果和可能的弊端：

> 入其國，其教可知也。其為人也溫柔敦厚，《詩》教也；疏通知遠，《書》教也；廣博易良，《樂》教也；潔靜精微，《易》教也；恭儉莊敬，《禮》教也；屬辭比事，《春秋》教也。故《詩》之失，愚；《書》之失，誣；《樂》之失，奢；《易》之失，賊；《禮》之失，煩；《春秋》之失，亂。

大家耳熟能詳的是「溫柔敦厚，《詩》教也」，即推廣《詩經》的教化，會使社會風氣變得溫柔敦厚。孔子說：「《詩》三百，一言以蔽之，曰：思無邪。」（《論語‧為政篇》）意為《詩》三百篇，用一句話來概括，可以稱之為：無不出於真情[27]。

《詩經》共三百零五篇，分為《風》、《雅》、《頌》三個部分，其中《風》來自各地搜集的民謠，代表了百姓的心聲，無不出於真摯情感的流露。由此可見，《詩經》可讓百姓更加真誠，形成溫柔敦厚的民風。

但有利就有弊，「《詩》之失，愚」，即《詩經》教化的缺點是「愚」。民風淳樸，人易流於愚昧，有人就利用你情感真摯、樂於助人的心理讓你上當受騙，因此學《詩經》要避免陷入愚昧。

對於《易經》的教化，其優點為——「潔靜精微」。

第一個字「潔」，代表純潔、單純。在研究《易經》卦爻的變化時，以及占筮後解卦過程中，心思應特別單純，不能按自己主觀願望去解卦，不能先射箭再畫箭靶。

第二個字「靜」，代表心思安靜。莊子說：「水靜則明燭鬚眉。」（《莊子‧天道》）即水平靜時可以清楚照見鬍鬚眉毛，更何況心靜呢！心靜之後可以照見萬物的真相。

第三個字「精」，代表深入。通過深入了解卦象，可以清楚地發現過去忽略了哪些條件，現在哪些細節值得關注，從而使未來的發展有跡可循。

最後一個字「微」，代表奧妙。

如果推廣《易經》的教化，會形成單純、平靜、深入且奧妙的社會風氣，大家能夠見微知著、居安思危，對未來預為籌謀。

《易經》教化的缺點在於——「《易》之失，賊」。

「賊」在此並非指「小偷」，在古代意為「傷害」，即傷害了為人處世的光明正路，變得疑神疑鬼。人有理性，應以理性為正路，

---

研究《易經》要潔靜精微，但要避免疑神疑鬼，以致於不敢發揮理性的作用而變成迷信。

很多人以為《易經》是迷信，但恰恰相反，《易經》正是為了避免人陷入迷信，從這個角度來說，《易經》是一種非常好的學問。「十三經」中《易經》排第一位，古人顯然不認為《易經》是迷信。

最後用四句話總結《易經》的教化：存自己以誠，待別人以謙，觀萬化以幾，合天道以德。

### （一）存自己以誠

《易經》提出「閑邪存其誠，修辭立其誠」，告誡我們要防範邪惡，保持內心真誠，真誠與邪惡勢不兩立，並且應修飾言辭以建立自己的真誠。

### （二）待別人以謙

《易經》六十四卦中最好的一卦就是謙卦，六爻非吉則利。「謙卦」意為藏山於地下，表示自己內在具有實力，外表依然平易近人。俗話說「謙虛納百福」，人生在世，若能做到自己內心真誠，對別人態度謙虛，則堪稱理想的人格。

### （三）觀萬化以幾

「萬化」指萬物的變化，「幾」指幾微。人在抉擇和行動時，要察知幾微的苗頭，所謂「一葉落而知秋」，看到樹葉飄落就知道秋天要來了。「觀萬化以幾」說明用占卦的方法預測未來是一種正當的途徑，可彌補人們理性思考的不足。如果僅靠理性思考，即使我們充分掌握過去和現在，也不能保證未來的發展一定合乎預期。

### （四）合天道以德

《易經》的義理用一句話概括就是「觀察天之道，安排人之道」。一個人不管如何安排人之道以實現趨吉避凶，最後還是要回

到自身的德行修養上來。若非如此，則人生只能停留在伏羲畫卦的原始狀態，只懂得趨利避害，卻不了解人生有更為根本的價值值得追求。

《易經》經過儒家的孔子及後代弟子的努力，發揮出《易傳》的義理，對人的生命做出清晰的透視，洞見人性中蘊含的最根本的力量 —— 人性向善。

因此，談國學傳統，無論是做為永恆哲學的《尚書·洪範》，還是做為變化哲學的《易經》，歸根結底是要將人生的快樂、人生的目與德行修養相連接，如此才是人生的正確方向。


# 《易經》的啟示

由前文對中國哲學起源的探討，已經可以肯定中國哲學兼具永恆義和變化義。下面簡要介紹中國哲學的特質。

### （一）以生命為中心的宇宙觀

中國人認為整個宇宙充滿生命，是生命「大化流行」的場所。不要以為一堆土、一粒石沒有生命，毫無價值。當面對土石堆疊而成的高山時，每個人都能感受到巍峨崇高的力量，心中對高尚人格的嚮往油然而生。古代常把堯舜比作高山，人在面對高山大海之際，生命都會從中得到感發。中國人普遍認為，不要說動物、植物，就連不起眼的礦物與人的生命之間都有互動的可能。

以生命為中心的宇宙觀在西方屬於較新的「機體論」（Organism），即把宇宙看成一個有機體。西方近代科學迅猛發展，背後的基本預設是「機械論」（Mechanism）。兩者差別何在？

機械論認為，物質間只有量的差別，沒有質的差別。宇宙像一

部機器，有一定的能量可以自行運作，可以分成個別的部分，分別加以觀察和研究，這好比黃金從中間切一半變成兩塊黃金，性質沒有差別。

如果按照中國機體式宇宙觀來看，好比一隻小狗切一半，不是變成兩隻小狗，而是變成死狗，可謂「牽一髮而動全身」。生命是一個整體，就連一根頭髮也是整體生命的一部分。

西方宇宙觀的發展比較有趣。我們曾介紹古希臘第一位哲學家泰勒斯（Thales，624－550 B.C.）留下兩句名言：「宇宙的起源是水」、「一切都充滿神明」。希臘文中神明（theos）和力量（theoi）是同一個字根，泰勒斯所謂的「水」不是一般的水，其中包含了神明的力量和活力。他的思想一般被稱為「物活論」，與中國的「機體論」仍有一些差別。後來西方文化沿著「物本—神本—人本」的趨勢逐步發展。

近代科學的基礎是機械論宇宙觀，但到了二十世紀，西方出現了三個重要思潮——量子論（Quantum Theory）、相對論（Theory of Relativity）、不確定原理（Uncertainty Principle，或稱「測不準原理」）[28]，三者匯合，出現了「機體論」宇宙觀。

現代西方哲學家懷德海（A. N. Whitehead, 1861－1947）發展出一套「歷程哲學」（Process Philosophy），歷程就是過程。西方傳統認為最後的本體（實體）是永恆不變的，而懷德海認為實體就是歷程，歷程就是實體，一切都在變化中，只有在變化中才可以看到本體，離開變化則無本體可言。

中國人認為「即用顯體」，「用」代表「功能」，即根據一樣東西的功能來顯示其本體，如果一樣東西沒有功能和作用，它的本體是什麼亦無從得知。

懷德海在著作中指出：「分子將按照一般規律盲目運行，但

是，由於每個分子所屬的機體有不同的結構，使得該分子的內在性質隨之不同。」

舉例來說，牛吃草，代表草中某些分子能被牛吸收。這些分子原本在草中，受草的機體結構影響，表現出草的特性；一旦被牛吸收進入牛的有機結構中，則表現出牛的特性。同樣的道理，小孩喝牛奶，牛奶中的分子進入人的身體後，會因為人體特定的結構而使該分子表現出人的特性，因此小孩喝牛奶不會變成牛。懷德海的想法十分精采。

古代中國人限於當時的科技條件，無法深入研究每一個分子。但懷德海在二十世紀卻將西方對宇宙的理解由「機械論」轉到「機體論」，與中國古代的思想不謀而合。這種想法對於現代人來說極具價值，宇宙充滿生命，沒有任何東西是多餘的。西方人常說「自然界不跳躍」，時間與空間不會跳躍，沒有所謂的真空存在，一切都是連續性的發展，不能分割開來研究。

《易經‧繫辭下傳》中寫道：「天地之大德曰生。」即天地最大的功能是創生，生生不息。但不要忘記有生必有死，「生」與「死」是相對的。「死」代表分解、消化，但死去的並未消失，仍在天地整個範圍內運作。《易經》中以乾卦代表「大生」，坤卦代表「廣生」，以「大」形容創生的力量源源不絕、無可比擬，以「廣」形容大地廣大無邊、承載萬物。古人認為大地廣袤無垠；現代人從浩瀚的宇宙來看地球，才覺得地球十分渺小。

「機體論」在中國最明顯的應用是中醫和中藥。中醫理論認

---

28　一九〇〇年，普朗克（Max Planck，1858－1947）提出「量子論」；一九〇五年，愛因斯坦（Albert Einstein，1879－1955）提出「相對論」；一九二七年，海森堡（Werner Heisenberg，1901－1976）提出「不確定原理」。

為，人的生命與萬物彼此相通，生命要配合自然界的運作規律。唐朝詩仙李白（701－762）的詩意境開闊 ——「攬彼造化力，持為我神通」（《贈僧崖公》），要將天地造化的力量攬於自身，使之成就我的神通。李白認為，人做為天地之靈可以感通自然，自己的心靈可以與天地萬物相通。

人生在世，有時會陶醉於美麗的風景而流連忘返；事實上，每一樣東西都值得欣賞，宇宙裡沒有任何東西不讓人感到驚訝。莊子說：「天地有大美而不言。」（《莊子‧知北遊》）天地有全然的美妙，卻不發一言。

中國哲學的第一個特色就是以生命為中心的宇宙觀，認為整個宇宙充滿生命，生命是一種「大化流行」，並且廣大和諧。如果能體認這一點，人就會珍惜並肯定每一樣東西，後面不論儒家還是道家都以這一思想做為前提。

# 人生自強不息

中國哲學的第二個特質所針對的是人的生命，即：

## （二）以價值為中心的人生觀

宇宙萬物的生命生老病死，循環不已，可謂「化作春泥更護花」。與之不同的是，人類的生命有其自身的特色和價值。中國哲學強調，人的生命要設法實現各種價值。

什麼是價值？價值一定要經過人的選擇才能呈現，一樣東西如果沒有人類選擇便談不上價值，這並不意味著它沒有價值，而是價值無法呈現。譬如，沙漠中的一顆鑽石是否有價值？對於駱駝來說，鑽石就像一塊石頭，而且還會反光，感覺很刺眼。

　　對人類之外的萬物來說，沒有價值的問題，只有存在的問題。萬物構成龐大的食物鏈，每種生物都要在其中設法生存下去。但是人活在世界上，不會以吃飽喝足為滿足，一定會問自己這一生到底要做什麼，什麼東西對於人來說是最為重要的，我們稱之為「價值」。

　　《易經・乾卦・大象傳》寫道：「天行健，君子以自強不息。」問題是如何理解「自強不息」四個字？中文有很多成語朗朗上口，氣勢磅礴，似乎非常深刻，但我們不見得明白它究竟是什麼意思。對「自強不息」的理解有以下三種可能：

　　1. 自強不息是否指每天鍛鍊身體？堅持每天慢跑鍛鍊無疑讓人佩服，似乎可稱為「自強不息」。但是乾卦六個陽爻，代表人的完整生命歷程；如果將「自強不息」理解為鍛鍊身體，那麼當人衰老之後，可能無法行動而需要坐輪椅，到那時怎樣做到自強不息呢？因此，「自強不息」並非指鍛鍊身體。

　　2. 自強不息是否指每日讀書、不斷學習？這種說法聽起來很理想，沒人反對；但同樣的，人衰老之後怎麼辦？聯合國認為二十一世紀人類最大的威脅是阿茲海默症，即老年癡呆症。年輕時飽讀詩書，衰老之後也可能統統忘記。因此，「自強不息」也不是指每日讀書學習。

　　3. 自強不息是否指每天行善做好事？這理所當然是標準答案，但關鍵是人為何要日日行善，死而後已呢？這需要以儒家的人性論來解釋說明。

　　我們舉一個中國古代經典中描寫孝順最為精采的例子。《孟子・離婁上》中提到曾家祖孫三代的故事。曾點、曾參父子兩人都是孔子的學生，父親曾點老了之後眼睛看不清楚，兒子曾參奉養曾點，每餐一定有酒有肉，曾點吃完問：「有沒有多餘的？」曾參一定回答「有」，然後請示父親剩下的送給誰。曾點很高興，因為身

體雖然衰老，但每天仍然可以將酒菜送給窮人，繼續行善。孟子認為曾參很孝順，因為他做到了兩點：一是養口體，讓父親吃飽喝足，身體保持健康；二是養志，志代表心意，他讓父親行善的心願得以實現。

多年之後，曾參老了，眼睛看不清楚，其子曾元奉養他，每餐也必定有酒有肉。曾參吃完問：「有沒有多餘的？」曾元都會說：「沒有了。」他準備將剩下的酒菜留到下一頓繼續給父親吃。孟子認為曾元不夠孝順，因為他只能養口體，不能養志[29]，父親行善的心願無法實現。

孟子是闡發儒家思想的關鍵人物，與孔子合稱「孔孟之道」。我們該如何理解孟子的觀點？

儒家的核心思想是「人性向善」。不管年輕還是衰老，無論健康還是疾病，人只要活著就有人性；「向」代表力量由內而發，當一個人內心真誠，都會有一種力量由內而發，希望做到「善」。所謂「善」就是我與別人之間適當關係的實現，這個定義不僅適用於儒家，也普遍適用於各種場合。「善」不能脫離人與人之間的關係，且要判斷關係是否「適當」。「實現」意味著「善」一定是表現出來的「行為」。

曾家的故事啟發我們，父母年老體衰之後需要子女奉養，子女讓父母衣食無憂不算孝順，真正孝順的子女透過學習儒家思想，能夠洞見人性的奧祕。父母雖然日漸衰老，但只要還活著，就一定「人性向善」，希望實現行善助人的心願。能夠幫助父母在有生之日不斷實現內心行善的意願，就是子女最大的孝順。這是儒家思想的關鍵，「自強不息」就是指有生之日不斷行善。

《易經‧乾卦‧文言傳》說：「君子以成德為行，日可見之行也。」意為君子以成就道德做為行動的目標，要體現在日常可見的

行為中。這足以證明「自強不息」就是要每天行善，累積德行。《易經・坤卦・大象傳》說：「地勢坤，君子以厚德載物。」意為大地的形勢順應無比，君子由此領悟要厚植自己的道德來承載眾人。在此，「物」指眾人。中國人後來將乾卦比作國君，坤卦比作宰相，俗話說「宰相肚裡能撐船」，就是指厚德載物。這些都是《易經》中包含的智慧。

因此，整個中國哲學體現出以價值為中心的人生觀。人活在世界上，絕不只是一種生物而已，做為人一定要設法將自身的潛能充分實現。以儒家來說，因為人性向善，所以會反覆強調人要設法行善，最後止於至善。以道家來說，認為人最重要的是具備覺悟的能力，人生在世應努力領悟智慧的真諦。合而觀之，德行和智慧無疑是人生最寶貴的價值。

## 永遠向上提升

中國哲學除了認為宇宙充滿生命，人的生命應該實現價值之外，還有第三個特質：

### （三）存在與價值向超越界開放

人的經驗只能掌握兩個世界，一個是自然界，一個是人類，這兩個世界是不同的。

我們可以畫一個圓代表自然界，包括山河大地、鳥獸蟲魚。

---

29 原文：曾子養曾皙，必有酒肉；將徹，必請所與；問有餘，必曰，「有。」曾皙死，曾元養曾子，必有酒肉；將徹，不請所與；問有餘，曰：「亡矣。」將以復進也。此所謂養口體者也。若曾子，則可謂養志也。事親若曾子者，可也。

自然界的一切都遵循物理學、生物學等規律來運作，可稱為「實然」，即實實在在的樣子。

人類處於自然界中，卻有別於自然界。人的身體屬於自然界，不吃飯肚子會餓，不睡覺頭昏腦脹；但人的特別之處在於人會思考和選擇，於是就有應不應該的問題。人類可稱為「應然」，即應該的樣子。人的生命要實現價值，始終要面對應該如何選擇的問題。

但下一步呢？如果只有自然界和人類兩大範疇，則一切將歸於虛無。個人的生命不過百年，自然界再怎麼偉大，但總歸有開始，有結束。按照宇宙大爆炸或黑洞說，宇宙形成於距今約一百三十七億年前；根據專家研究，約八十億年後宇宙會歸於虛無。因此，自然界和人類的本質都是虛幻的。我們的經驗和理性所能掌握的自然界和人類，稱為「內存界」（Immanence）。

是否存在「超越界」（Transcendence）做為自然界和人類的來源和歸宿？如果沒有超越界做為最後的基礎，則浮生若夢，一切好似鏡花水月，就像虛擬實境（VR）中所呈現的，一切都是幻覺，如此而已。這是我們所不能接受的。

如果有人接受「一切都是虛幻」的想法，我們也不反對，但如此一來，一切不必多談，談問題的權利要交給那些不接受這種觀點的人。所有中國重要的哲學家，像儒家、道家都不接受「一切皆為虛無」的觀點；他們認為，自然界和人類之外有一個做為基礎的世界，那就是超越界。簡單來說，超越界不能被證實，但「被要求」存在。

在講到康德的時候，提到過「超越界」的概念。康德認為人的理性無法認識三大本體（自我、世界和上帝），但是人活在世界上，普遍具有道德經驗。人一旦從事道德行為，首先要肯定「自我」的存在，否則究竟是誰在做，誰來負責呢？

　　人願意負責，代表相信善惡有適當的報應；但人活著的時候善惡報應絕不會圓滿，因而人的靈魂在死後必須繼續存在；同時上帝必須存在以執行善惡報應，才能保證絕對的公平和正義。因此，上帝的存在不能被證明，只能被要求。因為沒有上帝，就無法理解人為什麼普遍會有道德上的自覺。

　　何謂「向超越界開放」？

　　我們學習儒家思想不能忽略孔子「五十而知天命」，這句話常被誤解為孔子五十歲學會了《易經》算命，這其實是冤枉孔子。孔子曾說過：君子有三種敬畏的對象[30]，第一就是敬畏天命。「知天命」之後就要「畏天命」。究竟該怎樣理解「天命」？

　　《中庸》開宗明義：「天命之謂性。」我們是人，都有人性，人性是向善的，這來自於天的命令，因此儒家的超越界就是「天」。

　　如何判斷一套哲學是否偉大，能否構成完整系統？關鍵要看在這套哲學中是否存在一個概念，它既不是自然界，也不是人類，而是做為兩者的來源與歸宿，這樣的概念就是「超越界」。

　　譬如，要了解中國古人的思想可讀下面兩首詩。《詩經‧大雅‧烝民》說：「天生烝民，有物有則。」烝民指人類，「天生烝民」意為上天生下眾多百姓，代表人類的來源是「天」。《詩經‧頌‧天作》說：「天作高山。」意為天創造了高山。高山象徵自然界，代表自然界的來源也是「天」。可見，「天」既非自然界，又非人類。

　　值得注意的是，中國古代的「天」絕不是指會颳風下雨的自

---

30　出自《論語‧季氏篇》。原文：子曰：「君子有三畏：畏天命，畏大人，畏聖人之言。小人不知天命而不畏也，狎大人，侮聖人之言。」

然之天，而是具有多重功能[31]。孔子「五十而知天命」的「天」，當然不是指自然界的天空，而是指自然界的來源，「天」就是超越界。人類社會裡有沒有「天」？人類社會最高只有天的兒子，稱為「天子」。

道家之所以令西方學者崇拜，是因為老子提出「道」這一概念，做為萬物的來源和歸宿。老子強調可以用言語說清楚的就不是永恆的道，我們現在所談論的道不是「道」的本身，只是道的名稱而已，「道」的本身根本沒有任何概念。「天」和「道」，正是儒家、道家思想的精采之處。

除了儒、道兩家之外，墨家、法家、名家、陰陽家的哲學都有內在的限制，因為這四派哲學都沒有超越界。

墨家雖然講「天志」（天的意志），卻用鬼的作為來實現上天賞善罰惡的意志，而鬼的作為就是人類期望的善惡報應。然而，真正的天意絕不等於人意，人意不論如何好、如何努力，與上天的安排也是兩碼事。

法家借用道家的「道」，卻將「道」基本等同於「理」（規則、秩序），將老子的聖人（悟道的統治者）等同於人間在位的君王，可見法家沒有超越界的概念。

陰陽家的「天」指自然界，「天人感應」指自然界與人互動，陰陽家亦沒有超越界的觀念。

綜上所述，中國古代哲學具有三點特質：1. 以生命為中心的宇宙觀；2. 以價值為中心的人生觀；3. 存在和價值都向超越界開放。這意味著人生永無止境，人永遠可以朝向更高的目標邁進。

---

31　古代天有五種功能：主宰者、造生者、載行者、啟示者、審判者。參考《儒道天論發微》，傅佩榮著，聯經出版。

第十章

# 儒家的風格

## 面對虛無主義

本章介紹儒家的風格。談到儒家，很多人心裡不免有陰影，認為儒家思想有問題。的確，中國兩千多年以來，帝王專制與儒家思想緊密配合，使人感覺儒家是專制政體的守護神，是復古、保守、封建、落後的代名詞。事實上，這真是冤枉！

清朝光緒皇帝實施戊戌變法失敗，譚嗣同等人為之壯烈犧牲。譚嗣同在《仁學》中指出：「二千年之政，秦政也；二千年之學，荀學也。」可見，真正的儒家思想在中國歷史上從未實現過。

中國兩千多年的政治都是以秦始皇為代表的帝王專制，後面從漢朝一直到清朝的帝王再怎麼粉飾，也與秦始皇的作風相去不遠。這絕非孔子和孟子宣導的理想政治。孟子心中的理想政治可用一句話來形容：「民為貴，社稷次之，君為輕。」（《孟子‧盡心下》）在帝王專制體制下，這句話無異於空中樓閣。

中國兩千年的學問是荀子的學問，並非孔孟之道。有些學者會將孔子、孟子、荀子三人並舉做為儒家的代表，這個說法不能成立。荀子認為自己承接孔子的真傳，在自己的書中有兩篇文章點名批判孟子：在《荀子‧非十二子篇》中把孔子的孫子子思和孟子合稱為「思孟」加以批判，又在《荀子‧性惡篇》中四度點名批判孟子的「性善」是錯誤的。

荀子主張性惡，且教出兩個學生李斯和韓非。李斯是秦始皇在位時的丞相，韓非是法家的代表。可見，中國歷代帝王專制表面打著儒家的招牌，實際上儒家早已被利用，成為鞏固統治的最好幫手。統治者主要採用法家的手段來治理百姓，用四個字來形容即「陽儒陰法」。

儒家由孔子所創，談論儒家的風格，首先要了解其時代背景。

中國古代歷史大致為：夏朝四百餘年，商朝約六百年，周朝八百餘年。周朝分為西周和東周，其中東周又分為春秋時代（770 － 476 B.C.）和戰國時代（475 － 221 B.C.）。孔子（551 － 479 B.C.）的年代比老子（約 571 － 471 B.C.）稍晚，處於春秋時代末期，時逢亂世，周天子力量衰微，諸侯群雄並起，禮壞樂崩，天下大亂。

天下大亂則易出現虛無主義。虛無主義並非西方所特有，其實每一個社會都有可能出現。虛無主義有兩種：

### （一）價值上的虛無主義

這正是儒家要面對的危機。價值上的虛無主義有兩個特色：

1. 善惡不分。人們對於是非善惡失去了判斷標準，加上人們可以偽裝作秀，使得一個社會分不清好人、壞人。

2. 即使分辨出善惡也沒用，因為善惡得不到適當報應。

這樣一來，誰還願意行善避惡？人人如此，社會極易崩潰瓦解。這就是「價值上的虛無主義」。

### （二）存在上的虛無主義

這是道家要面對的危機。人生自古誰無死，無論做什麼，人生終將結束。在戰亂年代，人活著就是受苦，與其晚死不如早死，這是更可怕的危機。

孔子覺察到社會的危機：百姓覺得做好事沒人知道，即使有人知道也沒有好報，那為什麼還要做好事呢？儒家思想就是在這樣的時代背景下出現的。

一般而言，勸人行善有三個理由：

1. 社會規範。禮儀、法律和社會輿論的壓力都教育人們行善避惡，因為做壞事可能違背社會整體的利益。但天下大亂之際，社會規範已然瓦解失效。

2. 宗教信仰。信仰宗教使信徒為了死後的報應而願意行善，比如為了子孫有福報、下一世輪迴有好報或死後接受審判升入天堂，人們會積極行善。但問題在於：宗教有很多種，宗教間的鬥爭和衝突此起彼伏，且有很多人並不信仰宗教。因此，透過宗教信仰勸人行善並非普遍有效。

3. 啟發良知。使一個人的良知由內而發，主動行善。

孔子充分肯定社會規範（禮、法）的重要性，同時尊重、包容他人的宗教信仰。譬如，當鄉里的人舉行驅逐疫鬼的儀式時，他穿著正式朝服站在家裡東邊的台階上，以示敬意[32]。（《論語‧鄉黨篇》）

更為重要的是，孔子的學說旨在啟發人的良知，使一個人真誠由內而發，產生主動行善的動力。「良知」一詞出自《孟子》[33]，一般稱為「良心」。孔子將焦點集中於「良心」，設法透過教育的啟發，喚醒每一個人與生俱來的良心。

儒家思想可用四個字概括為「承禮啟仁」。孔子所承之「禮」兼指「禮樂」而言。孔子平生最崇拜周公，因為周公制禮作樂，將國家導入正軌。但到了孔子的時代，禮壞樂崩，大家表面上行禮如儀、奏樂如常，但內心早已缺乏真誠的心意。

因此，孔子志在傳承發揚周公的禮樂教化，並在此基礎上「啟仁」，即面對他人的處境，透過真誠引發內心的力量，使人心甘情願主動行善，行善的同時也需要禮儀和法律的配合。整個儒家思想的關鍵就在於「真誠」兩字。

司馬遷在《史記‧太史公自序》中說：「春秋之中，弒君三十六，亡國五十二，諸侯奔走，不得保其社稷者，不可勝數。」儒家思想正是在春秋末期天下大亂的歷史背景下出現的，面對「價值觀瓦解」的社會現狀，儒家提出一套完整的思想，試圖克服時代的危

機。接著介紹孔子生平，使大家了解儒家思想具體是如何出現的。

## 孔子是個典型

孔子的生平很特別。他的父親叔梁紇第一次結婚生了九個女兒，第二次結婚生了一個兒子叫孟皮，腳有殘疾。古代的觀念認為一定要設法生一個健康的兒子來延續祖先的祭祀，所以孔子的父親第三次結婚，生下孔子。

孔子三歲時父親過世，母親顏徵在將孔子帶回娘家撫養成人。孔子十七歲時，母親過世。早年不幸的遭遇並未使孔子放棄學習，他孜孜以求，不斷成長。

### （一）十有五而志於學

古代的小孩十五歲之前接受鄉村教育，利用秋收後的農閒時間，由鄉里念過書或做過官的長輩教導小孩學習。對於男孩，通常要學習：1. 文化常識。譬如魯國人應了解自己的祖先是周公，齊國人應該知道自己的祖先是姜太公。2. 基本武藝。如射箭、駕車等。

男子十五歲之後要子承父業，跟隨父親做祖先傳下的家業。孔子因為父親早逝，沒有機會上大學[34]，便自己學習古代只有貴族子弟才有機會學到的知識。孔子學習刻苦用功，常去請教有學問的長輩。沒有人會拒絕勤勉上進的孔子，他的學識突飛猛進。

孔子早年遭遇雖然十分不幸，但他卻有非常顯赫的家族背景。

---

32　原文：鄉人儺，朝服而立於阼階。
33　出自《孟子・盡心上》。原文：人之所不學而能者，其良能也；所不慮而知者，其良知也。
34　大學，即大人之學，王公貴族的子弟年滿十五歲才有資格進入。

商朝滅亡後，周朝將商朝後裔微子封於宋國，微子死後由弟弟微仲繼承國君之位，孔子即是微仲之後。宋國因為是被打敗後的商朝餘裔，所以一向積弱不振。孔子的祖先弗父何本來可繼承宋國國君，但他不願意做，於是讓位於弟弟厲公。

　　隔了五代之後傳至孔子六世祖孔父嘉時，按古代禮制規定「五世親盡，別為公族」，於是他被分出去成為公族，姓孔氏，這也是孔子姓氏的來源。孔父嘉在宋國受欺辱被殺，他的後代孔防叔（孔子的曾祖父）逃至魯國。孔子是孔氏的第六代傳人，是到魯國的第三代傳人。

　　孔子雖然念念不忘自己是商朝後裔，但他對周朝的文化卻十分嚮往。他曾說：「周代的禮樂制度參酌了夏商兩代，形成了多麼燦爛可觀的文化啊！我是遵從周代的文化的。」[35]（《論語‧八佾篇》）商朝過於重視鬼神的祭祀，商朝帝王每年有一百一十二天要清晨祭祖。周朝的文化則重視人文化成，周公制禮作樂，是孔子最崇拜的古人。孔子曾感慨：「甚矣吾衰也！久矣吾不復夢見周公。」（《論語‧述而篇》）

　　孔子一生努力求學，孔子之「學」有以下特點：

　　1. 學習的材料是五經六藝，都是為人處世的道理。五經是《詩經》（代表文學），《書經》（代表歷史），《易經》（代表哲學），《禮經》（代表社會規範），《樂經》（代表音樂）。六藝是禮、樂、射、御、書、數，即禮儀、音樂、射箭、駕車、書寫、計算六種基本技能。掌握了傳統所形成的經典與技能，才能從政做官，造福百姓。

　　2. 學思並重。孔子說：「學而不思則罔，思而不學則殆。」（《論語‧為政篇》）即學習而不思考，則將毫無領悟；思考而不學習，就會陷於迷惑。「思」包括主體的理解和反省。

3. 學習應配合德行實踐。一次魯哀公問孔子：「你的學生裡面，誰是愛好學習的？」孔子回答説：「有一個叫顏回的愛好學習。他不把怒氣發洩在不相干的人身上，也從不重複犯同樣的過錯。遺憾的是，他年歲不大，已經死了。現在沒有這樣的學生了，沒有聽説有愛好學習的人了。」[36]（《論語・雍也篇》）「不遷怒，不貳過」正説明好學應與德行修養緊密結合。

因此孔子所謂的「學習」，並非一般所指的讀書而已，而是學習古代的經典和技能，經過反思有了自己的心得，同時不斷實踐，使自己的德行不斷提升。

## （二）三十而立

「立」代表「立於禮」，孔子三十歲時可在社會上立足，與別人來往循規蹈矩、進退自如，此時的孔子在魯國已經因其博學厚德而聞名。魯國有三家大夫權勢很大，其中的孟僖子參加國際交往活動時，因不懂禮儀而被嘲笑，於是讓自己的兒子孟懿子拜孔子為師學習禮儀。孔子想：既然要教授講學，不如讓想學的鄰居都來學。於是開始招收弟子，從事教育工作。孔子三十而立，也代表他在社會生活上有了這樣的改變。

## （三）四十而不惑

孔子到四十歲已沒有迷惑：對內可以用理性掌控生命，不因情緒波動而陷入困惑；對外可以了解人間各種複雜的問題。孔子的博學令人難以想像，他博覽群書，對當時發生的各種事情都可講出其中的道理。

---

35　原文：子曰：「周監於二代，鬱鬱乎文哉！吾從周。」
36　原文：哀公問：「弟子孰為好學？」孔子對曰：「有顏回者好學，不遷怒，不貳過。不幸短命死矣。今也則亡，未聞好學者也。」

　　有一次季桓子挖井得到一個土罐，其中有個東西像羊，他故意去問孔子，說自己挖到狗。孔子說那是「墳羊」，是一種土中怪物。[37]（《史記‧孔子世家》）

　　孔子在陳國，有人發現一隻大鳥被箭射中。孔子認出這是東北肅慎國之箭，是周武王克商時收到的貢品，後賜給了陳國。人們到陳國故府去找，果然找到了同樣的箭。[38]（《史記‧孔子世家》）

　　吳國討伐越國，攻下會稽城，在牆壁裡發現一節大腿骨，需要一輛大車來裝。吳國派使者請教孔子，孔子說：「禹曾在會稽召集各地諸侯，防風氏因到的太晚而被殺。他有三丈高，大腿骨需要用大車來裝。當時最矮的人只有三尺高。」[39]（《史記‧孔子世家》）由此可見孔子的博學多聞。

### （四）五十而知天命

　　這句話對於理解孔子的思想至為關鍵。孔子「五十而知天命」後，五十一歲出來做官，政績突出。五十五歲時，因不受重用，無法施展才華，於是去職離鄉，周遊列國，六十八歲時返回魯國。按司馬遷的說法，孔子周遊列國前後一共十四年，回魯國後擔任顧問，七十三歲去世。

　　孔子的一生表面看來波瀾不驚，沒有什麼豐功偉業，但司馬遷說：「自天子王侯，中國言六藝者折中於夫子，可謂至聖矣。」中國歷代有不少偉大的君王，但都難免於人亡政息。孔子刪定、整理六藝（即六經），刪詩書、定禮樂、贊周易、作春秋，將中國文化發揚光大，不愧為「至聖先師」，其中「至聖」兩字即是司馬遷對孔子的評價。

　　下面我們將重點介紹孔子的思想。

# 儒家成為學派

　　本節介紹儒家的外在特色和內在思想的基本主張。

　　中國兩千多年的封建社會雖說一直都是帝王專制政體，陽儒陰法，但所有中國讀書人所學習的古代經典主要是由儒家編訂的，如五經（《詩》、《書》、《易》、《禮》、《樂》）。其中《樂經》早已失傳，只留下一些零星的資料。

　　古代讀書人通過學習這些經典成為學者或官員，都會認為自己屬於儒家。孔子之前即有「儒」[40]的說法。《周禮‧司徒》中說：「師以德行教民，儒以六藝教民。」古代由「師」與「儒」負責教化百姓：「師」負責教百姓德行，使之行善避惡；「儒」負責教百姓六藝，即「禮、樂、射、御、書、數」六種基本技能。儒者在古代也指具有專業能力的人，稱為「術士」。

　　孔子對古代的「儒」加以改造，不再限於傳授百姓基本技能，而是將「儒」的特色變成不斷學習上進、有明確個人修養目標──成為「君子」，並期望以此改善社會。

　　「君子」的說法由來已久，「君子」即「君之子」，代表有身分的貴族階層，將來可在政治上承擔治理百姓的責任。儒家把「君子」當做理想人格的典範，君子就是德行表現非常理想的人。

---

37　原文：季桓子穿井得土缶，中若羊，問仲尼云「得狗」。仲尼曰：「以丘所聞，羊也。丘聞之，木石之怪夔（ㄎㄨㄟˊ）、罔閬（ㄌㄧㄤˋ），水之怪龍、罔象，土之怪墳羊。」
38　原文：仲尼曰：「隼（ㄓㄨㄣˇ）來遠矣，此肅慎之矢也。昔武王克商……故分陳以肅慎矢。」試求之故府，果得之。
39　原文：吳伐越，墮會稽，得骨節專車。吳使使問仲尼：「骨何者最大？」仲尼曰：「禹致群神於會稽山，防風氏後至，禹殺而戮之，其節專車，此為大矣。」……客曰：「人長幾何？」仲尼曰：「僬僥氏三尺，短之至也。長者不過十之，數之極也。」
40　參考章太炎《國故論衡》。

　　儒家強調「立志」的重要性，「士心」為志，「士」即讀書人，讀書人立志的目標是要成為君子。《論語》中「君子」一詞都可理解為「立志成為君子的人」。俗話說：「君子立恆志，小人恆立志。」君子立定確定不移的目標，並為之終身奮鬥；小人每天立志，無非瑣碎之事，且大多無法做到。

　　怎樣判斷一個人算不算儒家，可分內、外兩方面來看。

## （一）外在行為表現出的特色

　　1. 尊重傳統，代表對「過去」的肯定。儒家學者一定熟讀古代經典，並對某一經典深入研究。自漢武帝設五經博士以來，想要做官必須熟悉某一種經典。

　　2. 關懷社會，代表對「現在」負責。儒家沒有關起門的聖人，不論何朝何代，治世還是亂世，儒家學者不會離群索居，一定要打開門與人互動，因為儒家對「善」的界定是：善是我與別人之間適當關係的實現。我要修養自己，完成向善的人性，就要投入人群社會，承擔社會責任。

　　3. 重視教育，代表對「未來」的關注。儒家學者有機會從政做官就勇於擔當，沒有機會做官就設法教學，將學問傳授給下一代，所以後代湧現出不少書院。從朱熹到王陽明，都興辦書院、積極講學，培養了許多年輕的學者。

　　以上三點是儒家學者外在行為表現出的特色，分別針對「過去、現在、未來」，表明儒家肯定人的生命在時間之流中，既可以繼承先人的智慧，不斷推陳出新；也能夠關懷社會，承擔自身責任；更應該重視教育，促成子孫幸福。

　　具有以上三點特色的學者不乏其人。歷史上很多人自認為是儒家學者，彼此間針鋒相對，甚至成幫結派、黨同伐異，比如荀子就曾嚴詞批判孟子。判斷一個人是否是真正的儒家學者，更重要的是

看他的基本思想是否具有下述三點主張。

**（二）內在思想的基本主張**

1. 人人都「可以」成為君子。

君子是理性人格的典範，《論語》中多次談到君子的特色：「君子和而不同」（〈子路篇〉），君子協調差異而不強求一致；「君子周而不比」（〈為政篇〉），君子開誠布公而不偏愛同黨；「君子泰而不驕」（〈子路篇〉），君子神情舒泰而不驕傲；「君子坦蕩蕩」（〈述而篇〉），君子心胸光明開朗。

儒家認為，人人皆「可以」成為君子。君子最主要的特色是能夠出於真誠而不斷行善，在行善的過程中不斷提升人格而趨於完美。值得注意的是「可以」兩字，只要是儒家，一定會對每一個人都抱有希望，相信只要有好的教育和適當的機會，每個人都可能成為君子。因此，儒家的外在行動才會表現出前面的三點特色。

2. 人人都「應該」成為君子。

把「可以」換成「應該」，代表沒有其他選擇的餘地。人生在世只有兩個選擇：成為君子或不成為君子。做人就要成為君子，不成為君子意味著不是一個合格的人。

儒家認為「人性向善」，「向」代表由真誠引發內心的力量。人只要真誠，內心就會產生一種要求，敦促自己行善；如果不行善則心裡不安或不忍。只要是人，都具有向善的人性，因此每一個人都「應該」成為君子。

3. 一個人成為君子一定會「影響」別人也成為君子。

這一點最為重要。一個人成為君子會不斷行善，而善是我與別人之間適當關係的實現，因此，周圍的人也必受他影響，日趨於善。

歷史上最有名的例子是舜的故事。舜的父親和繼母都不懂事，舜的弟弟叫象，一家三口每天都在商量如何殺掉舜。但是舜立志成

為君子，照樣努力做一個好兒子、好哥哥，最後其父親、繼母和弟弟都被感動和感化，都因為舜的影響而改變。

這就是儒家思想的三點基本主張。人人都應該成為君子，必要時甚至可以犧牲生命來完成生命的目的。儒家學者總是從自我要求開始，知其不可而為之，讓自己堅定地走在成為君子的道路上。透過不斷行善，慢慢影響周圍的人朝著積極、正確的方向發展，絕不會推卸責任，隨俗從眾。

## 人性有無問題

介紹孔子關於人性的觀點之前，要先了解孔子的學習方式。

孔子說自己「述而不作，信而好古」（《論語・述而篇》），意即傳述而不創作，對古代文化既相信又愛好。且孔子認為：「我非生而知之者，好古，敏以求之者也。」（《論語・述而篇》）即我不是生來就有知識的，我是愛好古代文化，再勤奮敏捷地學習以獲取知識。對孔子來說，「古」指古代經典，如《易經》、《詩經》、《書經》等。孔子思想承先啟後，我們學習孔子思想，一定不能忽略他受到古代經典的影響和啟發。

古代經典中是如何界定人性的？如果不說清何謂人性，那麼要求百姓接受教育和行善避惡等於無源之水而成為教條，人們怎麼會心甘情願地接受呢？古代經典中，《書經》（即《尚書》）在這方面提供的材料最多，有助於我們了解古人是如何看待人性的。

《尚書・泰誓》說：「天佑下民，作之君作之師，惟其克相上帝，寵綏四方。」即上天保佑百姓，替他們找到國君和老師，幫助上帝（天）來照顧四方百姓。這說明百姓靠自己恐怕很難走上人生

正途，需要國君的領導和老師的教化。〈泰誓〉做為周武王伐紂的誓師詞，做出這樣鄭重的聲明，我們不禁要問：人性到底有什麼問題？

《尚書》中反覆提到一個觀念，如在《君奭（ㄕˋ）》中，周公勸導召公說：「君惟乃知民德，亦罔不能厥初，惟其終。」即百姓的德行表現，開始時都能走上正途，就是無法堅持到底。一個小孩天真可愛，為何長大後會變壞？僅僅是因為受到壞的社會風氣的影響嗎？為何只受到壞風氣的影響，卻未受到好風氣的影響？壞風氣又是怎樣形成的？

在《尚書·商書·仲虺（ㄏㄨㄟˇ）之誥》中，仲虺告訴商湯說：「惟天生民，有欲無主乃亂。」百姓有欲望而沒有君主統治管理，就會胡作非為，因此需要君主和老師的教導。

上述材料出自《尚書》，年代久遠，均為孔子時代的學者需要學習的資料。孔子透過這些材料了解到古人對人性的認識，即世間百姓需要有人領導和教育，如果任其發展，則極易步入歧途。

因此，孔子十分崇拜周公，周公通過制禮作樂使百姓易於走上人生正途。然而面對禮壞樂崩的春秋時代又該何去何從？此時就不能只關注人類生活的紛繁表象，而要有犀利的眼光洞見人性的奧祕。唯有如此，才有可能建構具有完整系統的哲學。

孔子對人性的描述可謂一針見血：「君子有三戒：少之時，血氣未定，戒之在色；及其壯也，血氣方剛，戒之在鬥；及其老也，血氣既衰，戒之在得。」（《論語·季氏篇》）亦即要成為君子，必須警惕三點：年輕時，血氣還未穩定，應該戒惕的是好色；到了壯年，血氣正當旺盛，應該戒惕的是好鬥；到了老年，血氣已經衰微，應該戒惕的是貪求。

人有身體，隨之而來就有本能、衝動和欲望，這些就是孔子

所謂的「血氣」。人不可能沒有身體，因此人只要活著就須小心防範，戒惕謹慎。孔子對於人性的觀察與《尚書》的描述相吻合，而且到今天依然有效。由此可知，孔子是一位哲學家，他不會唱高調，一定是根據實際的經驗觀察，做全面的思考反省，然後指出人生的應行之路。

我們今天學習儒家思想往往開始就誤入歧途，把「人性本善」當成孔孟的思想。「人性本善」的說法出自南宋學者朱熹（1130 －1200），他將《論語》、《孟子》、《大學》、《中庸》合在一起，分章分句，加入注解，編成《四書章句集注》，該書收集了眾多學者的見解，並含有朱熹自己的理學系統。

《四書章句集注》在元朝皇慶二年（1313年）被定為科舉考試的主要參考書，並於明朝洪武二年（1369年）被定為科舉考試教科書。此後六百多年來，中國所有讀書人從啟蒙開始，所學的儒家都是朱熹的注解。但朱熹的詮釋能如實反映孔子的思想嗎？朱熹本人是哲學家，受到北宋學者 —— 特別是程頤（1033 － 1107）的啟發，被後代稱為「程朱學派」。朱熹提出的「人性本善」的觀點在集注中隨處可見，使許多讀書人先入為主地以為「人性本善」就是孔孟的思想。事實上，那只是朱熹的思想。

只要稍稍用心思考「君子有三戒」，就一定不會輕易認同「人性本善」，都會希望弄清楚「本善」是如何定義的。朱熹將人性一分為二，一半是天理，一半是人欲。稱天理是天地之性，人欲是氣質之性，並認為只有天理才是人性，人欲不算人性。這樣對人性加以界定是宋朝學者的發明，我們暫不說對錯，只是要清楚孔子、孟子並沒有這樣的分法。

如今流傳甚廣的《三字經》是南宋末年王應麟編成的兒童啟蒙讀物。第一句「人之初，性本善」是朱熹的說法，第二句「性相

近，習相遠」才是孔子的説法。朱熹本人都承認這兩種説法放在一起是矛盾的，因為既然「性本善」，應該説「性相同」才對，不應該説「性相近」。

然而孔子偏偏説的是「性相近」，這表明孔子不會贊同「性本善」的觀念。學習儒家，首先要清楚分辨這一點。我們先不要管朱熹的觀念是否正確，重要的是，透過孔子、孟子的原話來了解他們究竟説了什麼。

## 自我要覺醒

孔子在《論語》一書中對於人有哪些期許和要求呢？孔子思想的首要特色是「自我的覺醒」。

「自我」一詞對古人來説很陌生。從《詩經》、《尚書》等經典中可以看出，古代只有天子具備這種覺醒，可以自稱「予一人」。古代天子的位置很特別，上有天，下有百姓，天子承上啟下，做為天與人的仲介者，有高度的自覺。後來不少諸侯和政府官員也逐漸覺悟到「自我」，要了解自己並對自己的行為負責，但一般人則不具有這樣的自覺。

孔子身逢亂世，如果希望人們行善避惡，則必須喚醒每個人內在的良知。為此，首先必須讓人覺察到「自我」是獨立的個體，「自我」與他人不同，每個人都有獨特的使命。

### （一）打定什麼主意，全靠自己

孔子説：「三軍可奪帥也，匹夫不可奪志也。」（《論語·子罕篇》）三軍的統帥可能被抓走，比如像金庸《天龍八部》裡的蕭峰，他憑藉高超武功，可以在千軍萬馬之中輕鬆抓獲敵方統帥。

但重點在於後半句。路邊一個普通百姓只要打定主意，就沒有人可以改變他。孔子強調的是每一個人完全可以自己做主，決定這一生要怎麼過。

「志」是心意，孔子教學中常常讓學生談論各自的志向，志向在哪裡就代表心定在哪裡。志向是由內而發的，人只要打定主意，就沒有任何人能影響你，整個儒家思想就從這裡展開。從前只有天子一個人有這樣的自覺，孔子則根據自身的學習心得，教育學生每一個人都要對自己的生命負責。

### （二）要前進要停止，在於自己

孔子有一個比喻十分生動：「譬如為山，未成一簣，止，吾止也。譬如平地，雖覆一簣，進，吾往也。」（《論語‧子罕篇》）意即，譬如堆土成山，只要再加一筐土就成功了，如果停下來，那是我自己要停下來的。譬如在平地上，即使才倒了一筐土，如果繼續做，那也是我自己要前進的。

在古代，許多山是人工堆成的。《尚書‧旅獒》中就有「為山九仞，功虧一簣」的說法。一座山標準的高度是九仞，一仞為七尺，九仞為六丈三，如果差一筐土不夠六丈三，也不能算成功。「止，吾止也」、「進，吾往也」是孔子強調的重點，要停下來還是要繼續都是由自己決定的，這表明自己的責任重大。人生在世最易忘卻自己的責任，人應該對自己的生命完全負責。

### （三）走上人生正途，全在自己一念之間

孔子說：「仁遠乎哉？我欲仁，斯仁至矣。」（《論語‧述而篇》）孔子的思想「承禮啟仁」，這句話包含「仁」這一核心概念，更直接地反映了孔子的思想，因而十分重要。

「仁」指行仁，即走上個人的人生正途。這句話意為：行仁離我很遠嗎？只要我願意行仁，立刻就可以行仁。

試問，世間有什麼東西是「我要」（我欲）立刻就有的？它絕不能由外而來，譬如升官、發財、友誼，所有由外而來的東西都不可能是我要就有的。現在孔子認為只有「仁」是「我欲」就可以達成的。由此可見，「仁」必定是由內而發，只要內心真誠，馬上就可以行仁；如果別人勉強我做，則我只是別人行善的工具而已。

### （四）走上人生正途，要化被動為主動

顏淵是孔門弟子中「德行第一，好學唯一」的人才，他來請教孔子思想的核心觀念「仁」，即個人應如何走上人生正途，孔子的回答無疑代表他一生的主要心得，然而令人遺憾的是，這一章常常被人誤解。

顏淵問仁。子曰：「克己復禮為仁。一日克己復禮，天下歸仁焉。為仁由己，而由人乎哉？」（《論語·顏淵篇》）顏淵請教如何行仁。孔子說：「能夠自己做主去實踐禮的要求，就是人生正途。不論什麼時候，只要能夠自己做主去實踐禮的要求，天下人都會肯定你是走在人生正途上。走上人生正途是完全靠自己的，難道還能靠別人嗎？」

許多學者會將「克己復禮」分為兩截——「克己」與「復禮」，將之譯為「克制或約束自己，並實踐禮的規範」。這樣的譯法顯然有問題，因為孔子在同一句話中還說了「為仁由己」，針對同一個「己」，先要「克制」自己（克己復禮），代表「自己」不好；又要「順從」自己（為仁由己），代表「自己」是好的，豈非前後矛盾？

「克己」的「克」代表「能夠」。「克」字做「能夠」解，古例甚多，如《尚書·堯典》的「克明俊德」，《尚書·康誥》的「克明德」。

根據專家研究，《論語》中將「己」放在動詞後，均做為反身

動詞的主詞，「克己」即「使己克」。因此，「克己復禮為仁」的正確譯法為「能夠自己做主去實踐禮的要求，就是人生正途」。

《論語》中類似的用法還有三個例子，如提到舜「恭己正南面」（《論語・衛靈公篇》），「恭己」不是恭敬自己，而是使自己保持恭敬的態度。子貢請教要具備怎樣的條件才可稱為「士」，孔子回答的第一句話是「行己有恥」（《論語・子路篇》），指的是讓自己操守廉潔而知恥。還有一次孔子評論子產的行為合乎君子的作風，其一即為「其行己也恭」（《論語・公冶長篇》）。

孔子的核心思想在「克己復禮」這句話中突顯出來，即化被動為主動。我們從小都是被動地按照父母的要求和老師的指導學習禮儀規範，只有自己主動去實踐禮的規範，人格才會挺立，才會贏得天下人的稱讚。

後面顏淵請教具體的做法，孔子說：「非禮勿視，非禮勿聽，非禮勿言，非禮勿動。」亦即不去看不合乎禮的，不去聽不合乎禮的，不去說不合乎禮的，不去做不合乎禮的。先不去做那些不該做的事，然後才能轉成主動積極地去做該做之事。

如果把「克己」譯為「克制自己」，那麼和「非禮勿視、勿聽、勿言、勿動」顯然語意重複，孔子不可能在回答學生的兩個問題時重複同一個觀點。孔子強調先從「四勿」著手，逐漸由消極轉向積極，最後的修養成果是能夠化被動為主動，去實踐禮的規範。

「自我的覺醒」正是孔子思想的出發點。


## 沒見過好人

人性絕非本善，人應該化被動為主動，努力修養自己成為君

子。孔子非常認真看待修養問題，他說自己經常憂慮的有四件事：「德之不修，學之不講，聞義不能徙，不善不能改，是吾憂也。」（《論語·述而篇》）不好好修養德行，不好好講習學問，聽到該做的事卻不能跟著去做，自己有缺失卻不能立刻改正，這些都是他的憂慮。可見孔子對修養的重視，他念茲在茲，隨時提醒自己。

《論語》中孔子常常感慨自己沒有見過什麼樣的人，至少有七種人孔子沒見過：

1. 我未見好仁者，惡不仁者。（〈里仁篇〉）我不曾見過愛好完美人格者與厭惡不完美人格者。

2. 有能一日用其力於仁矣乎？我未見力不足者。（〈里仁篇〉）有沒有人會在某一段時期致力於培養完美人格呢？真要這麼做，我不曾見過力量不夠的。這說明任何人只要願意行仁，都有足夠的力量。

3. 子曰：「吾未見剛者。」或對曰：「申棖（ㄔㄥ∕）。」子曰：「棖也欲，焉得剛。」（〈公冶長篇〉）孔子說：「我不曾見過剛強的人。」有人回答說：「申棖就是一位。」孔子說：「申棖有不少欲望，怎麼做得到剛強呢！」一般人理解的「剛」指堅毅剛強，堅持做一件事不怕犧牲。孔子的話演變為今天的說法即「無欲則剛」。

4. 吾未見好德如好色者也。（〈子罕篇／衛靈公篇〉）我不曾見過愛好德行像愛好美色的人。這說明天下之人都會本能地受到美色的吸引，但喜歡美德則需要努力修練自己，很難做到。

5. 吾未見能見其過而內自訟者也。（〈公冶長篇〉）我不曾見過能夠看到自己的過失就在內心自我批評的人。這說明一般人有過錯總是文過飾非，找藉口推卸責任。

6. 未見蹈仁而死者也。（〈衛靈公篇〉）孔子不曾見過有人為

了走上人生正途而死，即「殺身成仁」之人。

7. 隱居以求其志，行義以達其道。吾聞其語矣，未見其人也。（〈季氏篇〉）孔子沒見過避世隱居來磨練自己的志節，實踐道義來貫徹自己的理想之人。

將上述七處「未見」放在一起，足以看出孔子對當時社會的悲觀失望，社會上難以見到德行修養理想之人。然而有一個人卻是例外，他就是孔子的朋友衛國大夫蘧（ㄑㄩˊ）伯玉。他們兩人交情很好，孔子周遊列國到衛國時就住在蘧伯玉家中。

有一次蘧伯玉派人向孔子問候，孔子請他坐下來談話，說：「蘧先生近來做些什麼？」他回答說：「蘧先生想要減少過錯卻還沒辦法做到。」使者離開後，孔子稱讚使者說：「好一位使者！好一位使者！」[41]（《論語·憲問篇》）孔子也是這樣時刻想要改善自己的人。

莊子是戰國中期人，比孔子晚約兩百年。莊子說：「蘧伯玉行年六十而六十化。」（《莊子·則陽》）又說：「孔子行年六十而六十化。」（《莊子·寓言》）莊子用同樣的口吻稱讚蘧伯玉和孔子，說他們兩人都能隨年齡的增長而不斷提升，德行日趨完美。

《論語》中多次出現孔子教學生提高修養的話，焦點在於「言」與「行」，即說話和做事上。他希望人從年輕時就要「敏於事而慎於言」（〈學而篇〉），做事手腳勤快，把該做之事盡快做完，說話則要謹慎，話不可說得太快。

孔子說：「古者言之不出，恥躬之不逮也。」（〈里仁篇〉）古代的人說話不輕易開口，因為他們以來不及實踐為可恥。孔子的學生子貢口才很好，孔子因材施教，告訴他：「先行其言，而後從之。」（〈為政篇〉）先去實踐自己要說的話，做到以後再說出來。

子貢有個毛病，喜歡「方人」，就是品評人物、比較高下長

短。孔子則說：「賜也賢乎哉？夫我則不暇。」（〈憲問篇〉）意為：賜（子貢）已經很傑出了嗎？要是我，就沒有這麼空閒。孔子委婉地批評子貢，提醒他不要總去品評別人的優劣。

孔子的學生司馬牛聽到幾位學長問仁，他也很興奮地問什麼是仁，孔子說：「仁者，其言也訒。」（〈顏淵篇〉）即行仁的人，說話非常謹慎，吞吞吐吐的。司馬牛確實缺乏耐心，他馬上又問：「說話非常謹慎，就可以稱得上行仁了嗎？」他的言下之意是，說話謹慎就算人生正路，這未免太過簡單了。

其實很多人一輩子就毀在說話上，要嘛說話太快，屢屢失信；要嘛批評太直接，尖刻傷人，到最後沒有朋友，追悔莫及。許多人一有想法未經反省立刻說出，正所謂「入乎耳，出乎口；口耳之間，則四寸耳」（《荀子‧勸學篇》）。孔子說：「道聽而塗說，德之棄也。」（《論語‧陽貨篇》）聽到傳聞就到處散佈，正是背離德行修養的做法。

人活在世界上，沒有人生下來就本善。性本善是一個抽象的命題，暫且不必理會，我們應該學習孔子的務實。《論語》中孔子不斷提醒自己、教導學生，說自己沒有見過真正走上人生正途的人，代表他與周圍的學生、朋友一直都在努力。

孔子說：「過而不改，是謂過矣。」（〈衛靈公篇〉）人生不怕犯錯，有了過錯卻不改正，那才是真正的過錯。又說：「過則勿憚改。」（〈學而篇〉）人有了過錯為什麼害怕去改過呢？因為過錯源自個人的性格。孔子說：「人之過也，各於其黨。觀過，斯知仁矣。」（〈里仁篇〉）「黨」就是「性格類別」，人們所犯的過錯，依

---

41　原文：蘧伯玉使人於孔子。孔子與之坐而問焉，曰：「夫子何為？」對曰：「夫子欲寡其過而未能也。」使者出。子曰：「使乎！使乎！」

其本身的性格類別而各有不同。因此，察看一個人的過錯，就知道他的人生正途何在。

老師教育年輕學生最怕他沒有任何過錯，事實上，年輕人絕不可能沒有任何過錯。某位學生在老師面前表現不錯，只能說明他比較聰明，懂得如何隱藏，這反而不好，讓老師無從教起。相反，過錯被人看到並指出其實沒有什麼關係，孰能無過？了解了自己的過錯，也就知道了自己努力改善的方向。

孔子認為修養是每一個人都要認真去做的，修養的目標是成為君子。人際互動中，很多時候我們以為自己沒問題，其實未必如此。

《論語》一書中出現頻率最多的一種情緒感受是「怨」，共出現了二十次。「怨」分兩種：一種是自己抱怨別人，這可透過修練自己來改善；另一種是別人抱怨我，這就很難透過修練自己來解決。由此可見修養的重要性，我們學習儒家絕不能忽略這一點。

## 總是心平氣和

孔子在生活中總是心平氣和，安心生活，用現代的話形容可謂「活在當下」。《論語》中有一句話：「子之燕居，申申如也，夭夭如也。」（《論語‧述而篇》）孔子平日閒暇時，態度安穩，神情舒緩。千萬不要忘記孔子身逢春秋末期的亂世，他在五十五歲至六十八歲期間周遊列國，顛沛流離，奔走呼號，希望能夠改善整個社會，別人還嘲笑他是喪家狗。然而，他在生活中照樣怡然自得，他是怎麼做到的呢？

關於孔子平日生活，《論語》中有兩段話要合而觀之，這兩句

話都以「何有於我哉」結尾，不易講清楚。

（一）子曰：「**默而識之，學而不厭，誨人不倦，何有於我哉？**」（〈述而篇〉）

孔子說：「默默存思所見所聞，認真學習而不厭煩，教導別人而不倦怠，何有於我哉？」

這三件事都與善盡老師的責任有關，代表孔子這時的主要工作是教書育人，但「何有於我哉」是什麼意思？歷代以來有兩種解釋，但都有問題：

1. 將「何有於我哉」理解為「何難於我」。這些事對我有什麼困難呢？這樣的語氣不太謙虛，好像這些事我全都做到了，沒什麼困難。這不像孔子的口吻，不符合孔子的性格。

2. 將「何有於我哉」理解為「我哪一點做到了」。代表我一點都做不到。如果完全沒有做到，孔子何必說呢？

所以最早在翻譯這句話時，我將之譯為：這三件事，我做到了多少？代表孔子常以此三事提醒自己。我教書多年，對「學而不厭，誨人不倦」深有體會，因為我一學習就厭煩，一教書就倦怠，一開學就希望放假。許多老師恐怕都有同感，孔子能做到這三點實屬不易。

（二）子曰：「**出則事公卿，入則事父兄，喪事不敢不勉，不為酒困，何有於我哉？**」（〈子罕篇〉）

1. 出則事公卿：出門在外服侍有公卿身分的人。

古代社會，有人外出做官，退休返鄉後仍可穿著特製的服裝，年輕人上街一眼就看出這些老先生做過官，為國家服務過。孔子會主動幫助他們拿皮箱，扶他們上車，給他們讓座。

2. 入則事父兄：回家侍奉長輩親人。

孔子的父親和哥哥孟皮都很早過世，孟皮的女兒（孔子的姪

女）還是由孔子做主嫁給了孔子的學生南容[42]，因此，孔子回家侍奉的長輩親人，並非真正的父兄，而是家族裡的長輩親人。出門在外與回到家中，都是每天發生的事情。

3. 喪事不敢不勉：為人承辦喪事不敢不盡力而為。

這句話特別重要，說明孔子在相當長的時間內主要以幫助別人料理喪事為職業。許多學者對此持不同意見，認為孔子怎麼可能以辦喪事來謀生？

孔子年輕時曾拜訪過老子，據說老子比孔子年長約三十歲（即一世）。老子在周朝的洛陽（雒邑）負責掌管國家檔案館和圖書館[43]，是周朝最有學問之人。孔子向老子請教禮儀方面的細節，正好老子負責承辦喪事，就讓孔子當他的助手。他們在運送棺木途中恰逢日蝕，太陽不見了，一片漆黑。按照規矩，晚上不能送葬，於是老子和孔子停下來商議，討論半天也沒有結果。不久太陽又出來了，然後又繼續完成了葬禮儀式。

古代貴族的喪禮非常慎重，一個大夫從去世到入土需要經過大大小小五十多道手續，必須要有禮儀專家操持。孔子本人就是禮儀專家，貴族家裡有喪事會請孔子來幫忙，這應該是孔子相當長時間內的主要工作和收入來源。

《論語》中還有幾處相關記載。如「子食於有喪者之側，未嘗飽也。」（《論語・述而篇》）孔子在家有喪事的人旁邊吃飯時，從來不曾吃飽過。貴族之家辦喪事通常要兩、三個星期以上，替人主持喪事要在別人家吃飯，不能回家。孔子是個十分真誠的人，看到別人哀痛萬分，自己情緒也受到感染，所以不曾吃飽過，於是學生將孔子的表現記錄了下來。

學生怎麼知道老師沒吃飽呢？因為孔子身高一米九二，當時人們都稱他為「長人」，每頓飯至少吃四碗，但他替人辦喪事只吃半

碗就吃不下了。可見，孔子辦喪事時不敢不盡力而為。

　　4. 不為酒困：不因為喝酒造成任何困擾。

　　孔子所在魯國即今日山東地區，冬天很冷，每天都要喝點小酒禦寒，但孔子喝酒絕不喝醉。

　　上述四件事放在一起，說明都是日常之事，將「何有於我哉」理解為「我都沒做到」或「這些事對我來講太容易」似乎都不對。

　　回到堯舜時代，堯時有一首廣為流傳的民謠〈擊壤歌〉：「日出而作，日入而息，鑿井而飲，耕田而食，帝力何有於我哉？」這句話就是標準答案。百姓過平常的生活，自由自在，帝王的權威與我有什麼關係呢？所以孔子說「何有於我哉」的意思是：把我要做的事情做完，把我該盡的責任盡到，其他一切跟我有什麼關係呢？

　　這反映出孔子安心生活的心態，一個人即使身逢亂世，還是可以過得平安愉快。孔子認為做好上述七件事，社會上其他人升官發財、國家興盛衰亡，跟我有什麼關係呢？每個人都有自己的身分和位置，有自己該做的事，何必杞人憂天？不如安心於自己的生活。

　　孟子後來說：「孔子進以禮，退以義，得之不得曰『有命』。」（《孟子·萬章上》）即孔子做官時要遵守禮儀，辭官時要合乎義行，能不能得到職位，就說「由命運決定」。

　　《論語》中魯城的守門人對孔子的描述最為生動傳神，稱孔子是「知其不可而為之者」（《論語·憲問篇》）。孔子早就清楚自己的理想無法實現，但他還是全力以赴做自己該做的事，沒有過多的憂慮，安心於自己的生活。由此可見，人活在世界上，應該都可以過得快樂自在。

---

42　出自《論語·先進篇》。原文：南容三復《白圭》，孔子以其兄之子妻之。
43　參考《史記·老子韓非子列傳》。原文：「老子者……周守藏室之史也。」

# 孝順要有智慧

儒家對「善」的界定是：我與別人之間適當關係的實現。人際互動始於我與父母的關係，如果無法做到孝順父母，而去談如何與天下人來往則太過遙遠。《論語》中專門討論孝順的約有十章，孔子因材施教，對不同的學生給予了不同的建議。孔子首先提醒我們，孝順必須心存尊敬和關愛。

## （一）對父母要尊敬 —— 子游問孝

子游問孝。子曰：「今之孝者，是謂能養。至於犬馬，皆能有養。不敬，何以別乎？」（〈為政篇〉）

子游請教什麼是孝。孔子說：「現在所謂的孝，是指能夠侍奉父母。就連狗與馬，也都能服侍人。如果少了尊敬，又要怎樣分辨這兩者呢？」這說明孝順父母，首先要尊敬父母。

可惜的是，這段話常被誤解。朱熹及不少學者將之譯為：現在所謂的孝，是指能夠奉養父母，但是對於狗和馬我們也能養育，如果缺乏尊敬，奉養父母與養育狗和馬有何不同？這種翻譯令人匪夷所思，竟然把養育父母比喻為養育狗和馬，實在有欠妥當。

古代家庭中，狗與馬是兩種對人最有用處的家畜。狗替人看門，馬替人拉車，兩者都能服侍人，卻不會尊敬人。今天我們還在使用「願效犬馬之勞」一語，表示願意為別人效勞來回報他人的恩情。因此，用狗和馬比喻子女顯然較為妥當，表示子女奉養父母時若少了尊敬，就與狗和馬服侍人沒有什麼差別了。

可見，今天用白話文來翻譯古代經典，對於正確理解古代思想是多麼重要。如果只看朱熹的注解，我們不禁要懷疑這難道也算孝順嗎？為了準確理解古人的思想，必須先要學會詮釋學的四個步驟：1. 它究竟說了什麼？2. 它想要說什麼？3. 它能夠說什麼？4. 它

應該說什麼？在充分掌握古代學者的研究資料後，我們還要學會判斷，應該怎樣翻譯才合理。

### （二）對父母要關愛 —— 子夏問孝

子夏問孝。子曰：「色難。有事，弟子服其勞；有酒食，先生饌，曾是以為孝乎？」（〈為政篇〉）

子夏請教什麼是孝。孔子說：「子女保持和悅的臉色是最難的。有事要辦時，年輕人代勞；有酒菜食物時，讓年長的人吃喝，這樣就可以算是孝了嗎？」

「弟子」、「先生」泛指晚輩對待長輩或學生對待老師，但是對待父母不能僅僅如此。因為沒有父母就沒有我們，父母的生養之恩山高水長，侍奉父母應該保持和悅的臉色。只有對父母的愛由內而發，完全出於內心真誠的情感，才能表現為和顏悅色。然而不幸的是，生活中常見到「久病床前無孝子」，父母年老體衰、需要子女幫助之際，往往要反過來看子女的臉色，子女這樣的表現顯然不算孝順。

### （三）孝順要合乎禮制 —— 孟懿子問孝

孟懿子問孝。子曰：「無違。」（〈為政篇〉）

孟懿子請教什麼是孝。孔子說：「不要違背禮制。」

孟懿子是魯國三家有權勢的大夫孟孫氏之後，屬於貴族子弟。古代貴族是統治階級，言行皆以禮制為標準，否則不足以領導百姓。孔子以「無違」說孝順，是指孝順應合乎禮制或社會規範。

當時貴族權力大，錢財多，有時候會用更高規格的禮儀來對待長輩，以為這樣做才算孝順，實則與自己的身分不合，違背了禮制，造成「僭禮」。

《論語》中記載，魯國貴族季氏「八佾舞於庭」（〈八佾篇〉）。「八佾」是一種舞名，每佾八人，八佾六十四人，是天子所享之禮

樂。季氏是魯國大夫，按禮制只能享「四佾」，即三十二人的舞蹈。但季氏以大夫的身分僭用天子之禮樂，十分過分，難怪孔子會說：「是可忍也，孰不可忍也！」

### （四）以適當方式盡孝

1. 孟武伯問孝。子曰：「父母唯其疾之憂。」（〈為政篇〉）

孟武伯是魯國大夫孟懿子之子，是個年輕的貴族。孔子深知紈褲子弟最易染上惡習，就提醒他：「讓父母只為你的疾病憂愁就是孝順。」人吃五穀雜糧，生病是難免的事，而子女除了生病之外，其他任何事（如求學、交友、做人處事）都不讓父母憂愁，就已經很孝順了。可見，孔子不但因材施教，而且所言之理對一切子女都深有啟發。

2. 子曰：「父母在，不遠遊，遊必有方。」（〈里仁篇〉）

孔子說：「父母在世時，子女不出遠門。如果出遠門，就必須有一定的去處。」孔子並非不讓子女遠遊，而是出行要讓父母知道你的行蹤。今天這個時代，有GPS定位系統，手機隨時隨地可以視訊通話，出遊不再是問題。

3. 子曰：「父母之年，不可不知也。一則以喜，一則以懼。」（〈里仁篇〉）

孔子說：「父母的年紀，做子女的不能不記得。一方面為他們得享高壽而歡喜，另一方面為他們日漸老邁而憂慮。」

### （五）對父母要委婉勸諫

如果以為儒家要求子女對父母百依百順，恐怕只看到一面。

子曰：「事父母幾（ㄐㄧ）諫，見志不從，又敬不違，勞而不怨。」（〈里仁篇〉）

孔子說：「服侍父母時，發現父母將有什麼過錯，要委婉勸阻；就算看到自己的心意沒有被接受，仍然要恭敬地不觸犯他們，

內心憂愁但是不去抱怨。」

宋朝學者羅仲素說：「天下無不是的父母。」這並非孔子、孟子的說法。父母也是平凡人，每一個人只要結婚有了子女就變成父母，都有可能犯錯，此時子女應委婉勸阻，但不能疾言厲色，盛氣凌人。

儒家「十三經」之一的《孝經》據說是曾子所傳，在〈諫諍章〉中，曾子問：「敢問子從父之令，可謂孝乎？」子曰：「是何言與，是何言與！」孔子連說兩句：「這是什麼話！這是什麼話！」孔子接著說：「父有爭子，則身不陷於不義。」有了敢於諫諍之子，父親做錯事的時候，兒子能夠勸阻，父親才不會深陷不義。

如果父母真的做了錯事，又不聽子女勸諫，子女只有默默承受。此時只有兩個辦法：一是設法補救父母之過，減少對別人造成的傷害；二是努力行善來彌補父母的過錯。子女修德行善，盡其在我，即是孝心的表現。

儒家思想對於人際關係，只有子女對父母這一倫是唯一需要堅守的底線，並沒有所謂的「三綱」，即孔子、孟子並沒有「君為臣綱、夫為妻綱」之類的說法。

## 從政要有原則

孔子曾在魯國為官五年，他的不少學生也都從政做官。孔子周遊列國期間與各諸侯國的國君亦有頻繁往來，他們均多次向孔子請教治國理政的方法。孔子非常熟悉政治的運作，人的社會不可能沒有政治活動。

### （一）何謂「大臣」

有一次季子然[44]請教孔子：「仲由與冉求可以稱得上是大臣嗎？」孔子說：「他們不能算是大臣，只能算是具臣。」具臣指具有專業能力可以盡忠職守之人。孔子用八個字形容大臣「以道事君，不可則止」（《論語‧先進篇》），即以正道來服侍君主，行不通就辭職。可見儒家有堅定的原則，讀書做官就是要造福百姓，如果理想無法實現就果斷辭職，交由別人負責，不要貪戀官位。

### （二）孔子從政的表現

孔子從政的表現可圈可點，當時魯國三家大夫勢力很大，每個大夫管轄幾座城，一座城相當於現在的一個縣。從政須從三家大夫所屬的基層官員做起，才有機會進入魯國的權力中心。

魯定公九年（西元前五〇一年）孔子五十一歲，開始正式從政，為魯國中都宰（縣長）。他制定一系列典章制度和法律規範，使中都縣成為其他各縣效法的模範。第二年，魯定公提拔孔子進入魯國中央，擔任小司空（工程部副長官），不久又升任司寇（司法部門長官），負責魯國的治安。

孔子升任司寇的命令剛一發布，市場裡的不法商販全都銷聲匿跡。以前賣羊的提前給羊灌水以增加斤秤，如今都不敢再使用非法手段。孔子任司寇期間政績卓越，可用八個字形容：路不拾遺，男女分途。有人在路上遺失物品，到原地一定可以找到；男女在路上各走一邊，以避免嫌疑。百姓之所以如此循規蹈矩，是因為他們知道孔子說到做到，為政嚴肅認真。

魯國在孔子的治理下蒸蒸日上，使鄰近的齊國感到威脅。齊國在國力上和軍事上向來勝魯國一籌，然而在孔子陪同魯定公參加夾谷會盟時，孔子大義凜然、義正辭嚴，使齊君自覺理屈，因而歸還了以往侵占魯國的疆土以謝罪，齊國國君鎩羽而歸。

　　齊國擔心長此以往，魯國將迅速崛起，於是送給魯國八十位能歌善舞的美女和一百二十匹駿馬。魯定公無法自持，與執政的季桓子每天不務正業，沉迷於歌舞與賽馬中，不再重視孔子。孔子五十五歲時對魯國政治深感失望，毅然決定離開。當時還是周朝，各國諸侯雖野心勃勃卻仍承認周朝天子地位。士人在一國發展受阻，就到其他諸侯國尋找施展才華的機會。春秋到戰國一直有此風氣，各國彼此競爭，延攬人才，讀書人則周遊四方，尋找明主。

### （三）聖之時者

　　孔子離開魯國時說：「遲遲吾行也，去父母國之道也。」（《孟子・萬章下》）我們慢慢走吧，這是離開祖國的態度。孔子年輕時去過齊國，齊景公本想重用孔子，卻因為宰相晏嬰的反對而作罷。孔子離開齊國時「接淅而行」，他毫不遲疑，撈起正在淘洗的米就上路，因為齊國並非孔子的祖國。

　　孔子的出處進退宛如藝術表演，從容自然，恰到好處，每每憑藉智慧做出當下最直接與最準確的判斷，孟子稱讚孔子為「聖之時者也」。其他類型的聖人都有特定的風格，各有所長也各有所偏；孔子則是該清高就清高，該隨和就隨和，該負責就負責，可以準確把握行動的時機。所以學習儒家要特別注意「時」這個字，由此凸顯出智慧的重要性。

　　孔子經常「仁」、「知」並舉。「知」就是在適當的時機做適當的事，孔子說：「知者樂水，仁者樂山。知者動，仁者靜。知者樂，仁者壽。」（《論語・雍也篇》）都是「仁」、「知」並舉，後來又加上「勇」，因為行仁在實踐中需要勇氣的配合。儒家思想發展到《中庸》，明確提出「知、仁、勇」三達德。

---

44　季氏子弟。

### （四）施政原則 —— 上行下效

孔子晚年回到魯國，被聘為國家顧問，相當於國家的大老。此時執政的是季桓子的兒子季康子，他向孔子請教政治的做法，說：「如果殺掉為非作歹的人，親近修德行善的人，這樣做如何？」季康子年紀輕輕就掌握生殺大權，動不動就要殺人，實在可怕。孔子回答說：「您負責政治，何必要殺人？您有心為善，百姓就會跟著為善了。政治領袖的言行表現，像風一樣；一般百姓的言行表現，像草一樣。風吹在草上，草一定跟著倒下。」[45]（《論語·顏淵篇》）這就是「風行草偃」這個成語的出處。

孔子在另一次季康子問政時回答：「政者，正也。子帥以正，孰敢不正？」（《論語·顏淵篇》）做為政治領袖，首先要以身作則。自身端正，自然上行下效；自身不正，又怎能要求百姓行為端正呢？遵循正道、上行下效是儒家施政的基本原則，從要求大臣「以道事君」到要求執政者「子帥以正」，前後思想一脈相承。

### （五）治理國家的完整構想

孔子最傑出的學生顏淵曾請教治理國家的方法，孔子的回答格局開闊，令人震撼，他說：「依循夏朝的曆法，乘坐殷朝的車子，戴著周朝的禮帽，音樂就採用〈韶〉與〈武〉。排除鄭國的樂曲，遠離阿諛的小人。鄭國的樂曲是靡靡之音，阿諛的小人會帶來危險。」[46]（《論語·衛靈公篇》）

夏朝曆法以農曆正月為一月，合乎古代農業社會的農耕需要；商朝的車子既實用又簡樸；周朝舉行宗教活動時佩戴的冠冕非常莊重而華美；〈韶〉是舜時的音樂，〈武〉是周武王時的音樂，屬於音樂中的上乘之作；要排除鄭國的靡靡之音，遠離奸佞小人。可見，孔子對政治有全盤的完整構想。他將夏商周三代的文化精華熟稔於心，再酌情損益以適應當時的情況。

　　魯定公曾請教孔子：「一句話就可以使國家興盛，有這樣的事嗎？」孔子說：「勉強說來有一句近似的話：『為君難，為臣不易。』」（《論語・子路篇》）即做君主很難，做臣屬也不容易。「為君難，為臣不易」這七個字正是整部《尚書》的核心思想。

　　魯定公又問：「一句話就可以使國家衰亡，有這樣的事嗎？」孔子說：「勉強說來有一句近似的話：『予無樂乎為君，唯其言而莫予違也。』」即我做君主沒有什麼快樂，除了我的話沒人違背之外。如果說的話不對而沒有人違背，不是近於一句話就可以使國家衰亡嗎？

　　所以儒家談政治，繼承了《尚書》中的永恆哲學，以仁愛和絕對正義做為政治最基本的原則。


## 為什麼要談志向

　　中國哲學的特色是以價值為中心的人生觀，人生在世絕非只是生老病死的過程而已，而是應設法實現重要的價值。掌握儒家的價值觀，要從孔子與學生談志向入手。《論語》中孔子兩度與學生談論志向，其中重要的是孔子與顏淵、子路的談話。

　　「顏淵、季路侍。子曰：『盍各言爾志？』」（《論語・公冶長篇》）顏淵與季路站在孔子身邊。孔子說：「你們何不說說自己的

---

45　原文：季康子問政於孔子曰：「如殺無道，以就有道，何如？」孔子對曰：「子為政，焉用殺？子欲善而民善矣。君子之德風，小人之德草。草上之風，必偃。」

46　原文：顏淵問為邦。子曰：「行夏之時，乘殷之輅，服周之冕，樂則〈韶〉〈舞〉。放鄭聲，遠佞人。鄭聲淫，佞人殆。」

志向？」

### （一）子路曰：「願車馬衣裘，與朋友共敝之而無憾。」

子路說：「我希望做到把自己的車子、馬匹、衣服、棉袍與朋友共用，即使用壞了也沒有一點遺憾。」由此可見子路個性豪爽，行俠仗義，重視朋友的交情遠超過財物。這樣的志向很不簡單，今天像子路這樣的朋友難得一見。

子路有情有義，難能可貴，但還不夠好，因為他只對朋友好。天下哪個人不喜歡自己的朋友？很多人為朋友兩肋插刀，甚至犧牲生命亦在所不惜。

不僅中國如此，外國亦然。羅馬文豪西塞羅（Marcus Tullius Cicero，106 － 43 B.C.）曾說：「朋友就像陽光一樣，生活中若沒有朋友，就像人生沒有陽光。」如果沒有朋友，人生一片漆黑，沒有溫暖，這是西方人對友誼的歌頌。

因此，子路的志向很好，但只對朋友好，未免格局有限。

### （二）顏淵曰：「願無伐善，無施勞。」

顏淵說：「我希望做到不誇耀自己的優點，不把勞苦的事推給別人。」

朱熹和不少學者將這句話譯為：「不要誇耀自己的優點，不要張揚自己的功勞。」對「無施勞」的翻譯是錯誤的，因為：1.「誇耀優點」與「張揚功勞」兩句相似，語意重複；2. 顏淵只活了四十一歲，「不幸短命死矣」（《論語·雍也篇》），他沒有機會做官，對社會無具體的功勞可言。古代講功勞要嘛指出仕做官，造福百姓；要嘛指家中有錢，造橋鋪路。顏淵既未曾做官，又家徒四壁，沒有什麼功勞可言，又怎會告誡自己不要張揚？

顏淵優點確實很多，孔子曾公開稱讚顏淵了不起：「賢哉回也！一簞食，一瓢飲，在陋巷，人不堪其憂，回也不改其樂。賢哉

回也！」(《論語‧雍也篇》)生活如此困頓卻能安貧樂道，可見顏淵的德行超過一般人，所以他提醒自己不要誇耀自己的優點，合情合理。

「無施勞」的「施」與「己所不欲，勿施於人」(《論語‧顏淵篇》)的「施」同義，「無施勞」即不把勞苦之事推給被人。

顏淵有優點不去誇耀，有勞苦之事則主動承擔，這一來一往之間體現了顏淵志在自我修養，化解自我與他人的界限，走向無私的目標。由此可見，顏淵的境界勝過子路，子路僅對朋友有情有義，卻無法兼顧其他人；顏淵消解自我，走向無私，對身邊任何需要幫助之人都能伸出援手。

**(三) 子路曰：「願聞子之志。」子曰：「老者安之，朋友信之，少者懷之。」**

子路說：「希望聽到老師的志向。」孔子說：「使老年人都得到安養，使朋友們都互相信賴，使青少年都得到照顧。」

子路這一問問得真好。孔子秉承古代老師的風範，學生有問題請教老師就像敲鐘一樣，你不敲他不響，輕輕敲則輕輕響，用力敲則用力響[47]。子路問及於此，孔子將心中深藏已久的人生理想和盤托出。「老者安之，朋友信之，少者懷之」僅十二個字，千古之下猶有回音，每一個人都應將之銘記在心。

孔子的志向描繪出一個大同社會，其中的老者、少者屬於社會的弱勢群體，最需要予以關照。這種理念與西方人文主義的思想相契合，即一個社會的文明程度與它對待弱勢群體的態度成正比：文明程度愈高的社會，愈能照顧弱勢群體；文明未開化的野蠻社會，

---

47　《禮記‧學記》云：「善待問者如撞鐘，叩之以小者則小鳴，叩之以大者則大鳴；待其從容，然後盡其聲。」

則專門欺負老幼婦孺等弱勢群體。

孔子在東周春秋時期就能提出這樣的志向，難怪會受到西方人的廣泛讚賞。西方啟蒙運動時期，《論語》被翻譯為拉丁文、法文、德文等各種版本，西方人讀到《論語》時對孔子無不欽佩，各種「人文主義」的理想都無法超越孔子這十二個字的範圍。

同時，朋友相處並不容易，很多人都有被朋友欺騙的經歷。朋友之間互相信賴代表社會風氣十分理想，社會步入正軌，百姓安和樂利，這樣大家才能放心交友，「友直，友諒，友多聞」（《論語‧季氏篇》），實現「以文會友，以友輔仁」（《論語‧顏淵篇》）的理想境界。

孔子的志向實現了嗎？沒有。這個世界上曾有人實現這樣的理想嗎？沒有。釋迦牟尼、耶穌都無法實現，它在過去、現在、未來都不可能實現。但孔子無疑為人類指明了正確的方向。

孔子之志並非憑空玄想，而是基於他的人性論，其要旨如下：人有人性，人性是向善的；人在真誠時會有一股力量由內而發，促使自己行善；善是我與別人之間適當關係之實現；別人是誰？天下人都是我的「別人」。因此，我活在世界上，只要有能力和機會，一定盡己之力，由近及遠，由親及疏，讓身邊的人得到快樂的生活。推而廣之，最終的目標是讓天下人都能快樂的生活，這就是孔子的志向。儒家思想以「人性向善」為基礎，可以一以貫之。

如果不講「人性向善」，對善沒有清晰的界定，我們無法理解孔子為何以根本不可能實現的目標做為自己的志向。孔子並非唱高調，他的偉大志向的背後正是以「人性向善」為基礎。

總之，儒家的價值觀可分為三階段六層次。

第一階段是「自我中心」：有「生存」與「發展」兩層次。「生存」即活下去，「發展」即追求富貴，這些是人與生俱來就會追

求的價值。

第二階段是「人我互動」：有「禮法」與「情義」兩層次。子路追求的即是有情有義，做為孔子的學生至少以有情有義為底線，因為守法與重禮是社會普遍遵行的價值。

第三階段是「超越自我」：有「無私」與「至善」兩層次。顏淵所追求的就是無私，孔子所表現的就是止於至善、世界大同。

我們學習儒家，應將儒家的價值觀常放在心上，念茲在茲，躬行實踐。

# 孟子承先啟後

孔子是儒家的創始人，但《論語》一書材料有限，孔子曾感慨：「莫我知也夫！」（《論語·憲問篇》）沒有人了解我啊。孔子最出色的學生顏淵先於孔子兩年過世，後來不少學生從政表現不俗，卻很少有人專就孔子的思想深入研究，真正將孔子的思想發揚光大並使之成為完整系統的是孟子。

孟子（372 - 289 B.C.）的年代處於戰國時代中期，比孔子晚一百七十九年，與古希臘哲學家亞里斯多德（384 - 322 B.C.）處於同一時代。可見不論中國還是西方，面對時代的困境，均不約而同地湧現出重要的思想家。儒家面對的是價值上的虛無主義，如何讓百姓重新願意行善避惡，使社會恢復穩定以繼續發展？孟子無疑要回應時代的挑戰。孟子的思想具有以下特色：

## （一）孟子要學習效法孔子

孟子為自己沒有機會親耳聆聽孔子的教誨而深感遺憾，他廣泛收集了大量關於孔子的材料。《孟子》一書中引述孔子的言論有

二十九句，其中取自《論語》的只有八句。可見孟子時代仍能看到很多《論語》中未收錄的其他關於孔子的材料，可惜這些材料沒有全部流傳下來。我們通過《孟子》書中對孔子思想的引述，可以進一步了解孔子的思想。

### （二）孟子將孔學發展完善，使孔子的一貫之道清晰可辨

通過《論語》我們了解到孔子強調自我的覺醒，希望每個人通過真誠使力量由內而發，這是人性向善的思想。孟子將此思想進一步發展，強調認識人性不能只看外在表象，而要注意到人在自然狀態下內心表現出的原始動力，稱為「心之四端[48]」，即四種開端或萌芽。順從「心之四端」的要求加以實踐，就會做到「仁義禮智」四種善。孟子對人性的剖析非常深刻。

### （三）孟子的歷史觀認為每隔幾百年都會有聖人出現

好比天下分久必合，合久必分，孟子認為每隔幾百年都會有聖人出現來照顧百姓。孔子自述「五十而知天命」（《論語·為政篇》），孟子加以發揮，提出「天將降大任於是人也」（《孟子·告子下》）。上天不會隨便賦予一個人重任，必定先讓他承受各種考驗、挑戰和磨練，在此一過程中使他修養自己，充分發揮德行、能力、智慧方面的潛能，方可承擔天之重任。當然，最重要的仍是德行的修養。

### （四）孟子提出「民貴君輕」的政治觀

中國古代有「民惟邦本，本固邦寧」（《尚書·五子之歌》）的觀念，認為百姓為國家的根本。孟子進一步提出「民為貴，社稷次之，君為輕」（《孟子·盡心下》）的思想，認為百姓最值得肯定和尊重，政治應為百姓服務。

孟子曾引用《尚書·泰誓》的說法：「天降下民，作之君，作之師，惟曰其助上帝寵之。」（《孟子·梁惠王下》）天降生萬民，

為萬民立了君主也立了老師，就是希望國君和老師可以協助上帝來愛護百姓。可見孟子傳承古人的智慧和孔子的理念，將之發展為一套完整的思想，十分精采。

### （五）孟子批判異端，辯才無礙

孔子面對禮壞樂崩的時代，要設法「承禮啟仁」。孟子的時代，除了孔子思想外，逐漸出現了墨家、楊朱、名家、農家等學說，眾說紛紜，莫衷一是。孟子針鋒相對，視之為「異端」而加以批判。

「異端」[49]一詞曾在《論語》出現過，指與我的立場不同的主張，本來沒有貶義，孟子則用「異端」指「異端邪說」，即對人心、對社會有害的學說。

孟子對時代的危機深感憂慮，因為異端邪說會影響有權力的國君，如果將偏差的思想應用於實際政治會造成諸多後遺症。後來法家思想大行其道，用於兼併統一戰爭十分奏效，卻造成了極大的後遺症，使整個社會幾乎陷入危亡的困境。

孟子面對各家學說的挑戰，從容以對，毫不畏懼。他對孔子的思想了解得非常透澈，形成了完整的體系，遇到不同思想便相互對照，品評高下，表現出辯才無礙的才華。

### （六）理想難以實現

孟子周遊列國之際，受到各國禮遇，比孔子風光多了。孔子曾於五十五歲至六十八歲期間周遊列國，顛沛流離，被人嘲笑為喪家

---

48　所謂「心之四端」，是指人有「惻隱之心，羞惡之心，辭讓（或恭敬）之心，是非之心。這四心其實是同一個心的四端。參看《國學與人生》，傅佩榮著，天下文化出版。

49　參考《論語·為政篇》。原文：攻乎異端，斯害也已。譯文：批判其他不同立場的說法，難免造成爭論不休的禍害。

狗，孔子也坦然承認自己是喪家狗，但如果孔子不知家在何方而無家可歸，這個世界上還有誰會知道呢？一般人只是從表面看，以為孔子四處謀求官位卻有志難伸，其實孔子五十而知天命，六十歲能夠順應天命，他清楚了解自己的使命何在。

孟子處於戰國中期，當時的風氣很特別。各諸侯國的國君為了在兼併戰爭中獲勝，紛紛「卑禮厚幣」，用謙卑的態度和優厚的待遇來邀請孟子之類的國際知名學者。《孟子》第一篇〈梁惠王篇〉就記載了孟子與當時的大國君主，如梁國（即魏國）的梁惠王和齊國的齊宣王之間的對話。

孟子提倡仁政，希望將人心導向正途，由此恢復社會安定，使天下歸心，重現商湯、周文王、周武王的「王道」理想，不費太多力氣，可以一統天下，這無疑是儒家的政治理想。然而，當時各國都在謀求「富國強兵」，大國爭雄的形勢不容許施行仁政，因為仁政不但曠日持久，且效果難以驗證。

《孟子》一書與《論語》完全不同，《論語》是由孔子學生的學生整理前輩的資料編訂而成；《孟子》一書則是孟子晚年歸隱家鄉時親筆所著，並由其學生幫忙修訂完成。因此，《孟子》一書比較完整地表達了孟子的思想，包含了詳實的資料。我們今天學習儒家，主要是指「孔孟之道」，如果沒有孟子，孔子的思想恐怕只剩下零星的隻言片語，正是孟子將儒家發展為體大思精的思想體系。

## 養浩然之氣

孟子學生眾多，周遊列國時聲勢浩大，遠超孔子的規模。孟子的學生彭更對於如此盛大的場面心存疑惑，於是問孟子：「後車數

十乘，從者數百人，以傳食於諸侯，不以泰乎？」（《孟子‧滕文公下》）跟隨的車子幾十輛，隨從的人員幾百位，由這一國招待吃喝到那一國，不是太過分了嗎？的確，孟子到梁國、齊國都受到隆重的歡迎，但孟子更看重的是自己的思想主張能否讓一個國家的國君和百姓受益。

　　一次，孟子的學生公孫丑忍不住問孟子：「請問先生的優異之處在哪裡？」當時不但各種學派並立，儒家內部亦有不同派別各自發展。孟子認為自己與別人有兩點不同：「我知言，我善養吾浩然之氣。」（《孟子‧公孫丑上》）

　　第一點：「我知言」，即能辨識言論。透過聽別人說話，可以了解這個人的情況如何。譬如：「偏頗的言辭，我知道它的盲點；過度的言辭，我知道它的執著；邪僻的言辭，我知道它的偏差；閃躲的言辭，我知道它的困境。」[50]

　　第二點：「我善養吾浩然之氣」。這一點更為重要，培養「浩然之氣」可使其充滿天地之間。南宋末年愛國詩人文天祥（1236 － 1283）被捕入獄後所作的《正氣歌》，第一句「天地有正氣」就是受孟子的啟發。

　　如何培養浩然之氣？「氣」原指宇宙萬物中存在的陰氣、陽氣兩種力量，兩者構成萬物變化的基礎。「氣」與「身體」有關，孔子說人有「血氣」，是指隨身體而來的本能、衝動和欲望；孟子所說的「氣」充滿在人的身體中，代表人的生命力。通過修練，可使身體的「氣」和內心（可以思考、判斷及選擇）的「志」合而為一，此即「身心合一論」。

---

50　原文：詖（ㄅㄧ、）辭知其所蔽，淫辭知其所陷，邪辭知其所離，遁辭知其所窮。

孟子所謂的「氣」的修練，並非道教中意在全身保真、羽化登仙而修練的氣功。學生進一步問：「到底什麼是浩然之氣？」孟子說：「難言也。」孟子口才出眾，卻承認「浩然之氣」難以說清，因為凡是談到修養或覺悟的問題，沒有實際修行體驗的人，只是聽人講述，好比隔靴搔癢，抓不住重點，需要個人親身體會，孟子對此了然於心。但他還是勉強描述了一下，並提出修養的三個要點：

其為氣也，至大至剛，以直養而無害，則塞於天地之間。其為氣也，配義與道；無是，餒也。是集義所生者，非義襲而取之也。

意為：那一種氣，最盛大也最剛強，以真誠去培養而不加妨礙，就會充滿在天地之間。那一種氣，要和義行與正道配合；沒有這些，它就會萎縮。它是不斷集結義行而產生的，不是偶然的義行就能裝扮成的。

### （一）以「直」來培養

「直」就是真誠。人所能做的就是「真誠」，即按照自己所知的善惡，堅定地站在正確的一邊。人之所以會為惡，是因為內心缺乏真誠，計較利害。《易經‧乾卦‧文言傳》說：「閑邪存其誠。」即防範邪惡以保持內心的真誠。這說明真誠與邪惡勢不兩立，人只要真誠，內心自然向善。真誠就是心思純粹，做人處事沒有複雜的念頭，保持單純而正向的動機，去做該做之事。

### （二）配合「義」

「義」字原指「宜」，有「適當」與「正當」兩重含義。同一句話不一定對每個人都適宜，同一個行為不一定在各種情況下都正確，所謂「彼一時，此一時也」（《孟子‧公孫丑下》）。因此，「義」需要配合智慧的判斷。

### （三）配合「道」

「道」是人類共同的正路。《論語》中「仁」與「道」多次出

現，孔子既說過「志於仁」（〈里仁篇〉），又說過「志於道」（〈述而篇〉）；既可以為「仁」犧牲生命（殺身以成仁〈衛靈公篇〉），也可以為「道」死而無憾（朝聞道，夕死可矣〈里仁篇〉）。「仁」與「道」的區別在於：「仁」是個人的正路，每個人的人生正路各不相同；「道」是人類共同的正路，對大家都一樣。

我們從小先要懂得做人之「道」，長大後，則要根據個人的情況尋找個人的正路，設法求「仁」。孟子所謂的「義」，就是每個人在行仁時根據自身情況所做的考量。「善」是我與別人之間適當關係的實現，而我與別人的關係時常在變化之中，此關係是否適當需要智慧的判斷。

綜上，修養的關鍵有三點：

**（一）直：要真誠**

人不能一味計較利害，要根據自己的身分、角色、位置等考慮自己的責任，完全出於真誠，做自己該做的事。

**（二）義：要適宜**

與他人來往，要考慮對方對自己有何期許，我做的事對方能否接受，我說的話對方是否明白，所以「義」是一種權衡。

**（三）道：要合禮**

道是人類共同的光明大道，《中庸》一書中直接說「道」就是「禮」。「禮」是人類相處時共同的規範，包含禮儀、禮節、禮貌，長幼尊卑各有一定的規格，我們要遵守社會共同的禮儀規範。

可見孟子修養的祕訣在於真誠，與別人的關係設法適當，並走上人類共同的光明大道。

孟子進一步強調要不斷集結義行（集義），使生命實現由量變到質變的飛躍，不是偶然的義行（義襲）就能裝扮成的，偶爾穿一件道義的外衣，內心缺乏修養則好似無源之水。

　　孟子認為要打定主意培養浩然正氣，但不可操之過急。孟子以「揠苗助長」的故事為譬喻：宋國有個擔心禾苗不長而去拔高的人，十分疲憊地回去對家人說：「今天累壞了，我幫助禾苗長高了。」他的兒子趕快跑到田裡一看，禾苗都枯槁了。

　　培養浩然之氣不能著急，要日積月累，長期堅持。久而久之，生命將進入「上下與天地同流」（《孟子·盡心上》）的境界，即無論身處何方，與何人來往，透過修養展現出的浩然之氣，會使自己到處受人尊敬和歡迎，到處行得通。浩然之氣充滿天地之間，與天地相通，將人性最可貴的向善的潛能完全發揮出來。這種境界透過循序漸進的修練而達成，絲毫不會讓人覺得勉強。

　　修養的效果可以影響、感化身邊相關的人，達到「君子所過者化」（《孟子·盡心上》）的神妙境界，實現「化民成俗」（《禮記·學記》），使百姓不知不覺中被感化，潛移默化地成就良好的風俗。

　　孟子這一段描述，是儒家關於修養方法最為完整的闡述。


## 人心的力量

　　孟子在人性論方面，對孔子的觀念進行了充分的闡發，使之形成完整的系統。孟子強調人心有「四端」，即四個開端：

　　看見有人受苦，心裡覺得不忍；看見有人為惡，心裡覺得可恥；看見長輩前輩，心裡想要退讓；看見好事壞事，心裡想要分辨。

　　上述四種心態均是人心在自然狀態下的自然反應。

　　譬如我走在街上，看見有人被車撞傷，心裡一定覺得不忍，孟子稱之為「惻隱之心」。孟子使用的比喻所針對的是古代社會的情

形，他說：現在有人忽然看到一個孩童快要掉進水井裡，都會出現驚恐憐憫的心，不是想藉此和孩童的父母攀結交情，不是想借此在鄉里朋友中博取名聲，也不是因為討厭聽到孩童的哭叫聲才如此。（《孟子‧公孫丑上》）沒有任何理由，不去計較利害，看到孩童爬到井邊有危險，心中自然就覺得不忍。

這個比喻在今天不太有說服力，因為現在水井已不多見。因此，我們要將孟子的比喻理解為，在任何情況下：

看見有人受苦，心裡覺得不忍。比如看到電視新聞中非洲某國出現災荒，小孩忍饑挨餓、骨瘦如柴，心中就會不忍。此時伸出援手，努力賑災，就稱為「仁」。

看見有人為惡，心裡覺得可恥。按照心中的要求，一方面我絕不為惡，一方面對可恥行徑嚴加批判，這就是「義」，代表正當的、符合道義之事。

看見長輩前輩，心裡想要退讓。由此表現出的行為就稱為「禮」，包括禮儀、禮節、禮貌。

看見好事壞事，心裡想要分辨。我不「鄉愿」（好好先生），能分辨是非，就稱為「智」。

孟子說人心有四種開端，如果按照「心之四端」所要求的去做，行為的結果是「仁義禮智」四種「善」。因此，「善」是後天行為，並非與生俱來，這樣的解釋符合孟子的原意。

然而，歷代不少學者包括朱熹都誤認為孟子講「性善」是指「人性本善」，「仁義禮智」是人生下來就具備的，這顯然並非孟子的原意。如果說「仁」與「義」與生俱來，人生下來就有分辨善惡、行善避惡的願望，將願望和實現連在一起，勉強說得通。

但是「禮」需要學習各種社會規範，人怎麼可能生下來就具有「禮」呢？另外，人生下來只有分辨是非的心，不可能生下來就能

將一切是非分辨清楚。人需要不斷學習，保持真誠，才能正確分辨是非，如此才能稱為「智」。

不少學者誤解孟子的原意，是因為《孟子》書中有兩段話提到「心之四端」，說法略有不同，要合而觀之，仔細分辨。

1. 惻隱之心，仁之端也；羞惡之心，義之端也；辭讓之心，禮之端也；是非之心，智之端也。（〈公孫丑上〉）

2. 惻隱之心，仁也；羞惡之心，義也；恭敬之心，禮也；是非之心，智也。（〈告子上〉）

要搞清楚這兩句話的含義，先要分辨「等於」和「屬於」的不同。古文肯定語句的表達方式常引起人們的誤解，我們先舉個簡單的例子：

1. 孔子者，儒家之創始人也。意為孔子「等於」儒家的創始人。

2. 孔子者，聖人也。意為孔子「屬於」聖人這一範疇。

因此，古文中的肯定語句包含「等於」和「屬於」兩種含義，分辨不清則極易混淆。古代名家代表人物公孫龍最著名的「白馬非馬」的說法，就是利用這個技巧來混淆視聽。

說白馬是馬，黑馬是馬，所以白馬就是黑馬，這怎麼可能？說「白馬」時只包含白馬這一種馬，而說「馬」時則包含白馬、黃馬、紅馬、黑馬，所以說「白馬」不是「馬」，但這也不能成立。問題的關鍵在於，他混淆了「等於」和「屬於」。說白馬是馬，意思是白馬「屬於」馬，而不是白馬「等於」馬，否則白馬等於馬，黑馬等於馬，則白馬等於黑馬就構成了矛盾。

將孟子的兩段話合而觀之，就會發現孟子在表達中使用了兩種不同的方式。第一句「惻隱之心，仁之端也」，是說「惻隱之心」等於「仁之端也」，即惻隱之心是行仁的開端。第二句「惻隱之

心，仁也」，則是説「惻隱之心」屬於「仁」這一類善行，由惻隱之心所實現的善即是仁。每個人生下來就有惻隱之心，但並非生下來就有仁。這樣理解這兩段話才不會產生矛盾。

關於孟子的人性論，最為生動形象的描述是「牛山之木」的比喻：牛山的樹木曾經很茂盛，由於它鄰近都城郊外，常有人用刀斧砍伐，還能保持茂盛嗎？當然，它黃昏晚間在生長著，雨水露珠在滋潤著，不是沒有嫩芽新枝發出來，但緊跟著就放羊牧牛，最後就成為現在光禿禿的樣子了。人們看見那光禿禿的樣子，就以為它不曾長過成材的大樹，這難道是山的本性嗎？（《孟子‧告子上》）

孟子的比喻説明山的本性是什麼？第一個選擇，山的本性是茂密的樹林，因為本來有樹林，後來被砍光、吃光了，變成禿山，這相當於「人性本善」的説法；第二個選擇，山的本性是光禿禿的，相當於「人性本惡」的説法。但是，兩種説法都不對。

山的本性是「能夠」長出花草樹木，只要給它機會，在自然的、正常的情況下，總有萌芽發出來。人性亦如此，只要給它機會，一個人就「能夠」變得真誠，自然喜歡「理義」。

孟子説：「理義之悦我心，猶芻豢之悦我口。」（《孟子‧告子上》）意即任何合理而正當的言行都會使我心感到愉悦，正如肉類料理使我口感到愉悦一樣。「理」為「合理性」，「義」為「正當性」。口喜歡料理，但不能説口中自有料理；心喜歡理義，也同樣不能説心中自有理義。

孟子又以水來比喻人性。水的本性是向下流，但可以用後天的力量使之改變。比如，「用手潑水讓它飛濺起來，可以高過人的額頭；阻擋住水讓它倒流，可以引上高山。這難道是水的本性嗎？這是形勢造成的。」（《孟子‧告子上》）

因此孟子説：「人性之善也，猶水之就下也。人無有不善，水

無有不下。」（《孟子・告子上》），即人性與善的關係，就像水向下流，人性沒有不「向」善的，水沒有不「向」下流的。孟子用水具有向下流的動態趨勢來説明人性具有向善的力量。

人只要在真誠、自然的情況下，一定希望行善，否則心裡就會不安和不忍。這就是孟子對儒家「人性向善論」做出的最為完整的闡述。


## 真誠是關鍵

明白了孟子的「心之四端」之後該如何行善？關鍵在於真誠。人只要真誠，遇到任何狀況時，心中自然而然會出現善的開端，順此方向去實踐，就會做到四種「善」。需要特別留意的是「仁義禮智」才是善，「心之四端」只是善的開端。

因此，孟子十分強調「充」與「養」兩字，「充」指擴充、充分開展；「養」指存養，不僅包括養氣（即與身體和行為相關的浩然之氣），也包括養心。而「養心莫善於寡欲」（《孟子・盡心下》），養心最好的方法就是減少欲望。

儒家不會將身、心割裂開來思考，因為身與心是合一的，兩者分開不符合人的真實情況。但身與心的關係如何？孟子認為：身是小體，心是大體，無論大小都屬於個人的組成部分，小代表次要，大代表重要。

明明身體很高大，為什麼反而説身是小體呢？因為人的身體具有本能，跟動物一樣，所以身體是次要的。孟子説：「人之所以異於禽獸者幾希。」（《孟子・離婁下》）人與禽獸不同的地方只有一點點，就是「心」。人心雖然看不到，真誠時雖然只表現出一點端

倪，並不明顯，然而那才是做為人最重要的部分。所以養心和養氣要兼顧，人要從真誠而向善出發，不斷擇善，才能逐漸止於至善。

人生之路究竟該怎麼走？《孟子·離婁上》有一段詳細的說明：「身居下位而得不到長官的支持，是不可能治理好百姓的。要得到長官的支持有方法，如果不被朋友信任，就得不到長官的支持了。要被朋友信任有方法，如果侍奉父母未讓父母高興，就不會被朋友信任了。要讓父母高興有方法，如果反省自己不夠真誠，就無法讓父母高興了。要真誠反省自己有方法，如果不明白什麼是善，就不能真誠反省自己了。」[51]

孟子不斷向前追溯，指出人生最根本的是要有一顆真誠的心，同時要明白什麼是善。真誠絕不是主觀的一廂情願，真誠與邪惡勢不兩立，要做到真誠必須先要了解善的標準何在。若不能分辨善惡，則真誠無從談起。

孟子十分了解人的生命特色，如果不去教化百姓，任其自然發展，則很難走上人生正路。孟子說：「人之有道也，飽食煖衣，逸居而無教，則近於禽獸。」（《孟子·滕文公上》）人類生活的法則是：吃飽穿暖，生活安逸而沒有教育，就和禽獸差不多。由此可見，雖然《孟子》一書中兩次提到「性善」的說法，但他的意思絕非人性本善，人沒那麼容易走上人生正路，孟子也沒那麼天真。

孟子接著說：「聖人有憂之，使契（ㄒㄧㄝˋ）為司徒，教以人倫，父子有親，君臣有義，夫婦有別，長幼有序，朋友有信。」聖人又為此憂慮，就任命契為司徒，教導百姓倫理關係：父子有親

---

51　原文：居下位而不獲於上，民不可得而治也。獲於上有道，不信於友，弗獲於上矣。信於友有道，事親弗悅，弗信於友矣。悅親有道，反身不誠，不悅於親矣。誠身有道，不明乎善，不誠其身矣。

情，君臣有道義，夫婦有內外之別，長幼有尊卑次序，朋友有誠信。

契為商朝的始祖，在舜的時代被任命為司徒，專門負責教化百姓，教育的內容主要為「五倫」，即上述五種人與人之間的適當關係。由此推而廣之，可將「善」推擴到各種人與人之間的適當關係。我們就是根據孟子的這段話得到儒家對「善」的定義——善是我與別人之間適當關係的實現。契為司徒教百姓什麼是善，從此百姓才脫離了禽獸的世界，明善之後才可以真誠行善。

孟子談「人性向善」最深刻的一段是對舜的描述。舜的身世很坎坷，很小的時候母親過世，父親娶了後母，生了個弟弟叫「象」，是個頑劣不堪的人。象長大後覺得舜對自己是一個大的威脅，於是象和父親、後母三人聯合起來要殺舜。舜在這種家庭環境中仍然盡其在我，繼續孝順父母，友愛兄弟。堯聽說舜德行出眾，就把自己的兩個女兒嫁給他，讓他做代理天子，後來舜將天下治理得非常好。

孟子實在是一個天才，他不可能親眼看見舜當時的情況，但他的描述生動傳神：「舜之居深山之中，與木石居，與鹿豕遊，其所以異於深山之野人者幾希。及其聞一善言，見一善行，若決江河，沛然莫之能禦也。」（《孟子・盡心上》）舜住在深山裡的時候，與樹木、石頭作伴，與野鹿、山豬相處，他與深山裡的平凡百姓差不了多少。等到他聽到一句好的言語，看見一種好的行為，學習的意願就像決了口的江河，澎湃之勢沒有人可以阻擋。

那些說出好的言語、做出好的行為之人，本身不一定知道那就是善，但是舜由於真誠到極點，聽到善言、見到善行之後，立刻深受感動，心中與之呼應。由此可見，舜並非「性本善」，他是因為聽到善言和見到善行，引發了內心的力量。因此，舜是「向善」，

而明善的關鍵在於「真誠」。

孟子說：「是故誠者，天之道也；思誠者，人之道也。」（《孟子‧離婁上》）這是儒家對人性的標準說法。「天」代表自然界，「誠」代表實實在在的樣子。宇宙大化流行遵循一種規律，只有唯一的版本，宇宙自然界沒有選擇的可能。

但是人與萬物不同。做為萬物之靈，人可以思考，可以選擇，人一旦計較利害就不再真誠，後面就會誤入歧途，往而不返，一發不可收拾。孟子就是在告誡人們：讓自己真誠才是人生的正道。整個儒家的教化就是設法使人真誠，並透過教育使人明白什麼是善。真誠與明善相結合，人生就有了穩固的基礎。

孟子對人性的看法由「心之四端」層層向上回溯，說明人生在世要對自己負責，就要讓自己真誠。人只要真誠，面對周圍的人發生的各種狀況，內心自然而然會產生一種力量，要求自己去做該做之事。這種力量稱為「向」，該做之事稱為「善」。善是我與別人之間適當關係的實現，如何判斷是否「適當」？只有接受教育才能做出準確的判斷。這一整套思想就是儒家的人性向善論。

歷史上首次將孟子的「性善」說成「人性本善」並加以批判的是比孟子晚約五十年的荀子。荀子專門寫作《性惡篇》，其中四度點名批判孟子的「性善」講錯了，他故意將孟子的「性善」說成「人性本善」。荀子批駁的理由很簡單：如果人性本善，人為何還要接受教育？為何還需要禮儀、法律的約束？可見「人性本善」實在不能成立。荀子批判得很在理，但他批判的並非孟子的思想，孟子的「性善」是「人性向善」而非「人性本善」。

今天所謂「性本善」的說法來自南宋王應麟編寫的童蒙讀物《三字經》，這其實是宋朝學者的心得，並非孔子、孟子的思想。

# 君子的三樂

學習儒家哲學之後，實踐的效果就是快樂。如果學習儒家之後身心疲憊，覺得人生了無樂趣，豈非自討苦吃？真正的儒家一定充滿喜悅和快樂。

《論語》第一句話：「學而時習之，不亦說乎？」說即喜悅；第二句「有朋自遠方來，不亦樂乎？」樂即快樂，說明喜悅和快樂是儒家思想非常好的驗證；第三句「人不知而不慍，不亦君子乎？」別人不了解你，而你並不生氣，不也是君子的風度嗎？立志成為君子，內心應有定見，不必擔心別人是否了解自己。

孟子如何看待快樂？他的一段話令人十分驚訝。孟子說君子有三種快樂勝過當帝王，我們不免很好奇，很想立刻知道答案，但聽完後又嚇一跳，似乎沒什麼複雜的。

## （一）父母俱存，兄弟無故（父母都健康，兄弟無災難）

我每次在公開場合介紹儒家思想時，都會問：「具備『父母俱存，兄弟無故』這八個字的請舉手。」舉手的往往一大片。我再問：「認為自己比當國家領導人快樂的請舉手。」往往一個舉手的都沒有。

孟子的話不能僅從字面上將之理解為狹隘的家庭主義。父母是否健在，是否健康，兄弟姊妹是否平安無事，每個人情況各不相同，也不是自己可以決定的。以這八個字為標準，認為它產生的快樂勝過當帝王，顯然不是字面的意思。

孟子認為，如果一個人父母俱存，當他出門在外遇到其他老人，就可以比較容易將對父母的親愛尊敬之情推廣出去，即「老吾老，以及人之老」，尊敬自己的長輩，然後推及到尊敬別人的長輩。看到自己的父母漸漸衰老，我在車上就會自然地將座位讓給陌

生的老人，看到老人摔跤，也會自然地願意去攙扶，這都是自然的情感推廣。相反，如果自己父母已過世，在外面看到別的老人就沒有特別的感覺。

同樣的，如果我的兄弟姊妹平安無事，我在外讀書有同學，做事有同事，生活有朋友，我就可以很容易地把對兄弟姊妹間的手足親情拓展到與其他人相處的情況。相反，如果是獨生子女，由於缺少與別人分享的經驗，將來與人相處就會遇到困難。

因此，「父母俱存，兄弟無故」使我有更多機會和家人之間產生親密的情感，一旦出門在外，與其他人交往，我可以比較容易地將家人之間的情感由近及遠、由親及疏地推廣出去，從而實現我與別人之間適當的關係，也就是比較容易做到「善」。這樣會滿全我的人性向善的要求，使我的人性潛能得以實現，因而會覺得快樂。這種快樂勝過一切，當然超過當帝王的快樂。

**（二）仰不愧於天，俯不怍於人（對上無愧於天，對下無愧於人）**

「俯不怍於人」較容易理解，英國作家查理斯・蘭姆（Charles Lamb，1775 － 1834）曾說：「別人說我是好人但我自己不覺得，想了很久才知道為什麼說我是好人：1. 我從未欠錢不還；2. 我從不打擾別人的聚會；3. 我從不扭斷小貓的脖子。」做到這三點就可以被稱為好人，可見英國人的格調並不高。人活在世界上，要周圍的人稱讚你是好人並不難。

第一句「仰不愧於天」則比較令人費解。請問誰抬頭看天空會覺得慚愧？出門趕上下雨，我們不會覺得慚愧，只要打傘就好了。孟子所說的「天」與「天空」、「天氣」無關，孟子的「天」與《中庸》所說的「天命之謂性」的「天」息息相關。我做為一個人有人性，人性要求我行善，而我的人性是與生俱來的，是上天賦

予的，我之所以抬頭看天不覺得慚愧，是因為我一直在真誠地行善中，沒有違背上天賦予的人性的要求。

以「人性向善」為基礎來看第二句話，意義就比較豐富，不會局限於英國作家的狹小格局。我和每一個人來往，如果按人性向善的要求做我該做之事，做到「內心感受要真誠、對方期許要溝通、社會規範要遵守」三點，自然問心無愧，胸懷坦蕩，如此才是真正的快樂。

### （三）得天下英才而教育之

英才是指明星高中、頂尖大學的學生嗎？當然不是。儒家的英才向來與考試無關，與是否獲得博士學位無關。儒家的英才只有唯一的標準：有心上進者就是英才。

一個人無心上進，頭腦再聰明、IQ再高也沒用，這樣的人與別人相處時缺乏真誠之心，不願意了解什麼是善，對社會毫無幫助。他個人也許有所成就，可以獲得富貴，但他只是一個自私自利的人。

一個人從出生開始，三歲才能離開父母的懷抱，從小受到父母的養育、老師的教導、長輩的照顧，如果到了可以在社會上立足之際卻不能回饋社會，不能成為有用之才而使社會實現更好的發展，這樣的人實在不值得我們羨慕。他只是一個人的富貴，對社會來說無關痛癢。

孟子關於快樂還有另外一段話：「萬物皆備於我矣。反身而誠，樂莫大焉。」（《孟子·盡心上》）一切在我身上都齊備了，反省自己做到了完全真誠，就沒有比這更大的快樂了。但是什麼叫做萬物在我身上都齊備了？這句話應該從「我對萬物一無所缺也一無所需」來理解，人生在世需要的物質資源其實非常之少，當我對萬物一無所需時，才會有獨立的人格。

　　孔子學生眾多，他只稱讚顏淵「一簞食，一瓢飲，在陋巷，人不堪其憂，回也不改其樂。」（《論語・雍也篇》）顏淵一貧如洗，每天只吃一竹筐飯，只喝一點白開水，住在違章建築裡，卻依然快樂。孔子稱讚顏淵了不起，孟子的說法可與之遙相呼應，我對萬物一無所需，只要做到真誠，就沒有比這更大的快樂。

　　真正懂了儒家，人生的快樂將如影隨形，一個人無論遇到什麼情況都會體會到發自內心的快樂。

# 修養有六境

　　如果學習儒家，會發現《孟子》書中有不少觀點以前從未出現，屬於孟子的原創。孟子對「聖人」的界定就與孔子不同。孔子在《論語》中提到的「聖人」主要指古代的聖王，如堯、舜、禹、商湯、周文王、周武王、周公等。一般人透過修養只能成為君子，要成為聖人則需繼續努力，並需要有合適的機緣。孔子說：「若聖與仁，則吾豈敢？」（《論語・述而篇》）像聖與仁的境界，我怎麼敢當？孔子不敢自居聖人或仁者，因為聖人和仁者一定要蓋棺論定。

## （一）四種聖人

　　孟子說聖人有四種，把「聖人」的門戶打開一些，擴大了「聖人」的範圍，讓每一個人都有希望透過修養成為聖人。

### 1. 聖之清者（清高）

　　以伯夷、叔齊兩兄弟為代表。他們本是商朝末年孤竹國國君的兩個兒子，因為互相謙讓誰也不願繼承國君之位，都向西跑到周國投靠周文王。周武王伐紂，兩人扣馬諫阻，反對革命，希望維護已

近六百年的商朝統治。周武王滅商後，他們不再吃周朝的糧食，餓死在首陽山上。孟子說：「伯夷叔齊不在惡人的朝廷做官，不與惡人交談。」[52]（《孟子·公孫丑上》）孟子認為他們是聖人中最為清高的。

### 2. 聖之和者（隨和）

以柳下惠為代表。他不在乎別人如何，只管把自己的事情做好。柳下惠說：「你是你，我是我，你即使在我旁邊赤身裸體，又怎能玷汙我呢？」[53]（《孟子·公孫丑上／萬章下》）孟子認為柳下惠是聖人中最為隨和的。

### 3. 聖之任者（負責）

以伊尹為代表。伊尹是商湯的宰相，只要給他工作，他一定盡力做好。伊尹說：「我是天生育的百姓中，先覺悟的人，我將用堯、舜的這種理想來使百姓覺悟。」他覺得天下的百姓中，如果有一個男子或一個婦女沒有享受到堯、舜的恩澤，就像是自己把他們推進山溝裡一樣。[54]（《孟子·萬章下》）孟子認為伊尹是聖人中最負責任的。

### 4. 聖之時者（時宜）

以孔子為代表。「時」即適當的時機，孔子做任何事都選擇最適當的時機，該清高就清高，該隨和就隨和，該負責就負責。孟子認為孔子可謂「集大成」，是聖人中最難做的，因為「時」需要兩方面的配合：一方面是行仁，即不斷行善、做好事；另一方面是智慧，判斷是否合乎時宜一定需要智慧的配合。

## （二）人生六境

更進一步，孟子談到人生修養有六個境界，這是孟子思想中最為重要、最具特色之處。

可欲之謂善，有諸己之謂信，充實之謂美，充實而有光輝之謂

大，大而化之之謂聖，聖而不可知之之謂神。(《孟子·盡心下》)

### 1. 可欲之謂善

可以讓我欲求的，就是善。將「善」排在首位，是因為人性向善，喜歡善的言論和行為，本來就是人很自然的表現。孟子說「可欲之謂善」省略了主詞，所以容易引起誤會。一位研究儒家的美國學者將孟子的話進一步發揮，說：「可欲之謂善，所以牛排是善的。」牛排很好吃，大家並不反對，但牛排的「善」和孟子所說的「善」是兩回事。

孟子認為人的身和心是合一的，身稱為「小體」，心稱為「大體」。孟子所說的「可欲之謂善」不是指「身體」的可欲，而是指「心」之可欲。我的心對於「善」有一種直接的、自然的、本能的願望，在任何地方看到有人做好事都覺得很喜歡。

### 2. 有諸己之謂信

「信」為「真」，只有在自己身上實踐了「善」，才是真正的人。因為人性向善，所以當看到別人行善時，我的心裡自然覺得很喜歡，這是對善的肯定；當我真的實踐了善行，成為一個善人，才可算是真正的人。

### 3. 充實之謂美

「充實」是指在任何時候、任何地方、任何情況下，我都能行善。「美」在此指值得欣賞的人格之美，即人格有完美的表現，並非指藝術之美。

---

52　原文：孟子曰：「伯夷，非其君不事，非其友不友。不立於惡人之朝，不與惡人言。」

53　原文：故曰：「爾為爾，我為我，雖袒裼裸裎於我側，爾焉能浼我哉？」

54　原文：「予，天民之先覺者也。予將以此道覺此民也。」思天下之民，匹夫匹婦有不與被堯舜之澤者，若己推而內之溝中。

4. 充實而有光輝之謂大

人格表現完美，並且發出了光輝，即人格的光芒能照亮每一個陰暗的角落，所到之處沒有任何黑暗和陰影，這樣的人可稱為真正的「大人」。

5. 大而化之之謂聖

「大」僅有光輝，「化」則代表有「化民成俗」的力量。人生修養抵達聖人的境界，不僅人格完美而展現光輝，還會表現出力量。譬如孟子形容伯夷、叔齊可以「廉頑立懦」[55]，伯夷、叔齊的作風，可以讓貪婪的人變得廉潔，懦弱的人立定行善的志向。孟子所說的四種聖人都可謂「大而化之」，可以感化百姓，使之振作，從而形成良好的風俗。

6. 聖而不可知之之謂神

這是孟子思想中最為特別的一句話，讓我們不得不佩服孟子的高明。

「神」代表神妙的境界，不是指神仙。「神」的境界比「聖」還高，而且「不可知之」，說明人的生命是個奧祕，人永遠不要給自己設限，不要認為自己只能做一個普通讀書人、普通上班族，或者最多只能做一個君子。

佛教裡用「不可思議境界」形容最高的境界，孟子則說「聖而不可知之」，表明不能用任何言語和概念描寫那種神妙的境界。人生抵達此一境界將與萬物合而為一，與天地相融無間。

可見，儒家絕不是只關注現實生活。教書、做官、造福百姓，只是儒家橫的側面；「善、信、美、大、聖、神」的人生六境，展現了儒家縱的側面。做為「天地之心，五行之秀，萬物之靈」的人，每個人都是宇宙神妙的產物，每個人都有一顆心，只要真誠地將此心存養存擴，生命就會抵達與整個人類合而為一的神妙境界，

這正是孟子思想中最令人讚嘆之處。


## 誠意的方法

　　介紹完孔孟思想之後，我們接著介紹《大學》一書。所有中國讀書人都知道《論語》、《孟子》、《大學》、《中庸》合稱「四書」，它由南宋學者朱熹合編而成並加上完整注解，於元朝皇慶二年（一三一三年）被列為科舉考試的主要參考書。此後六百餘年，所有中國人學習儒家都透過朱熹的注解去了解這四本重要經典。

　　《大學》和《中庸》本來不是兩部書，而是《禮記》[56]中的兩篇文章，《大學》只有一千多字而已。這裡面有幾個值得思考的問題：

### （一）《大學》在說什麼？

　　《大學》成書在漢代，屬於儒家思想逐漸形成的時期。儒家學者在學術傳承中主要負責古代經典的編輯和講解，司馬遷為此十分推崇孔子，認為中國古代的「六經」（《詩》、《書》、《禮》、《樂》、《易》、《春秋》）由孔子所折中選定。孔子刪詩書，定禮樂，贊周易，作春秋，其學生及後輩代代相傳。

　　古代「大學」被稱為大人之學，只有王公貴族的子弟滿十五歲才有資格進入。孔子的後代弟子大部分做了老師，且對古代經典非常熟悉，於是撰寫了一篇文章做為大學的基本教材，教導可以世襲

---

官位的貴族子弟如何進行修養，以及將來如何做個好官。

因此，《大學》一書在古代是專供那些有世襲官位、將來準備從政的年輕貴族子弟所使用的教材，一般人看了也沒用，因為《大學》中有八條目——格物、致知、誠意、正心、修身、齊家、治國、平天下，一般人只能做到修身。「齊家」的「家」在古代指大夫之家，並非指普通百姓的家庭，能有「齊家」的機會已經很難得，自古以來只有極少數人有機會去治國、平天下。

**（二）如何理解《大學》第一句話「大學之道，在明明德，在親民，在止於至善」？**

1. 對「在明明德」的理解有很大的爭議。

朱熹是南宋學者，比孔子晚一千六百多年，他純粹以宋朝學者的觀點來說明什麼是「明明德」：第一個「明」是「彰顯」；對於第二個「明」，朱熹認為人性本善，所以「明德」代表人生來就具有的光明的德行。

在此，「明德」有兩種選擇，一是「光明的德行」，一是「高明的德行」，哪個對？

《大學》最晚可能是漢代學者所著，我們不能從一千多年後的南宋學者的注解中去了解「明德」一詞的含義，而要從更早期的《尚書》之類的古代經典中去了解。

《尚書》中「明德」出現九次，有兩義：一是以「明」為動詞，指君王「彰顯」其德行；二是以「明德」為術語，指君王「高明偉大的德行」。需要注意的是「明德」指「高明」的德行，而不是「光明」的德行。「光明」描述的是每一個人生下來心中就有光明的品德，「高明」指只有天子和諸侯這些統治者才可能表現出的高明的德。德行只有高低之分，偉大與平凡之別。如果說光明的德行，難道還有不光明的德行嗎？

在《尚書》中，「明德」的具體表現就是好好照顧百姓。因此，「明明德」就是要貴族子弟透過學習，了解古代的聖王賢君如何表現高明的德行，了解他們如何善待百姓、開展德治教化。

2.「在親民」，就是親近照顧百姓。

朱熹和王陽明為此針鋒相對。朱熹直接說「親」就是「新」，即讓百姓革新。然而什麼才是革新百姓的最好方法？還是要回到「親」，從親近照顧百姓著手。為政的關鍵是「上行下效」，官員自身德行傑出，親近百姓，百姓自然受到感化而跟著行善自新。因此，「親民」可以包含「新民」，但「新民」不一定能反過來包括「親民」，僅要求百姓革新，未必能做到親近照顧百姓。

今天讀《大學》一書，要記得這本書當時並不是給普通人念的，而是特別針對貴族子弟，讓其了解到自己的責任是什麼。書中的觀點與《尚書》一脈相承，讓統治者明白自己應表現高明的德行，善待百姓；然後要以身作則，親近照顧百姓；最後才能實現「平天下」的偉大目標，即「止於至善」。

### （三）誠意是修養的關鍵

一般人學《大學》，只有格物、致知、誠意、正心、修身是普遍適用的，修養的重點在於誠意。介紹孔子、孟子的部分曾多次提到「真誠」，對於「真誠」最好的修練建議就在《大學》誠意一章。誠意有三個重點：

1. 毋自欺，即不要欺騙自己。人有時可以欺騙別人，卻很難欺騙自己。若要真誠，必要先了解什麼是善。如果一個人不了解什麼是善，就沒有自欺和欺人的問題；一旦了解，便能分辨自己的意念是善還是惡。此時不要違背自己早已知道的善惡，替自己找藉口。

2. 自謙（慊，ㄑㄧㄝˋ），即對自己滿意。有時候天下人都

對我滿意，我卻對自己不滿；有時候天下人都對我不滿，但我卻對自己滿意。肯定自己的意念符合所知的善，不欺騙自己，就會覺得問心無愧，心安理得，這就是自謙（慊）。

　　3. 慎獨。做到毋自欺並不容易，其功夫在於慎獨。一個人獨處時也要十分謹慎，要像曾子所說的「十目所視，十手所指」，好像身邊有五個人盯著你、指著你，不要以為自己獨自一人就可以放肆。獨自一人時若能做到慎獨，出門在外、與人來往時自然中規中矩。否則，一個人獨處時忘乎所以、為所欲為，與人來往時才想表現出適當的分寸，不僅虛偽，而且臨時偽裝也十分困難。

　　《大學》一書對現代人最大的啟發即在於如何讓自己做到真誠：不要自欺，對自己滿意，獨處時要特別謹慎。修練自己做到真誠，可以從以上三點出發。

# 中庸是用中

　　本節介紹「四書」的最後一本《中庸》。談到《中庸》一書，很多人第一個就要問：「中庸是什麼意思？」中國人常說「中庸之道」，聽起來像是不慍不火，不走極端，無過無不及，總給人含糊其辭之感。北宋學者程頤將「中庸」解釋為「不偏之謂中，不易之謂庸」，即不偏向任何一個方面就稱為「中」，「庸」為「平常」，不要有特別的作為就稱為「庸」。這樣的解釋等於沒講，還是不夠清晰。

## （一）中庸就是用中

　　我們可以直接就《中庸》的內容來解釋「中庸」一詞的含義。《中庸‧第六章》以舜為例，說他「執其兩端，用其中於民」。

舜對於百姓的事情都要把握事情的正反兩端，再將合宜的做法加在百姓身上。「用其中於民」是關鍵，「中」代表適中合宜、恰到好處，亦即代表「善」；「用」是設法選擇適中合宜的做法（善）加在百姓身上。

因此，「中庸」應倒過來看，「中庸」就是「用中」。「中」代表善，即真誠由內而發，做事恰到好處。「庸」與「用」通，有兩層含義：1. 明善，只有先知道什麼是善才能「用」；2. 擇善，「用」的時候需要選擇。

「中庸」即「用中」，可進一步解說為「擇善固執」。《中庸‧第二十章》說：「誠之者，人之道也」；又說：「誠之者，擇善而固執之者也」。因此，「擇善固執」就是「人之道」，這是《中庸》一書的重點。

### （二）中庸開宗明義

中庸開宗明義，開篇三句話精采之至：「天命之謂性，率性之謂道，修道之謂教。」即天所賦予的就稱為本性，順著本性去走的就稱為正路，修養自己走在正路上就稱為教化。

我年輕時讀儒家著作，看到第二句「率性之謂道」就覺悟到儒家認為人性是向善的。上面已得知「擇善固執」是「人之道」，這裡又說「率性」（順著本性的要求去走）就是「人之道」。因此，「率性」（順著本性的要求去走）就是「擇善固執」，這就像數學推理：A=C，B=C，所以A=B。

如果人性本善，為什麼還需要「率性」，需要人順著人性的要求去走？同時，如果人性本善，又何必擇善？既然人生正路需要「擇善固執」，那麼人性當然是向善的。

不過「向善」仍有前提。《中庸》強調人要「真誠」，並且要「明善」，只有知道什麼是善，才能去擇善。

### （三）中庸將儒家思想發揮到極致

一般認為儒家思想以人為中心，道家思想則不以人為中心。《中庸》一書的最大貢獻是將原本以人為中心的儒家思想擴充出去，設法涵蓋整個自然界。

《中庸・第一章》說：「喜怒哀樂之未發，謂之中；發而皆中節，謂之和。」喜怒哀樂尚未表現出來時，稱之為中，「中」代表均衡的狀態。比如我剛起床，與別人未曾見面，喜怒哀樂還沒表現出來，此時的心態是穩定的均衡狀態。

表現出來都能合乎節度，稱之為和，「和」代表「和諧」。雖然我會發怒或悲哀，但可以恰到好處，該發怒就發怒，該悲哀就悲哀，能夠適可而止。

隨後一句話的境界令人難以想像：「致中和，天地位焉，萬物育焉。」天下眾人完全做到中與和，天地就各安其位，萬物就生育發展了。這裡由人類社會跳躍到涵蓋天地萬物的廣闊境界，孔子、孟子並未擴展到如此境界。

《中庸》的特別之處即在於：將個人的生命、人類的生命和宇宙萬物結合在一起，最後可抵達「參贊天地之化育」（《中庸・第二十二章》）的程度。能抵達此一境界的人是真誠到極點之人，顯然還需有帝王的身分。如果不是帝王，即使真誠到極點也無法影響到廣大百姓。如果帝王能真誠到極點，在他的帶領下社會面貌將煥然一新。

在此首先要說明「真誠」。《中庸》一書的核心即是「誠」，《中庸・第十六章》第一次出現「誠」[57] 這個字。人平日有時心不在焉，以為神不知鬼不覺。然而當人在宗教祭祀時，會相信鬼神無所不在，「洋洋乎如在其上，如在其左右」，鬼神好像洋溢在我們的上方，好像洋溢在我們的左右，此時此刻，人當然能夠覺察到內心

是否真誠，有沒有自欺。

自《中庸‧第十六章》以後，就開始發揮「誠」這個字，最為精采的是《中庸‧第二十二章》：

> 唯天下至誠，為能盡其性；能盡其性，則能盡人之性；能盡人之性，則能盡物之性；能盡物之性，則可以贊天地之化育；可以贊天地之化育，則可以與天地參矣。

意即，只有在全天下真誠到極點的人，才能夠充分實現他自己本性的要求。能夠充分實現自己本性要求的人，才能夠充分實現眾人本性的要求。能夠做到這一點的，當然只有帝王一人。儒家強調上行下效，帝王如能像堯舜般盡善盡美，百姓就能把他們的人性發揮到極致。

能夠充分實現眾人本性要求的人，才能夠充分實現萬物本性的要求，使動植物都能順利成長發展，雖然自然界的食物鏈不可避免地造成了生存競爭，但萬物整體上處於和諧狀態。

能夠充分實現萬物本性要求的人，才有可能助成天地的造化及養育作用。「贊」代表助成。

可以助成天地的造化及養育作用的人，就可以與天地並列為三了。「參」代表「參與」，也代表人與天、地鼎足而三，形成天、地、人三個層次。

中國人一向認為人生於天地之間，天地變化有一定的規律，有時需要依靠人的力量使天地萬物更為和諧。其實，天地萬物本來沒有「不和諧」的問題。本書第四章講到神話時曾說，上帝創造萬物，人類出現後才有了各種災難和問題。只要人類不去干預，宇宙

---

57　原文：《詩》曰：「神之格思，不可度思，矧（ㄕㄣˇ）可射（一ˋ）思。」夫微之顯，誠之不可揜（一ㄢˇ）如此夫！

萬物的和諧更易達成。

《中庸》是儒家思想的結晶，它將儒家從以人為中心推擴到整個自然界，使宇宙萬物形成和諧的整體，要求最高領導人做到「天下至誠」。這是多麼大的要求，多麼高的期許啊！

這正是儒家思想的偉大之處，即使理想的帝王不會出現，當每一個人讀到這部經典時，都會對自己的生命產生全新的看法。我們的生命何其珍貴，我們要不斷修養自己、教育自己，以期達到最高的人生目標。

## 修練的祕訣

我們可用四句話總結儒家思想：1. 對自己要約；2. 對別人要恕；3. 對物質要儉；4. 對神明要敬。「自己」和「別人」合在一起含括了整個人類世界，「物質」可以含括整個自然界，「神明」（包括我們的祖先和天地的神明）含括了超越界。這四句話可以進一步概括為四個字：約、恕、儉、敬。

### （一）對自己要約

儒家一定強調個人修養，在《論語》中談修養常針對人的「言」與「行」，人在說話和行動兩方面容易過度，需要約束自己。

孔子說：「道聽而塗說，德之棄也。」（〈陽貨篇〉）聽到傳聞就到處散布，正是背離德行修養的做法。孔子認為一個人如果不知自我約束，無法做到真誠，很可能變成鄉愿。「鄉原，德之賊也。」（〈陽貨篇〉）不分是非的好好先生，正是敗壞道德風氣的小人。

因此，德行修養一定需要約束自己，因為人性有其弱點。真要學習儒家思想，要將宋、明學者「人性本善」的觀點放在一邊，應

就《論語》、《孟子》本身的內容加以了解。孔子一直強調人要修練自己，有過則改，當然對人性的弱點有非常深刻的認識。

《論語》一書中多次出現「怨」這個字，第一種指我抱怨別人，第二種指別人抱怨我。如果是我抱怨別人還容易改善，可以要求自己不要抱怨；如果是別人抱怨我則較難避免，人與人之間常因誤會而互相抱怨。

如果想做到「對自己要約」，該從何下手？讀《論語》會發現，一般人常常「有怨而無恥」。「恥」意為「有羞恥心」，這個字十分重要。有一次子貢請教孔子：「要具備怎樣的條件，才可稱為士？」孔子回答的第一句話就是「行己有恥」（〈子路篇〉），即本身操守廉潔而知恥。由此可知，人生的自我約束和修養應從「無怨而有恥」入手，修練自己做到對任何人、任何事都沒有抱怨，同時讓自己具備羞恥心。如此一來，人格水準自然非同一般。

### （二）對別人要恕

如心為「恕」，即將心比心，換位思考。《大學》一書談到治國、平天下之道時，特別提出了「絜矩之道」：厭惡上位者所做的，就不要以此使喚屬下；厭惡屬下所做的，就不要以此事奉上位者；厭惡在前者所做的，就不要以此交代在後者；厭惡在後者所做的，就不要以此跟從在前者；厭惡右邊的人所做的，就不要以此對待左邊的人；厭惡左邊的人所做的，就不要以此對待右邊的人。這稱為衡度言行規矩的方法。可見「絜矩之道」對於上下、前後、左右六個方面都要換位思考，用孔子的話說就是「己所不欲，勿施於人」。

「絜矩」就是衡量該怎樣與別人來往，等於「將心比心」。譬如我不喜歡上級領導對待我的方式，我就要想到如果我以同樣方式對待下屬，他也一定不喜歡。如果每個人都為他人設想，都有體諒他

人的心態，這個社會該多美好！又譬如，有的學生因為疲倦而上課打瞌睡，如果老師不加體諒，直接批評說打瞌睡的都是壞學生，那麼老師上課時偶爾講錯了，學生也不加以諒解，如此一來，人與人之間怎能好好相處？所以「對別人要恕」就是對別人要多加體諒。

### （三）對物質要儉

對平常所用之物要節儉。我由於從小家裡經濟困難，一張白紙、一枝鉛筆已屬難得，所以直到今天，我仍保留著一個習慣，只要一張紙背面是白色的就捨不得丟棄，仍會用來記筆記或打草稿。古人提倡「敬惜字紙」，即用尊敬之心珍惜寫字的紙。如今環保問題日趨嚴重，如果對物質不加節儉，勢必會對大自然造成更嚴重的危害。

對物質節儉的觀念在《論語》中也多次出現。孔子的學生林放請教禮的根本道理，孔子回答：「禮，與其奢也，寧儉。」（〈八佾篇〉）一般的禮，與其鋪張奢侈，寧可儉約樸素。古代社會重視禮儀的規格，只有財力雄厚的貴族才能面面俱到，一般百姓的財力根本無法負擔。孔子強調節儉，意在使有限的資源供更多人使用，這是很好的觀念。

### （四）對神明要敬

神明包括我們的祖先在內。古代社會有三祭：天子祭天地，諸侯祭境內山川，百姓只能祭祖先。帝王專制政體瓦解後，天子、諸侯已不復存在，只保留了百姓祭祀祖先的儀式。西方學者研究中國的宗教，說中國的宗教就是祖先崇拜，此一說法雖符合經驗上的觀察，但祭祀祖先其實只是中國祭祀活動的一部分。

中國人的祖先崇拜是一個優良的傳統，一個人如果祭拜祖先、尊敬祖先的話，他做任何事都會比較收斂。《詩經·小雅·小宛》提到「無忝爾所生」，即不要讓你的父母和祖先蒙羞。在古代社會

教育不普及的情況下，《詩經》中這些簡單的話使大家懂得收斂，尊敬祖先，做一個好人。

「約、恕、儉、敬」四字，對於二十一世紀的我們仍然適用。我們如果將這四個字放在心中，就更容易把握《論語》、《孟子》、《大學》、《中庸》等儒家著作的重點。「對自己要約，對別人要恕」涵蓋了人類世界；「對物質要儉，對神明要敬」涵蓋了自然界和超越界。神明除了包括祖先之外，還可包括孔子所說的「天」、古人所說的「上帝」或宗教信仰中的至上神。以這樣的視角來思考，對於生命就能獲得完整的理解。

# 向善的人性

本節將儒家思想做一總結。

## （一）儒家重視學習

儒家從一開始就肯定人具有與生俱來的能力，即人有理性可以學習和思考，學習不但可以使自己的生命潛能得以發揮，對整個社會而言也具有正面價值。如果大家都能發揮理性的能力，整個社會將逐漸走上人類的光明大道。

人有理性可以思考，當面臨眾多選擇時，究竟應該怎樣做才最為恰當？我們可以廣泛地借鑑歷史經驗：夏朝草創之際勵精圖治，傳至夏桀暴虐恣睢導致滅亡；商湯一心為民，傳至商紂荒淫無度而滅亡；周朝傳至周厲王、周幽王陷於昏亂，平王東遷建立東周，後來周天子失勢，群雄爭霸，導致東周瓦解。一個人的生命經驗常局限於狹小的範圍內，人可以通過學習獲得豐富的知識和經驗，不必凡事親身經歷。

　　孔子在教學中就以古代經典做為教材，使學生懂得了許多為人處世的道理。人的一生時光短暫，一去不返，怎可浪費大好時光？人應該不斷學習，並在實際生活中發揮理性，學以致用。

## （二）儒家重視真誠

　　儒家重視學習，但另一方面也清醒地意識到，不可能每一個人都有機會接受良好的教育，良師益友極其難得，所以儒家十分重視真誠。一個人如果真誠，即使沒有良師益友，只要他善於觀察和學習，人生還是大有希望。

　　《孟子》書中，記錄了曹交和孟子的對話。曹交可能是曹國國君的子弟，有一定的家世背景。曹交請教孟子說：「每個人都可以成為堯、舜，有這樣的說法嗎？」孟子說：「有的。」曹交說：「我聽說周文王身高十尺，商湯身高九尺，現在我有九尺四寸高，卻只會吃飯而已，要怎麼辦才好？」（〈告子下〉）

　　這樣的說法讓我們覺得曹交很可愛，很坦誠地說自己只會吃飯；但他的思考能力顯然有問題，又不是打籃球，身高和成就怎麼會有關係呢？曹交希望留在孟子門下學習，孟子委婉地拒絕了，孟子說：「子歸而求之，有餘師。」你回去自己尋找，老師多得很。孟子告訴曹交只要自己用心觀察身邊，處處可見善行。

## （三）好善優於天下

　　孟子的學生很多，可惜沒留下具體的著作，很難判斷他們的成就如何。孟子的學生在為官方面也乏善可陳，只有一個學生叫樂正子，魯國有意讓他治理國政，孟子說：「我聽了這個消息，高興得睡不著。」學生公孫丑問：樂正子剛強嗎？有聰明謀略嗎？見多識廣嗎？孟子都說不是。孟子解釋說：「其為人也好善。」孟子認為樂正子這個人喜歡聽取善言，喜歡看到善行。又說：「好善優於天下。」（《孟子‧告子下》）即喜歡善言善行，以此治理天下都綽綽有餘。

一個人在國家擔任要職，最重要的是樂於發現優秀人才，喜歡聽取好的建議。我們今天還在使用「集思廣益」、「群策群力」這些成語，任何社會要實現良性發展、國家政治要上軌道，絕不能靠一己之力，需要大家同心協力，圍繞共同的理想和目標去奮鬥。

後來孟子對樂正子的表現很失望，因為樂正子為了保持富貴，向齊國的權臣王驩靠近（《孟子·離婁上》）。對此孟子顯然不滿意，因為做為儒家學者，要考慮一橫一縱兩個側面。

### （四）人生應考慮一橫一縱兩個側面

1. 儒家注重人生的橫側面：關懷社會，希望將自己的能力推廣出去，照顧更多的人。

《孟子》書中有許多相關的精采格言：

> 居天下之廣居，立天下之正位，行天下之大道；得志，與民由之；不得志，獨行其道。富貴不能淫，貧賤不能移，威武不能屈，此之謂大丈夫。（〈滕文公下〉）

居住於天下最寬廣的住宅，站立於天下最正確的位置，行走於天下最開闊的道路；能實現志向，就同百姓一起走上正道；不能實現志向，就獨自走在正道上。富貴不能讓他耽溺，貧賤不能讓他變節，威武不能讓他屈服，這樣才叫做大丈夫。

孟子還說：「窮則獨善其身，達則兼善天下。」孟子這些話擲地有聲、蕩氣迴腸，讓我們感到一股「浩然之氣」，人生充滿理想。但如果結合自己的具體情況，這些話真的能做到嗎？這當然是美好的理想。

橫的側面關注於人類社會，其中政治是關鍵。孟子談到古代聖人伯夷、伊尹和孔子的共同點時，說：「行一不義，殺一不辜，而得天下，皆不為也。」（〈公孫丑上〉）這十六個字無疑是中國歷史上關於政治的最高典範：如果他們做一件不義的事，殺一個無辜的

人，即便因此得到天下，他們都是不會去做的。

請問在中國歷史上誰做到了這十六個字？為了爭奪政治權力，我們見過太多的以子弒父、以弟弒兄的人倫悲劇，一家人爾虞我詐、相互殘殺的不計其數。孔子的節操令孟子為之深深感動，這說明儒家確實有崇高的理想，但想要實現卻十分不易。

2. 儒家也注重人生的縱側面：人要對天（超越界）負責。

孟子的德行、學識出眾，但他的主張無法得到當時諸侯國君的重視。孟子辭官離開齊國時，學生充虞在路上問孟子，說：「先生好像有些不愉快的樣子，以前我聽先生說過：『君子不怨天，不尤人。』」孟子說：「夫天未欲平治天下也，如欲平治天下，當今之世，舍我其誰也？」（《孟子·公孫丑下》）「當今之世，舍我其誰」八個字真是豪氣干雲，但是奈何天還不想讓天下太平，我又能有什麼辦法？

儒家思想與墨家不同，儒家認為天和人的想法一定有落差。人可以理解天命，明白上天賦予了我們向善的人性，一輩子努力行善；但卻不能認為自己已經做得很好，埋怨上天不給我們當帝王或帝王之師的機會，沒讓我們真的改善世界。天命難測，人永遠只能負責自己能掌控的部分，卻不能倒過來埋怨天不公平。人只能盡其在我，對自己負責，我生在這個時代，沒有機會便罷，有機會則一定要做到盡善盡美。

這就是中國讀書人兩千多年來一直抱有的理想，我們學習儒家思想要始終將這樣的觀念置於心中。儒家有橫側面，自己對天下人都有責任，所以孔子的志向是「老者安之，朋友信之，少者懷之」（《論語·公冶長篇》）。如果沒有施展才華和抱負的機會，儒家還有縱側面，讓自己知天命、敬畏天命、順從天命，使自己的生命抵達圓滿的境界，如此才能無愧此生。

# 另一種虛無主義

這一章介紹道家的智慧。中國哲學發展到東周春秋時期出現了儒家和道家。面對天子失德、禮壞樂崩、天下大亂、民不聊生的社會局面，究竟該何去何從？學者紛紛挺身而出，運用他們的學識和智慧，提出各種建議，希望藉此改變社會的混亂狀況，使天下重獲安定。概括而言，當時有兩種情況特別令人擔心，都可稱為「虛無主義」。

## （一）兩種虛無主義

1. 價值上的虛無主義，這是儒家要面對的危機。

價值上的虛無主義是指百姓不知為何要行善避惡，因為善惡無從分辨，根本不知道誰善誰惡；即使分辨出來也沒用，因為善惡沒有適當的報應。

儒家設法喚醒個人內在的良知，使人真誠由內而發，覺察到內心有向善的力量，從而願意自發地行善避惡，這是人性的內在要求，是人的「天命」所在。

2. 存在上的虛無主義，這是道家要面對的危機。

道家與儒家不同。道家認為無論人怎樣設法改善，終究差別不大，只是以五十步笑百步而已。天下分久必合，合久必分，一治一亂，總在循環往復之中。道家提出一種更為根本的看法，因為道家要面對的是「存在上的虛無主義」。

「存在上的虛無主義」簡單說來就是一句話：「人生自古誰無死。」在亂世裡很多人受苦受難、死於非命，既然人遲早會死，晚死、早死都是死，與其活著受苦，不如早點解脫。這種想法會使人覺得活著了無生趣，要麼自殺，來個痛快了斷；要麼頹廢度日，過一天算一天。

　　道家面對這樣的危機，提出的化解方案是：設法讓人認識到，人生絕非偶然和無意義，因為人的生命來自於「道」。

　　道是什麼？簡單來說，包括自然界和人類在內的一切，並非沒有來源，不是莫名其妙地偶然出現。有人會糊裡糊塗地認為：一百多億年前，地球不存在，再過幾十億年，地球終將毀滅，人類生活在地球上，過去不管有多麼輝煌的功業，如今早已成為歷史遺跡；今天不管有多麼偉大的發明與建樹，在時光之流中也終將湮滅。如此一來，人還要做什麼呢？世間又有什麼好在意的呢？面對虛無主義的挑戰，道家設法讓人了解：這一切並非虛幻，萬物一定有其來源和歸宿。

### （二）道家的特色

　　為了認識道家的特色，我們先講一個古代的寓言故事[58]，故事分為三段：

#### 1. 楚王失弓，楚人得之

　　楚國國君楚恭王喜歡打獵，他有一把天下聞名的寶弓，只要打獵，一定隨身攜帶。有一次，楚王打完獵在返回都城的途中，將弓交給部下看管，走著走著，弓不見了，不知在誰手上，怎麼找也找不到。最後楚王只好說：「不要找了，楚王失弓，楚人得之。」楚王遺失寶弓，但畢竟還在楚國境內，只要弓還在楚國人手上，就不必太計較。

　　今天世界上有兩百多個國家，各國領導人恐怕都是如此心態：個人有些損失無所謂，我的百姓多一點收穫也沒關係，但不能讓外國人拿去。世界上各國領導人不都如此嗎？

---

58　此寓言在《孔子家語·好生》、《呂氏春秋·孟春紀·貴公》、《說苑》中均有記載。

2. 王失弓，人得之

孔子聽說此事，就說：「何必曰楚？王失弓，人得之。」孔子代表儒家，是標準的人文主義。弓不見了，只要人撿到就好，何必一定是楚國人呢？不管是越國、吳國、齊國、魯國，還是今日世界的歐洲、美國、非洲，不管是哪國人，只要是人都是平等的。

儒家可以跨越國家、種族的限制，顯示人人平等的胸懷。所以，不要小看儒家，即便是國家領導人，如果沒有學過儒家，也未必懂得這個道理：人類是一個族群，人與人是平等的。

3. 失弓，得之

最後，老子聽說此事，就說：「何必曰人，失弓，得之。」為什麼一定是人撿到才好呢？難道猴子不能撿去玩耍嗎？螞蟻不能將它搬回去嗎？這把弓只要還在地球上存在就好。老子為何這樣說？因為他反對儒家以人的價值觀來衡量萬物。

我到各地演講，常見到演講台上擺盆花，從來沒有人在桌上擺一盆草，草充其量只能做為花的陪襯。其實草亦有草的特色，只不過人覺得花好看，經過人的區分，就認為草比較卑微，花比較貴重。我們一般人不都如此嗎？

對於動物來說，人類特意加以保護的都是看起來可愛的動物，比如大熊貓。許多動物外形醜陋、甚至對人有害，如果動物可以選擇，牠也要選擇當熊貓，誰願意選擇當蟑螂呢？

這就是道家思想出現的背景，道家認為儒家太過於以人為中心，以致於無法正確認識萬物自身的價值。儒家以人為中心來思考一切，道家不以人為中心來思考，兩者針鋒相對。道家要設法化解儒家以人為中心的執著。

### （三）儒家和道家的三點差異

儒家和道家至少有三方面差異：

1. 儒家以人為中心，道家不以人為中心。

2. 儒家把一切的來源稱為「天」，道家則以「道」代替「天」。

儒家認為自然界和人類的來源是「天」，人間的帝王幫助「天」來照顧百姓，稱為「天子」。道家認為天子也是人，也可能出問題，如天子失德，因此以「道」來取代「天」，這一點十分重要。

二十世紀八〇年代，我在美留學期間，大量閱讀了西方學者關於中國經典的研究著作，對其中的一段話印象深刻：「中國古代的學派中，最具有革命性的就是道家」。當時嚇了一跳，從來沒有人把「革命」兩字和道家連在一起，因為一談到道家，就是順其自然、無為、不爭之類的觀點，哪裡有什麼革命性呢？

讀了作者的解釋後發現，他的話的確有道理：中國古代人普遍信仰「天」，所以稱帝王為「天子」；道家提出最高位階不是「天」，而是「道」，用「道」代替「天」，這不是革命嗎？而且這個革命十分重大。道家把「天」、「地」兩個字合在一起，上有天，下有地，將天地與萬物合稱「自然界」，而將萬物真正的來源稱為「道」。如此一來，展現出全新的境界。

3. 儒家認為人生的最高境界是「天人合德」，道家認為是「與道合一」。

對於儒家，我們盡量不要說「天人合一」，因為「天人合一」的說法出自《莊子》[59]，屬於道家思想。

這裡的「天」指自然界，「人」指人類。其實，自然界和人類從來沒有分開過，本來就是一個整體。對於儒家一定要講「天人合

---

59　《莊子・山木》中「人與天一也」是「天人合一」的最早說法，參見《逍遙之樂：傅佩榮談莊子》，天下文化出版。

德」[60]，因為上天賦予了我向善的人性，我只有修德行善，才能符合天的要求。

對於道家要講「與道合一」，因為講「天人合一」談不上有多高的境界，天是自然界，人是人類，人死之後回歸自然的懷抱，塵歸塵，土歸土，這種「天人合一」並沒有什麼高深境界可言。「與道合一」意味著：人活著的時候只有一件事值得去做，就是設法悟道。如此一來，雖然道家的思想和表現與儒家截然不同，但同樣帶給我們深刻的啟發。

## 悟道的是聖人

了解道家思想有一個簡單的順序：1. 天下大亂；2. 聖人出現；3. 道是什麼？4. 人要怎樣悟道？

上節介紹了春秋時期天下大亂的時代背景，社會上出現許多需要面對和解決的問題。「聖人」的出現是個關鍵。很多人會奇怪：儒家的孔子、孟子多次提到聖人，為什麼道家也說聖人？事實上，「聖人」一詞在古代經典裡出現頻率最高的，就是《老子》這本書。

《老子》又稱為《道德經》，後世出現的道教尊奉老子為開山祖師，因而將此書做為道教的經典而稱為「經」。《道德經》共八十一章，僅五千多字而已。第一章至第三十七章為《上經》，第一章的開頭是「道，可道，非常道」，故又稱為《道經》；第三十八章至第八十一章為《下經》，第三十八章第一句話為「上德不德，是以有德」，故又稱為《德經》。

《道德經》所說的「道德」與一般所說的「行善避惡」、「仁義道德」完全無關。根據《老子》一書，「道」是指萬物的來源與歸

宿；「德」即「得」，古代這兩個字相通，指一個人了解了聖人的理想後，修練有了某種具體的心得，行為表現得更加完美，也稱為「德行」，「德行」就是修道的心得。

《老子》全書共八十一章，「聖人」一詞在二十四章裡出現，占了近三分之一的篇幅；還有十二章出現「聖人」的同義詞，如「吾」、「我」、「有道者」、「善為道者」等。《老子》中提到「聖人」及其同義詞時，相應地就會提到「民」。「民」就是百姓，因此「聖人」就是統治百姓的人，指「悟道的統治者」，與儒家所謂「大而化之之謂聖」的聖人（德行修養抵達完美境界之人）並沒有直接關係。

《尚書・洪範》在談到官員必須修練的「五事」（貌、言、視、聽、思）中，說：「思曰睿，睿作聖」，即思考要做到理解而通達，如此才可成為聖人。「聖」字左邊為「耳」，代表一聽就懂，智慧極高，所以「聖」的本意代表聰明睿智到極點。《老子》中的「聖人」就是指聰明至極、智慧過人、能夠悟道之人，更合古意。那麼老子為什麼要談聖人呢？

與儒家的孔孟類似，道家也以兩人為代表，即老子和莊子。老子（約571－471 B.C.）的年代比孔子（551－479 B.C.）稍早，莊子（約368－288 B.C.）與孟子（372－289 B.C.）同時，莊子和孟子的著作中都談到梁惠王。莊子是隱士，把自己隱藏起來不太和別人來往；孟子則是當時的知名學者，周遊列國，找機會做官造福百姓，他們兩人當時並沒有來往，十分可惜。

《莊子》書中很喜歡談聖人，還有真人、神人、天人和至人，

---

60　「天人合德」的說法最早出自《易經・乾卦・文言傳》：「夫大人者，與天地合其德，與日月合其明，與四時合其序，與鬼神合其吉凶。」

與之相對的，我們就是一般人，是尚未悟道之人。相對於真人，我們一般人就是假人；相對於神人，我們一般人就不夠神妙；相對於天人，我們一般人則不合乎自然；相對於至人，即抵達最高境界之人，我們一般人只能算是平凡人。關於人，莊子有這麼多說法，正好提醒我們一點：要好好努力，絕不能只做一個自然人。

需特別注意的是，很多人講道家喜歡說「順其自然」、「無為」。比如上課時有學生打瞌睡，我問是什麼原因，學生說他最近正在學道家，要順其自然；有學生不寫作業，理由也是最近正在學道家，要無為。道家思想被誤解，最後竟變成懶惰主義者的藉口。

真正的道家思想絕非此意，老子提出「聖人」的概念就是一個明顯的例子。聖人是「悟道的統治者」，既要悟道，又聰明到極點，如此才可能扮演關鍵的角色。老子為什麼無緣無故談聖人呢？因為當時要讓一個國家上軌道，絕不能只靠百姓，而要靠統治者，統治階級跟一般的百姓之間有很大差距，統治者如果可以悟道，實為百姓的幸運。

聖人的做法可以反映出悟道後的具體表現。我們最熟悉的話是「生而不有，為而不恃，長而不宰」（《老子》第十章、第五十一章，以下只寫章數），意即生養萬物而不據為己有，作育萬物而不恃恃己力，成就萬物而不自居有功。這三句話不只一次出現。聖人沒有刻意要做什麼事，最後統統做成了，這就是聖人的表現。

我們學習道家，這簡單的三句話就很有啟發性，比如對於養兒育女能否做到「生養子女而不據為己有，作育子女而不恃恃己力，引導子女而不加以控制」？我們不能因為子女是我所生，便大包大攬。我們也是父母所生，也不喜歡什麼事父母都替我們決定。對於將來考哪所大學、念什麼科系、找什麼工作，每個人都想自己做出選擇。

　　真正的聖人具備高明的智慧，了解萬物的特性，可使萬物依本性自由發展，所以真正的「無為」是「無心而為」，而不是簡單的無所作為。什麼是「無心而為」？就是不要刻意去做任何事，為還是為，還是正常地上班下班、上學放學，但是不要存有刻意的目的。如果念書一定要考第一名，上班一定要業績最佳，非但辛苦，到頭來還可能反其道而行，後面一輩子不喜歡學習，或者忘記了工作的樂趣和自我的成長，那就太可惜了。所以學習道家不能忽略「聖人」及其獨特的表現。

　　今天我們又不是統治者，為什麼要學道家呢？今天學習道家並非要統治別人，而是要做自己生命的統治者，透過智慧的覺悟，我們可以管理自己，使生命展現出不同的境界和美感。

## 試著說說道

　　本節談一談「道」是什麼？如果念過《老子・第一章》「道，可道，非常道」，就會明白「道」十分抽象，沒辦法說清楚，因為可以用言語表述的「道」就不是永恆的「道」。

　　我念大學時，有位老師教我們道家的《老子》。第一天上課，這位老師在講台上來回走了五分鐘，同學們都莫名其妙地看著他，不知道怎麼開始上課。老師發現同學們都在注意他的時候，就停下來說：「各位同學，我們這門課叫做《老子》，老子說『知者不言，言者不知[61]』，知道的人不說話，說話的人不知道，所以我今

---

61　出自第五十六章。譯為：了解的，不談論；談論的，不了解。

天教大家《老子》，不知道該不該說話了。」這當然是開玩笑，但是老子真的說過這句話，那麼教書時要怎樣教呢？

### （一）道是萬物的來源和歸宿

人類在說話時使用的概念，就是平時我們所說的名詞、動詞，都來自於生活經驗。「道」卻無法從生活經驗中取材。如果有人問「道」是什麼？標準答案就是：道是萬物的來源和歸宿。

人為什麼要在乎萬物的來源和歸宿呢？因為若非如此，則人生在世，有生有死，幾十年前沒有我，幾十年後也沒有我，我怎麼知道自己真的存在呢？正可謂浮生若夢。人生不過百年，短暫的人生要追求什麼、選擇什麼、堅持什麼？似乎都沒有理由。這樣的人生好似南柯一夢，這就是典型的虛無主義。

所以要愛好智慧，一定要問這一切從何而來，又往哪裡去？不然應該如何度日呢？譬如，按照儒家的方式去行善的話會很辛苦，那為什麼要行善？儒家將其歸結為「天命」，即行善是上天賦予人的使命，儒家的「天」指的就是萬物的來源和歸宿。

道家不喜歡被「天」所束縛，因為提到「天」就會想到「天子」，歷史上大多數天子都不夠理想。於是老子就以「道」做為萬物的來源和歸宿，並虛擬了一個理想的領導者叫做「聖人」（悟道的統治者），以他做為道的化身。

如果萬物有其來源和歸宿，人生在世就不必擔心自己會莫名其妙、糊裡糊塗地過一生。既然這一生從道而來，又要回歸於道，那麼人生有何目的？人生唯一要做的事，就是要設法悟道，讓自己的生活完全符合「道」的安排，即符合「規律」。

很多人把「道」當成萬物運作的規律，但沒有萬物怎麼會有規律呢？所以把「道」當做規律是比較落實的意思，不是最根本的意思。最根本的意思一定是：道是萬物的來源和歸宿。

萬物在道裡發展，道就是萬物所遵循的規律。人悟道之後，遵循自然的規律，生命就會平安喜樂，這是道家最吸引人之處。人生在世總會感覺到壓力。儒家以人為中心，從小念書、升學、就業、結婚、生子、教育下一代，如果不了解這一切的原因，則會感到十分辛苦。辛苦之餘，人很容易發現生命最後終將結束，一切似乎都是虛幻的。道家的目標就是要化解存在上的虛無主義，使人從另外的角度重新發現生命的意義，不再為虛無主義所困擾。

### （二）道的特性：超越性和內存性

進一步要問，為什麼說「道」是萬物的來源和歸宿呢？《老子》第二十五章說：

有物混成，先天地生。寂兮寥兮，獨立而不改，周行而不殆，可以為天下母。吾不知其名，強字之曰道，強為之名曰大。

意為：有一個渾然一體的東西，在天地出現之前就存在了。寂靜無聲啊，空虛無形啊，它獨立長存而不改變，循環運動而不止息，可以做為天下萬物的母體。我不知道它的名字，勉強叫它做「道」，再勉強命名為「大」。

後來莊子把「混」說成「渾沌」（《莊子・應帝王》），代表時間、空間上沒有任何區分，上上下下完全混作一團，一切都無法分辨。

「獨立而不改，周行而不殆」這句話精采至極。一方面說明「道」是唯一的，不因任何緣故而變化，代表道是超越的；另一方面說「道」普遍存在，循環運行而不止息，代表道是內在的。前面講道的超越性，後面講道的內存性（或內在性）。

我們談宗教時一定會談到「超越界」，為了弄清楚人活在世界上到底是怎麼回事，需要對「超越界」加以解說。同時，老子說：「大道汎（ㄈㄢˋ）兮，其可左右。」（第三十四章）即大道像氾濫

的河水，周流在左右，人根本不知道哪邊是左，哪邊是右。可見，道的力量無所不在。

為什麼我們無法了解道呢？因為我們在道裡面。蘇軾的〈題西林壁〉說：「不識廬山真面目，只緣身在此山中。」如果想了解一座山，一定要站在更高的角度，譬如坐飛機在高空鳥瞰；僅在山中觀察便無法掌握山的全貌。道遍在一切，包含一切，所以人永遠無法徹底了解道，只能慢慢去了解。

老子接著說：「這是天下萬物的根源所在，我不知道它的名字，勉強叫它做『道』。」老子對道所做的說明正好是沒有說明，因為道沒有名字。之所以勉強稱之為「道」，因為「道」原義指「路」。每個人都要走路，凡存在之物皆有其固定的發展途徑，用「道」這個字比較容易表現出它是一條路，進而引申出「道」可以做為一切的基礎、一切的來源、萬物的規律等含義。

老子勉強將「道」命名為大。凡是人能看到、想到的都不能稱為「大」。老子接著說：「大曰逝，逝曰遠，遠曰反。」（第二十五章）它廣大無邊而周流不息，周流不息而伸展遙遠，伸展遙遠而返回本源。「大」代表遠到不可測度，最後再返回本源，可見「道」包含一切。

《老子》中的「道」指萬物的來源與歸宿，「道」無法用言語準確描述，不管怎樣翻譯，老子對「道」的描述都顯得極為特別。西方重要哲學家在念到《老子》翻譯本的時候，均大為震撼，覺得不可思議，好像老子早已了解西方哲學兩千多年以來一直在探索的「存在本身」（Being）。人所見的萬物是存在之物（beings），存在之物與存在本身不同：存在之物可多可少，可有可無；存在本身永遠沒有任何變化。

### （三）道如何生出萬物

如果進一步問：道如何生出萬物？就要參考《老子》第四十二章的描述：**道生一，一生二，二生三，三生萬物**。

這句話很簡單，卻很難說清楚。其實並不複雜，因為老子接下來就說出了答案：**萬物負陰而抱陽，沖氣以為和**。

「生」不一定指「生育」，在此可譯為「展現」。

道展現為統一的整體，可稱之為元氣。統一的整體展現為兩種力量，即陰陽兩氣，陰和陽又以某種比例調和在一起而構成萬物。萬物的來源相同，但他們的陰陽比例不同。比如人的陽占百分之九十，陰占百分之十，故為萬物之靈；石頭的陽占百分之一，陰占百分之九十九，故為礦物。用這種方式來解釋「萬物負陰而抱陽，沖氣以為和」就非常清楚。

老子對萬物出現過程的思考，在今天看來仍富有啟發性。

## 認知可以提升

道家看來，天下大亂來自於人類的偏差欲望，而欲望又源自人的認知能力。人具有認知能力，這是人做為萬物之靈的特色，但偏偏就是這種能力造成了諸多複雜問題。如何讓天下恢復平靜安寧？解鈴還須繫鈴人，問題的焦點在於如何使人的認知能力提升到理想狀態。人的認知有以下三個層次：

### （一）區分之知

小孩啟蒙之際，我們都要教他看圖識字，比如畫一隻貓，旁邊註明「貓 —— 可愛的寵物」；畫一隻獅子，旁邊寫上「獅子 —— 可怕的猛獸」。小孩開始以為貓和獅子差不多大小，等到了動物

圍，他會一眼認出這是獅子，並意識到真正的獅子體型龐大，十分兇猛，真是可怕的猛獸。為什麼小孩從小就要學習區分什麼是可愛的，什麼是可怕的？

我在鄉下念小學時，老師警告我們小心附近有蛇，蛇分兩種：一種蛇有毒，頭為三角形；一種蛇無毒，頭為橢圓形。後來戶外玩耍的時候，有的同學看到蛇，竟然去量蛇頭是不是三角形，如今想來真有點害怕。老師所說的三角形和橢圓形絕不是教科書上的標準圖案，這只是一種勉強的描述，目的是讓學生學會區分，以避開可能的危險，但小孩都執著於區分。

人活在世界上，想要活下去首先必須學會區分，否則怎能活得平安長久？但麻煩的是，區分之後就有好壞的差別，煩惱和痛苦由此而生。老子說：「天下皆知美之為美，斯惡已；皆知善之為善，斯不善已。」（第二章）即天下人都知道怎麼樣算是美，這樣就有了醜；都知道怎麼樣算是善，這樣就有了不善。

以前沒有選美比賽，每個人都過得開心自在。一個人生長在鄉下，並不知道什麼是美，後來總聽別人誇自己美，於是覺得自己確實與眾不同，如此反而造成了諸多困擾。後來選美比賽風起雲湧，電視、手機和各種媒體促進了資訊流通，公眾對美的看法逐漸形成了特定的標準。

古今中外，對美的判斷標準各不相同。有一次我去某地講國學，接待我的是兩個單位的職員，有四個人陪我一起吃宵夜，其中一位男士為了對另兩位女士表示善意，對我說：「傅教授，您很幸運啊，有兩位美女來接您。」但他隨即犯了一個嚴重的「錯誤」，他說：「兩位美女環肥燕瘦。」中國古人用環肥燕瘦形容兩種典型的美女，分別指楊玉環的豐腴之美和趙飛燕的骨感之美。偏偏有一位女士長得比較豐滿，她立刻翻臉，問「環肥」是指誰？弄得場面

十分尷尬，最後不歡而散。

區分之後，大家都要追求好的，從而引發了爭奪和災難。為了獲得鑽石與金銀財寶，這個世界上有多少人死於非命！人類的區分往往著眼於現實的利益，局限在有形可見之物上，並沒有掌握到真正的重點。其實一切都在道裡面，根本不需要加以區分。

### （二）避難之知

人如果調整認知方式，學會從較為長遠的眼光來看問題，就會設法保全自己，避開災難。譬如一個人熟讀歷史故事，就會洞察興盛衰亡的契機，目前的情況看似順風順水，其實暗藏風險，後面恐怕會有災難，於是會設法在當前處境中趨吉避凶。老子說：「將欲取之，必固與之」（第三十六章），即我要奪取一樣東西，必須暫且將它給人。這些話看似權謀機變，但確實是老子長期觀察世間現象的心得。

學習歷史真的能避開災難嗎？德國哲學家黑格爾（Hegel，1770 － 1831）曾說：「人類從歷史中學到的唯一教訓，就是人類無法從歷史中學到任何教訓。」（《歷史哲學》）歷史上的錯誤和災難不斷重演，想要避開災難恐怕也十分不易。

### （三）啟明之知

解決認知問題的關鍵在於提升認知到啟明的層次。今天用「啟明」一詞可能令一些人感到不快，因為有的學校專門招收有聽力障礙的學生，叫做啟聰學校，有的學校專門招收視障學生，叫做啟明學校，但此處的「啟明」並非指人的視力有問題。

老子喜歡用「明」這個字代表覺悟，一個人獲得啟明後，將不再從個人和外在事物的關係的視角來看問題，而會改由道的視角來觀看萬物。人做為萬物之靈具有認知能力，一定要設法追求啟明與覺悟。

所謂「覺悟」就是指可以從道的視角來觀看萬物，《莊子》書中對此有直接描述。莊子說：「以物觀之，自貴而相賤。」（《莊子‧秋水》）即從萬物的立場來看，是以自己為貴而互相賤視。比如中國人都覺得中國菜美味可口，外國菜難以下嚥；總覺得中國服裝落落大方，外國服裝難登大雅之堂。

但是「以道觀之，物無貴賤。」（《莊子‧秋水》）即從道的立場來看，萬物沒有貴賤之分。這話很有道理，每樣東西既然在特定時空中存在，一定都有其特定的價值，人類不能將自己的喜好做為標準強加於萬物之上，宇宙中沒有任何東西是完全的廢物，因為一切來源於道。

如果以道的視角觀看，就會發現一棵樹、一朵花、一株草，甚至包括微生物、細菌在內，沒有任何東西是完全無用的，每樣東西都是生態平衡中不可或缺的一環。《莊子》書中曾提及，一個人生病的時候，要用一味十分常見、價格低廉的藥材做為藥引，才能讓整副藥的功效充分發揮，正是此意。

道家的目標是設法從人的認知能力這一根源著手，解決天下大亂的問題。人具有可貴的理性認知能力，但許多人的認知水準一輩子只停留在「區分」的層次。將認知提升到「避難」的層次仍然不夠，要進一步設法提升到「啟明」的層次，讓自己學會從道的視角來觀看萬物，如此可使內心長久保持安寧與和諧。

## 練習用減法

老子的「聖人」具有啟明的智慧，究竟如何修養才能成為聖人？我們今天學習聖人的修養，並非想成為悟道的統治者，我們的

目標是成為自己生命的統治者，管理自己的生命，使它不再陷於複雜的區分和相對的價值觀，避免受到外界太多的干擾，以致於浪費生命。

《老子》第十章和第十六章，專門談到聖人的修練方法。

### （一）虛和靜

**致虛極，守靜篤。萬物並作，吾以觀復。**（第十六章）

追求「虛」，要達到極點，守住「靜」，要完全確實。萬物蓬勃生長，我因此看出回歸之理。「虛」和「靜」到底在說什麼？

1. 第一個字，「虛」。

老子說：「虛其心，實其腹。」（第三章）即要簡化其心思，填飽其肚子。心如果被各種紛繁複雜的念頭充滿則很麻煩，每時每刻都在區分，一天到晚比較誰高、誰帥、誰富、誰大，如此怎會快樂？因此心要「虛」。

怎樣理解「心虛」？這裡顯然不是「作賊心虛」的意思。這就是今天用白話文來準確翻譯古代經典的挑戰，老子所說的「虛」是指「單純」，有如小孩一片天真。

每次經過幼稚園，聽到裡面歡聲笑語，我們難免好奇，為何小孩會如此快樂？因為孩童十分單純，只要看到父母，就覺得天地間無限美好。然而這種好景恐怕難以為繼，進小學後一旦面臨考試測驗的壓力，笑聲就減少了；到了中學，很少有人笑的，哭的倒是很多，尤其是高中階段，面臨千軍萬馬過獨木橋的指考，學生始終背負著沉重的壓力。大學裡每年有學生跳樓已不再是新聞，大學生患憂鬱症的更為多見，學生們不再單純，懂得愈多、愈複雜，就會面臨更多的選擇，生出更多的煩惱。

單純並非指年紀大了還天真幼稚，而是在充分了解外在世界、實現生存發展的同時，內心仍保持孩童般的單純。孟子也說過類似

的話：「大人者，不失其赤子之心者也。」（《孟子‧離婁下》）即德行完備的人，不會失去嬰兒般純真的心思。老子強調「復歸於嬰兒」（第二十八章），就是希望人心能返回到嬰兒般的單純狀態。

該怎樣練習心思單純呢？比如以我寫作的經驗來說，如果同時構思三篇文章，則思路混亂，連一篇都寫不成。最好的狀態是，我好像只為了一篇文章而活，心無旁鶩，志慮單純，一氣呵成。之後就把它放在抽屜裡，完全拋在腦後，再開始構思下一篇文章。我寫了上千萬字，出版的書超過一百種，沒有別的祕訣，只是心思單純，一次只做一件事，在此期間絕對不想其他任何事，即使天塌下來也不管，這就是學習道家的收穫。

2. 第二個字，靜。

「靜」可分為三個層次：第一是安靜，代表外面沒有聲音；第二是平靜，代表內心不起波瀾；第三是寧靜，即寧靜以致遠，代表在寧靜中孕生動力，透澈了解一切後再重新出發。

莊子充分體悟了老子的境界，他說：「水靜則明燭鬚眉。」（《莊子‧天道》）即水平靜時可以清楚照見鬚髯眉毛。古人家裡很少有錢可以買得起銅鏡，想知道自己長什麼樣子並不容易，可以倒一盆水，讓水面平靜，照見鬚眉。鬚代表男生的鬍鬚，眉代表女生的眉毛。水平靜時可以像鏡子一樣，何況人的心呢？人心寧靜的話，可以看透宇宙萬物的真相。

因此，老子的修養方法簡單說就是第十六章的「虛」和「靜」兩個字。

### （二）修養的六個階段

第十章對修養的闡述則相對複雜，將修養分為六個階段。

載營魄抱一，能無離乎？專氣致柔，能如嬰兒乎？滌除玄覽，能無疵乎？愛國治民，能無為乎？天門開闔，能為雌乎？明白四

達，能無知乎？

1. 精神形體配合，持守住道，能夠不離開嗎？

這是說身心不要分裂，身心合一後要謹守住道。道代表唯一的根源，簡單說來，道就是「一」。在靜坐之類的修行方法中，要求眼觀鼻，鼻觀口，口觀心，心觀丹田，可見修行中一定要使注意力凝聚在某一個焦點上。

2. 隨順氣息以追求柔和，能夠像嬰兒一樣嗎？

氣息要像嬰兒一樣隨順柔和，嬰兒的呼吸平穩而深長，生命彷彿有豐富的底蘊。一般人走路、說話常氣喘吁吁，我們能否學習嬰兒，讓自己的氣息變得柔順呢？

3. 滌除雜念而深入觀照，能夠沒有瑕疵嗎？

前面三點都是有關身心的具體修練。

4. 愛護人民與治理國家，能夠無所作為嗎？

第四點開始顯示出聖人的特色。在此「無所作為」（無為）是指「無心而為」，即不要刻意讓百姓變成什麼樣。刻意去做可能忽略自然的條件，有心而為即使成功也會有後遺症，更何況往往事與願違，未蒙其利已先受其害。能夠愛民、治國說明一定具有聖人的身分。

5. 天賦的感官在接觸外物時，能夠安靜保守嗎？

設法使我們的感官在與外物接觸時不受干擾，能夠安靜持守，收斂自己返回內心。

6. 明白各種狀況之後，能夠不用智巧嗎？

智巧是指賣弄聰明和投機取巧的想法，希望藉此取得某種好處。

上述六點都涉及身體或心智的修練，只有愛民治國中提出的「無為」很特別，在此指「無心而為」。《老子》書中兩次提到無為

而無不為（第三十七章、第四十八章），即沒有刻意做任何事，而所有的一切都已經做好了。相反，如果刻意去做某事，一定會忽略其他事，最後即使做成一件事，其他事說不定早已錯過時機，無法順利發展完成。

從第十章和十六章介紹的修練方法來看，老子講道家絕不是空洞的理論，他告訴我們：化解存在上的虛無主義要設法找到根源。我們和宇宙萬物並非莫名其妙地存在，這一切的背後有「道」做為其來源和歸宿。老子關懷整個社會，因此特別提出聖人（悟道的統治者）供人們效法。

我們今天學習道家並非要讓自己成為悟道的統治者，而是要統治自己的身心，讓自己的生命獲得智慧的啟明，使整個生命可以由領悟真實而孕生審美感受。

## 老子的警句

談到道家思想，常使人感覺很抽象，很玄虛。事實上，《老子》共八十一章，只有五千多字，裡面很多句子短小精悍，以之做為格言或座右銘，可以給我們深刻的啟發。我們試舉幾例，由此進入老子的世界。

**（一）輕諾必寡信，多易必多難。**（第六十三章）

輕易就許諾的，一定很少能守信。看事情很容易的，一定先遇上各種困難。

我們年紀稍大一點就會對這句話深有體會。年輕時自以為豪爽，有朋友說：「有件事情需要你幫忙。」我馬上回答：「沒問題！」就為這一句話，自己可能要忙碌半年。年紀稍長後才發現，

輕易承諾別人，表明考慮得不夠周全。後來只要有人找我幫忙，我都會説：「我要先想一想，研究一下。」我會認真考慮自己在這段時間內是否有空，是否有更重要的事情尚未完成。

孔子説過一句類似的話：「人無遠慮，必有近憂。」（《論語·衞靈公》）一個人不做長遠的考慮，一定很快就有煩惱。答應別人時頭腦發熱，驗收成果時難免尷尬，承諾無法兑現該如何是好？很多人做事慎終謀始，思慮周詳，讓人感覺放心可靠，因為他們從來不把任何事情看得很容易。若非如此，則後面往往會出現意想不到的困難。

**（二）甚愛必大費；多藏必厚亡。**（第四十四章）

過分愛惜，必定造成極大的耗費；儲存豐富，必定招致慘重的損失。

愛一個人或一樣東西太過度的話，勢必耗費許多精神、力氣或金錢。比如漢武帝年輕時曾説：「如果能娶到阿嬌，要蓋一座金屋來藏她。」[62]後來，「金屋藏嬌」就演變為一個成語。現在很多人關注拍賣市場，一個古代的花瓶被很多人看中，它的價錢會一路飆升，如果愛不釋手，志在必得，勢必要付出高昂的代價。

如果收藏很多寶貝，一旦遇到變故則損失慘重。我哥哥年輕時做生意，喜歡收藏國外旅館的玻璃杯，陳列在家裡的酒櫃中。以前很多旅館自己設計玻璃杯，樣式美觀，各具特色。他每到一個旅館，就請求酒店將玻璃杯送給他當紀念品。有的旅館很大方，慷慨贈送；有的旅館很小氣，只好花錢購買；有的旅館既不送也不賣，他只好離店時冒險帶一個。家裡的酒櫃擺滿了各式玻璃杯，燈光一

---

62　出自東漢班固《漢武故事》：「若得阿嬌作婦，當作金屋貯之也。」

打，熠熠生輝。後來碰到大地震，整個酒櫃傾倒，辛苦收藏的玻璃杯全部破碎，正可謂「多藏必厚亡」。

由此可見，老子的生活經驗非常豐富，觀察非常細膩。

**（三）知人者智，自知者明。**（第三十三章）

了解別人的是聰明，了解自己的是啟明。

了解別人和了解自己有很大的不同嗎？讓我們用《世說新語》的一段故事來說明兩者的差別。曹操自封為魏王後，大權在握，權傾朝野。有一次，匈奴派使者拜見魏王，曹操很愛面子，他知道自己形貌醜陋，不足以威懾遠方的國家，於是他找了一個叫崔琰的帥哥，讓他穿上魏王的衣服，坐在魏王的位置上；曹操自己則穿上武士的衣服，假扮衛士，握刀站在崔琰旁邊。

接見完畢，曹操立刻派間諜問匈奴使者：「你對魏王的印象如何？」使者是外交官，閱人無數，見多識廣，他說：「魏王當然是相貌堂堂，不過真正的英雄是他旁邊的捉刀人。」匈奴使者和假魏王談話時，每逢關鍵問題，假魏王都要看旁邊衛士的臉色，明眼人一看就知道魏王是假扮的，真正的一把手是旁邊那個衛士。

曹操得知自己的計謀被人識破，惱羞成怒，立刻派人追去殺了這個使者。[63] 匈奴使者肯定沒有讀過《老子》，他是「知人者智」，卻沒有做到「自知者明」，不知道自己處於危險的境地。這個故事令我們不得不佩服老子的智慧。

**（四）勝人者有力，自勝者強。**（第三十三章）

勝過別人的是有力，勝過自己的是堅強。

我們都希望成為真正的強者。一個人年輕力壯，武功高強，能夠勝過別人，這只能算「有力」，即力量過人，並非真正的強者。一個人能夠戰勝自己，做自己的主人，內心有主見，不隨俗從眾，可以克制欲望，化被動為主動，如此才是真正的強者。

　　我在中學時代雖然很少接觸老子的思想，但是老子有一句話對我影響很大。我在念高一時，有一天，語文老師在黑板上寫下老子的一句話「強行者有志」（第三十三章），即堅持力行的是有志。

　　當時我的理解比較淺顯，將這句話理解為：勉強自己往前走就是有志向。年輕人聽到「志向」兩字就熱血沸騰，總想樹立遠大的志向。這句話令我深受啟發，從此以後我就養成一個習慣：我讀中學期間住校，每晚同學們都睡覺了，我再念書十分鐘，勉強自己往前走；遇到寒暑假，同學們都休假了，我一定再念一個星期，勉強自己往前走；從中學一直到去美國念書，我都保持著這個習慣，勉強自己往前走。

　　老子這句話究竟是不是此意，我當時無從分辨，只能就字面來理解，認為每個人都有惰性，要想在競爭中勝出，就要勉強自己多走幾步，日積月累，自然會取得優勢。

　　《老子》一書由一人獨自撰寫的可能性不大，很可能是一群隱居的人，經過長期的生活、觀察和體會，各自記下心得，再由後人彙編成書。《老子》只有短短五千多字、八十一章，裡面至少有三段內容完全一樣[64]（第十章和第五十一章、第四章和第五十六章、第三十章和第五十五章）。如果是一個人寫的，不大可能在如此短的篇幅內還有重複。可見，《老子》應是集體智慧的結晶，對我們一般人而言，自然會有深刻的啟發。

---

63　出自《世說新語・容止第十四》。原文：魏武將見匈奴使，自以形陋，不足雄遠國，使崔季珪代，帝自捉刀立床頭。既畢，令間諜問曰：「魏王何如？」匈奴使答曰：「魏王雅望非常，然床頭捉刀人，此乃英雄也。」魏武聞之，追殺此使。

64　「生而不有，為而不恃，長而不宰，是為（謂）玄德。」見於第十章和第五十一章；「挫其銳，解其紛，和其光，同其塵。」見於第四章和第五十六章；「物壯則老，是謂不道，不道早已。」見於第三十章和第五十五章。

# 一定要覺悟

今天談老子，一定要設法將道家拉回到人間。老子的思想絕不是只有幾句像「道，可道，非常道」之類的很抽象的話，沒人講得清楚；老子的思想充滿了對人間的深入觀察和深刻體會。下面再舉幾個例子，由淺入深，逐步深入老子思想的精髓。

## （一）少則得，多則惑（第二十二章）

少取反而獲得，多取反而迷惑。學習上也是如此，如果學的東西少就會有心得，學的東西多就會迷惑。

一九九七年至一九九八年，我在荷蘭的萊頓大學教書。在外國教書很輕鬆，每週只有三節課，半天就能上完，有大量業餘時間可以看書或者旅遊。荷蘭美術館眾多，有一次我去參觀一座美術館，欣喜地發現裡面正在展出六十幅世界名畫，如獲至寶。但我只有三個小時，要看六十幅世界名畫，每幅畫平均只能看三分鐘。於是我只好走馬觀花，看得雲裡霧裡，這就是「多則惑」，看多了反而迷惑，難有什麼心得。

另外一次我去參觀一座美術館，正好趕上美術館整修，只展出一幅畫。既來之則安之，我用三個小時的時間認真欣賞一幅畫，最後終於看懂了，此後終生不忘，這就是「少則得」。

今天談國學、談哲學也是如此，我們不是大學裡相關專業的研究生，我們是好學上進的知識分子，即孟子所謂的英才，所以要把握一個原則：讀書在精不在多。

如果對國學感興趣，我最多只會推薦七本書，儒家的《論語》、《孟子》、《大學》、《中庸》，道家的《老子》、《莊子》，如果還有時間，年紀稍大一些，可以學習《易經》。學國學，這七本書是不能跳過去的，別的像詩詞歌賦、散文小說，都可隨個人興

趣，做為業餘消遣。但如果不懂儒家、道家和《易經》，你無法想像中國人的祖先依靠什麼信念活在天地之間。

儒家、道家可謂中國傳統文化的任督二脈，一定要設法了解掌握。把這七本經典真正學通之後，我們會發現，其他各種文學、歷史作品，都是以這兩家的思想做為基礎，再結合當時的具體情況進行的應用和發揮。

## （二）不出戶，知天下；不窺牖（ㄧㄡˇ），見天道（第四十七章）

不出大門，可以知道天下事理；不望窗外，可以看見自然規律。這兩句話該怎樣理解呢？

1. 不出戶，知天下。

古時候沒有手機、電視、報紙，不出門如何知道天下事？古代都是大家庭，一家祖孫三代很常見，因此可以就近觀察家人之間如何互動，社會上人際互動的模式則與之類似。西方人常說「魔鬼藏在細節裡」，通過觀察一樣東西的細節就可以了解整體。只要是人類社會，團體雖有大有小，但互動的模式都彼此相仿。

有位記者採訪一個五世同堂的大家庭，記者很好奇地問家裡最老的老爺爺，怎樣做才能讓五代人生活在一起？老先生沒講話，只是在一張白紙上寫了一個「忍」字。「忍」字就是一把刀插在心上。儘管一家人血濃於水，相處時照樣要忍，否則，即使親如兄弟姊妹、父母子女，關係也很難長期維繫。

在家懂得了「忍」字，到學校念書、在社會上工作、和別人往來也是同樣的道理。我們乘飛機誤點，發脾氣也沒有用，為了安全只有忍耐；和別人約好的事情被爽約，我們要體諒別人的苦衷，能夠理解這是人之常情，仍然需要忍耐。在社會上生活，沒有人可以隨心所欲。

2. 不窺牖，見天道。

只有打開天窗，才能觀察白天黑夜、日月星辰等變化，了解天體運行的規律；不開窗怎樣了解自然規律呢？

西方哲學家也有類似的觀點，近代哲學家斯賓諾莎[65]（Spinoza，1632 － 1677）曾說過：「給我一塊木頭，我可以告訴你整個世界。」任何一塊木頭都曾生長在某棵樹上，這棵樹一定在某一地域生長，仔細研究木頭上的年輪，可以了解這棵樹長了多久，長在什麼地方，生長期間的氣候情況如何，這就是見微知著。

類似的例子數不勝數。英國哲學家休謨（Hume，1711 － 1776）講過一個故事，一個家族世代都以品酒為業，家裡有兄弟兩人都是優秀的品酒師。有一天，一個貴族打開地窖裡珍藏多年的好酒招待客人，並請兩兄弟共同品鑑。打開第一桶酒，第一杯酒給了哥哥，哥哥喝了一口後說：「酒是好酒，不過酒裡有皮帶的味道。」客人哄堂大笑，葡萄酒裡怎麼會有皮帶的味道呢？看來哥哥今天不在狀態。

第二杯酒給了弟弟，弟弟喝了一口說：「酒是好酒，不過除了有皮帶的味道，還有鐵鏽的味道。」大家笑得前仰後合。大家一邊喝酒，一邊取笑兩兄弟，等到這桶酒喝完之後，兩個兄弟笑了。原來在酒桶底部發現了一條皮帶，皮帶上的鐵環已然鏽跡斑斑。這就是專家，可以透過細節掌握整體的情況。

## （三）既以為人己愈有，既以與人己愈多（第八十一章）

盡量幫助別人，自己反而更充足；盡量給予別人，自己反而更豐富。

這句話在《老子》一書的最後一章出現，是老子思想的關鍵。什麼東西盡量給予別人，自己反而更豐富？這顯然不可能是物質，而是指精神方面的能量。我給別人的幫助愈多，自己的收穫會更

多，當我幫助別人、關心別人的時候，我心中湧動的愛的力量會源源不絕。

因此，人的生命更像是一個能量系統，它需要不斷得到能量的補充，能量的來源就是「道」。一個人如果能經常返回根源，就可以從「道」那裡獲得充足的能量，通過不斷給予別人能量，自己會收穫更多能量。老子的思想絕不是唯物論，可以說是唯道論，道是一切的根源，人的生命從道獲得能量之後可以充分發揮，可見人的本質更接近於精神方面的能量。

## 三個法寶

老子思想能否應用於政治？《老子》第三十章、第三十一章專門講反對戰爭，天下本無事，何必庸人自擾？一旦發動戰爭，陣亡和傷殘的都是年輕人，實在沒有必要走上這條路。

### （一）最好的統治者

《老子》只有第十七章與政治明確相關：太上，下知有之；其次，親而譽之；其次，畏之；其次，侮之。

最好的統治者，人民只知道有他的存在；次一等的，人民親近他並且稱讚他；再次一等的，人民害怕他；更次一等的，人民輕侮他。

老子的描述雖十分簡略，但依然可以讓我們有所領悟。最高明的統治者，使百姓只知道有他存在，卻不覺得自己被人統治或管

---

65　斯賓諾莎，猶太裔荷蘭籍哲學家，只活了四十五歲。

理。這是因為統治者能夠配合各種既定條件，按照百姓的需求，選擇最自然的路線，也就是「無心而為」，沒有刻意的矯揉造作，如此一來百姓自然覺得開心自在。

這段話最後的結論是：「功成事遂，百姓皆謂：我自然。」即等到大功告成，萬事順利，百姓都認為：我們是自己如此的。

《老子》書中「自然」一詞總共出現五次，沒有一次指外在的自然界。「自然」一詞保留了最原始的含義：「自」就是自己，「然」就是樣子。任何東西，包括人在內，只要保持自己的樣子，就是自然。

百姓看到一切水到渠成，就說：「我們是自己如此的。」可見，百姓絲毫沒有覺察到有人在統治。這樣的統治者非常偉大，好像天地一樣。天地沒有特別的用心，春夏秋冬四季交替，百姓順著季節變化安排各自的生活，春耕夏耘，秋收冬藏，一切都像自己如此的樣子。

### （二）聖人的三寶

談到政治或是管理的方法，第六十七章特別提到「三寶」：我有三寶，持而保之。一曰慈，二曰儉，三曰不敢為天下先。

我有三種法寶，一直掌握及保存著。第一是慈愛，第二是儉約，第三是不敢居於天下人之先。

1. 第一個法寶：慈。

「慈」原本用於形容母愛。無論孩子聰明與否、成就如何，母親認為只要孩子存在就好，母親對孩子永遠是完全的接納和包容。西方人在母親節的慶祝儀式上很喜歡講一句話：「上帝不能照顧每一個人，所以賜給每個人一位母親。」萬物由道所生，老子多次將「道」比作母親，因此做為政治上的領袖，要效法道的作為，第一個法寶便是慈。

老子接著説：「慈故能勇。」一個人真正有慈愛之心才能表現出勇敢。西方有句話説得很好：「女子雖弱，為母則強。」一個女孩平時看上去嬌滴滴的，還需要別人照顧；一旦成為母親則完全不同，馬上變成女強人。不管家裡遇到什麼困難，不管孩子遭遇何種狀況，母親都好像家裡的頂梁柱。很多人都會回憶起這樣的動人畫面：小時候感冒發燒，半夜醒來時發現母親依偎在床邊睡著了。母親可以整夜不眠不休地照顧孩子，的確堪稱強者。

想要成為悟道的統治者，就要向道學習，萬物皆由道所生，因此皆應受到寬待和愛護。假如你是一家公司的老闆，就要把員工都當成子女：對於表現欠佳的員工，要給他機會改善；對於表現出色的員工，要鼓勵他繼續努力。員工因為有像母親一樣慈愛的老闆，彼此之間很容易相親相愛、互相照顧，生出手足之情。

2. 第二個法寶：儉。

節儉所針對的是自然界的萬物。老子又説：「儉故能廣。」廣就是推廣，只要節儉，有限的資源就可以被更多人使用，產生更廣泛的效用。

當前很多國家選擇了市場經濟，追逐時尚潮流，刺激消費，由此產生的最大社會問題是貧富差距過大，有錢人花錢如流水，一頓飯的花費夠窮人吃半年。在這樣的社會環境中，每個人更要節儉，這樣大家都夠用，都能活得下去。

很多人有仇富心態，看到有錢人就討厭，看到有人開雙B轎車（賓士、寶馬）、名牌跑車就生氣。其實，對於有錢、有地位之人，只要手段正當，那是別人該得的，大可不必生氣；但是如果有錢而不知節儉，富二代、富三代生活太過奢侈，就令人難以忍受。

3. 第三個法寶：不敢為天下先。

很多人對這句話有意見，認為今天要鼓勵創新，勇敢創造，敢

為人先。老子的話和勇於創新並沒有矛盾。老子意在告誡統治者，絕不可作威作福、錦衣玉食、高高在上，而要以服務代替領導。

真正優秀的領導一定處處替別人著想，不給別人壓力，不需要別人的伺候和奉承，反而像母親一樣，效法道的作為。好的領袖並不認為自己應該站在眾人的前面，但是當沒有人願意犧牲奉獻之際，他能夠挺身而出，主動為大家服務，透過積極協調，使大家通力合作，從而實現更高的效率。

老子所講的無為而治需要高度的智慧，能夠把握公司或團隊的全局，充分了解公司每位員工的才華，做到量才適用。只要把適當的人才放到適當的位置上，根本不用事事親力親為，勞心傷神。

古代聖明的天子，從堯、舜，到後來的商湯、周武王，都十分重視人才的選拔和使用，無不留下君明臣賢的佳話，他們所用之人都是各領域的專才。天子重在選賢任能，把人才放在適當的位置後，放手讓大臣們盡量發揮，天子自然無為而治。如果從上到下，統統什麼都不做，豈非回到了原始社會？這顯然並非老子的本意。

因此，老子認為統治者要向道學習，有三個法寶：第一個是慈，要像母親一樣，關愛百姓；第二個是儉，要節儉和收斂欲望，不能炫富，更不能陷於物質欲望而不能自拔；第三個是不敢為天下先，讓百姓活在道的世界裡，感覺不到領導和屬下的區分。


## 道法自然

我在各地講國學的時候，談到道家思想有兩句話最常被人引用。

## （一）上善若水

譬如在北京首都國際機場三號航站樓的二樓餐廳，我看到有一面屏風上就寫著「上善若水」四個字。「上善若水」聽上去很美，「善」使人們心生嚮往，「水」又給人以柔和清爽之感，但「上善若水」究竟是什麼意思呢？愈是美妙動聽的話，愈要將它的意思研究透澈。「上善若水」出自第八章：

**上善若水。水善利萬物而不爭，處眾人之所惡，故幾於道。**

最高的善就像水一樣。水善於幫助萬物而不與萬物相爭，停留在眾人所厭惡的地方，所以很接近道。

老子給出的理由兼顧自然界和人類兩方面，這是老子的特色。

首先對自然界萬物來說，所有的生物都需要水分，水對萬物都有利，卻不與萬物相爭。你需要它，它就提供滋養；不需要它，它就流走。再回到人類世界，水停留在眾人所厭惡的低處。俗話說：「人往高處走，水往低處流。」沒有人喜歡停留在低處，但是水不在乎。

最高的善就像水一樣，對自然界萬物都有幫助，在人類社會卻處在最卑微的地方。「故幾於道」，「幾」意為接近，就是和道很相似。「道」看不到、摸不著，讓人覺得抽象玄虛，水的兩個特性很接近道。這說明道無所不在，沒有任何東西可以脫離道的範疇。

英國科學家李約瑟（Joseph Needham，1900－1995）一生致力於研究中國科技和文明的發展歷史，在其編著的十五卷本《中國科技文明史》第二卷，他提出一個新穎的觀點：中國的科學思想和科學精神來源於道家，因為道家認為道無所不在，不會像常人一樣區分美醜香臭。譬如去醫院看病需要化驗大小便，如果醫生嫌髒、嫌臭，則無法診斷出我們的身體究竟哪裡出了問題。對於科學家來說，不論美醜香臭，只要值得研究就會認真對待。中國的科學精神

就是由道家的思想孕育產生的。

後面的發展很有趣，老子、莊子後幾百年，到東漢末年、魏晉時代出現了道教，以老莊思想做為教義的基礎。道教分三派，其中一派稱為丹鼎派，以煉製金丹、得道成仙為目標，並研究「黃白之術」。黃指黃金，白指白銀，黃白之術就是將很多金屬一起熔煉，設法點化金銀的法術。為了迎合帝王長生不老的願望，道士們煉出許多特製丹藥供皇帝服用，漢代以來有許多相關記載。丹藥的效果不好驗證，但提煉丹藥需進行大量的化學試驗，這促進了中國的化學等科學的發展。

「上善若水」以水做比喻，藉此幫助人們了解道的特性：道接納萬物，不排斥任何東西；任何東西的存在都需要以道做為基礎，獲得道的加持，否則它不可能存在。

## （二）道法自然

第二句流傳甚廣的話是「道法自然」。這四個字讓人感覺輕鬆愉快，道雖然崇高而神祕，卻「道法自然」。一般人照字面理解，以為「自然」是指自然界，其實並非如此。要準確理解這四個字就要回到第二十五章：

**人法地，地法天，天法道，道法自然。**

第一句「人法地」。我們要理解「道法自然」就要從第一句話說起。「人法地」是指人所取法的是地理條件。俗話說：「靠山吃山，靠水吃水。」山與水就是地理條件，住在山邊就打獵，住在水邊就捕魚，住在平原就耕田，人的生命不能脫離其所處的地理環境。

第二句「地法天」。同是土地，為什麼有沙漠和綠洲之分？為什麼有適宜植物生長和適宜動物生存之別？地所取法的是天，即地理條件的差別來源於天。古人談到「天」最常見的有兩個意思：

1. 代表天體，包括日月星辰等；2. 代表天時，即春夏秋冬四季的運行。所以「地法天」就好比說，一地之所以為沙漠，是因為天不下雨，一直炎熱乾旱的緣故。

第三句「天法道」。這句話較難解釋。為什春夏秋冬依時序排列，日月星辰按規律運行？人們找不到理由，便把天的表現歸因於道，以道做為根源。

第四句「道法自然」。此處的「自然」不能理解為自然界。「人法地」的「地」代表土地，「地法天」的「天」代表天體、天時，天與地合稱自然界。「天法道」說明天（自然界）取法的是道。如果「道法自然」指道取法的是自然界，就形成循環定義而無效。

《老子》書中「自然」一詞的含義是「自己如此的樣子」。道就是根據萬物自己如此的樣子來運作。離開萬物則無法了解什麼是道。中國有句話說得很好，叫做「即用顯體」，「用」代表功能作用，人無法直接看到本體，因此，要就一樣東西的作用來了解它的本體是什麼。因此，對「道法自然」可以做這樣的理解：宇宙萬物保持自己如此的樣子，道就在其中。

「道法自然」並非讓我們欣賞大自然，而是要活出自己本來的樣子。就外表來說，不要動太多的手術，如果整形使得父母都不認識自己，那就不自然了，不是自己本來的樣子；從內在來說，不要有太多稀奇古怪的想法，要順著人類社會一般的情況去發展，不要標新立異。

「道法自然」提醒我們每一個人都要保持自己本來的樣子，但究竟什麼才是一個人本來的樣子，這反而是更為複雜的問題，值得大家用心思考。

# 困境助人覺悟

我們談到儒家時以孔子和孟子為代表，談到道家時以老子和莊子為代表，雙方各有兩位代表人物，可謂旗鼓相當。然而歷代眾多哲學家中，受誤解最深的是孟子，被嚴重忽略的是莊子。

## （一）被人忽略的莊子

歷代許多人認為孟子所言「性善」是指「人性本善」，這是天大的誤解。孟子所謂的「性善」是指：人只要真誠，內心會產生一種力量，要求自己去行善，可以稱為「人性向善」。

歷代哲學家中最常被人忽略的是莊子。司馬遷在《史記‧老子韓非列傳》中對莊子的思想和生平做了極為扼要的介紹。《老子韓非列傳》其實是老子、莊子、申不害、韓非子四人的合傳，但前三人的篇幅加起來還不到韓非子的一半。我們不能否認，韓非子對於現實政治，特別是對於秦始皇統一六國以及後代帝王專制的影響很大；但對於莊子這麼重要的人物，在篇名中連名字都不提，僅用兩百三十五字便打發了，未免過於誇張。

司馬遷說莊子「著書十餘萬言」，即十幾萬字，今天我們看到的《莊子》版本是由晉代學者郭象所刪定，原文將近七萬字，可見司馬遷所見的《莊子》已經與今天我們所見的版本有很大不同。

《莊子》全書共三十三篇，分為內篇（七篇）、外篇（十五篇）和雜篇（十一篇）三大部分：內篇代表內在的，是莊子本人的思想；外篇是對內篇思想的發揮，應是莊子後學的成果；雜篇裡可能混雜了其他學派的思想，但是既然放在《莊子》書中，顯然和莊子有關。

司馬遷介紹《莊子》一書時，只提到〈漁父〉、〈盜跖〉、〈胠篋〉三篇文章。〈胠篋〉屬於外篇，大意是為了防備盜賊，將家裡

的珠寶箱捆得很緊,然後鎖起來;但是強盜一來,連箱子整個搬走,生怕沒有鎖緊。這個寓言反映出有些人考慮得很多,卻沒注意到會被壞人利用。〈漁父〉和〈盜跖〉屬於雜篇,尤其〈盜跖〉將孔子描寫得十分不堪。盜跖是柳下惠的弟弟,是江洋大盜,孔子勸盜跖不要當強盜,盜跖反將孔子數落一番,使得孔子倉皇遁走。

司馬遷介紹《莊子》的文章,只提到以上三篇,完全沒有涉及《莊子》的內篇,即我們熟知的〈逍遙遊〉、〈齊物論〉、〈養生主〉、〈人間世〉、〈德充符〉、〈大宗師〉、〈應帝王〉,這七篇才是莊子思想的精華所在。可見,司馬遷並未把握莊子思想的重點,對莊子的了解有其局限性。但是,司馬遷有兩點評論是對的:第一,莊子的思想以老子思想為基礎;第二,莊子「其學無所不窺」,即莊子遍觀古代書籍,學識十分淵博。

### (二)無意做官,明哲保身

莊子是戰國中期宋國蒙縣人。宋國一向積弱不振,在戰國時代曾四度被當做其他國家交戰的戰場,導致宋國百姓困頓,民生凋敝。莊子曾短期為官,擔任蒙縣的漆園吏。漆在古代是一種黏劑,以漆樹的汁液為原料,用來黏合家具;吏表明只是基層小公務員。莊子無意仕途,沒多久便棄官歸隱田園,靠自己的力量謀生。

《莊子》書中有不少關於莊子生活的描述:他經常去釣魚(〈秋水〉),用來給家人補充營養;出門常帶一個彈弓,偶爾打幾隻鳥加菜(〈山木〉);他一貧如洗,一度向人借米、借錢來維持生計(〈外物〉)。莊子生逢亂世,一生窮困潦倒;但莊子深知,在亂世中無論經商還是做官,風光無限的背後往往潛藏著更大的風險。

莊子有個朋友叫惠施(390－317 B.C.),惠施與公孫龍(約320－250 B.C.)同為名家的代表人物。《莊子》全書七萬多字,莊子的朋友中只提到惠施一個人的名字。惠施當過春秋時期梁國梁

惠王的宰相，仕途得意，但莊子卻不願做官。惠施能言善辯，常與莊子辯論，在《莊子》書中至少出現五、六次，惠施屢戰屢敗，屢敗屢戰。

楚國國君楚威王聽說莊子智慧過人、才華橫溢，便派兩位大夫前去拜訪。莊子正在濮水邊釣魚，兩位大夫說：「希望把國家大事託付給您。」莊子手持釣竿，聽口音就知道是楚國使者，頭也不回地說：「我聽說楚國有一隻神龜，已經死了三千年；楚王特地用竹箱裝著，手巾蓋著，保存在廟堂之上。這隻龜，是寧可死了，留下骨頭受到尊貴待遇呢？還是寧可活著，拖個尾巴在泥地裡爬呢？」兩位大夫說：「寧可活著，拖個尾巴在泥地裡爬。」莊子說：「你們請回吧！我還想拖個尾巴在泥地裡爬呢！」（〈秋水〉）

兩位大夫顯然沒有完成任務。司馬遷在《史記》中亦有類似記載，說明莊子才華出眾，只是完全沒有機會施展抱負。

### （三）莊子思想的特色

莊子思想的特色可簡單概括為：上承老子，下啟禪宗，旁通儒家，對照西方。

上承老子：莊子思想上承老子，對「道」另有獨樹一幟的看法；下啟禪宗：禪宗屬於中國佛教[66]的一派，主張「不立文字，教外別傳」。莊子的思想多借由寓言故事闡發，虛實結合，真假難辨，從而超越了文字的限制，避免陷於執著。

旁通儒家：《莊子》書中多次談到儒家，觀點非常中肯，且引用的材料在其他先秦典籍中難得一見，我們在學習《論語》、《孟子》時經常需要對照並觀。

對照西方：今天已經進入後現代社會，莊子思想正可以給現代人深刻的啟發。

綜上所述，莊子思想堪稱「大觀園」、「萬花筒」，令人感覺天地無限寬廣。莊子的智慧著實令人讚嘆，古今中外的各種思想均難出其右。但可惜的是，自司馬遷開始，《莊子》一書就受到冷落與誤解，今天這座智慧的寶藏正等待著我們重新發掘。

## 怎樣才會逍遙

莊子思想的精華在於內篇，第一篇〈逍遙遊〉一開頭就讓人驚豔：「北海有一條魚，名字叫鯤。鯤的體形龐大，不知有幾千里。」真可謂語不驚人死不休，哪裡有幾千里這麼大的魚呢？什麼樣的海才能裝得下？你千萬不要執著，接下來更有趣：「魚變化為鳥，名字叫鵬，鵬的背部寬闊，不知有幾千里。牠拍翅盤旋而上，飛到九萬里的高空。」[67]我們乘坐國際航空最多爬升到三萬英尺，大鵬鳥飛到九萬里高空，早就到外太空了，請問莊子在說什麼？

莊子所說的當然是一種比喻，是寓言故事。莊子的思想上承老子，老子說「道大，天大，地大，人亦大」（《老子·第二十五章》）。說道大，因為道是萬物的來源，當然廣大無邊；說天大地大，我們都有切身感受；但是說人亦大，這就很奇怪了，人明明很小，比起大象都顯得小，更不要說坐飛機從高空俯瞰時，人微小如螞蟻，為什麼老子說人亦大呢？

---

66　中國佛教八大宗派並立，包括：天台宗、三論宗、唯識宗、華嚴宗、淨土宗、禪宗、律宗、密宗。

67　原文：北冥有魚，其名為鯤。鯤之大，不知其幾千里也。化而為鳥，其名為鵬。鵬之背，不知其幾千里也。怒而飛，其翼若垂天之雲。

　　莊子通過寓言想告訴我們：人之大不在於身體，而在於人的心靈。《莊子》一開篇就承接老子的「人亦大」，只有人可以理解從魚變成鳥的象徵：魚不能脫離水，生存受到限制；變成鳥就比魚自由多了，可以在空中自由翱翔，這象徵著人的心靈可以提升轉化。

　　大鵬鳥飛到九萬里高空，將整個世界盡收眼底。從地面看天空，覺得天色蒼茫，藍天白雲，十分美麗，莊子設想從天空看地面也應該一樣美麗。但是當時的人怎麼可能到天空去看呢？所以莊子讓大鵬鳥飛到九萬里高空，往下一看，地球真美。

　　這樣的美景為美國太空人親眼所見，他們登上月球之後感嘆說「地球真美」。太陽系八大行星[68]中最美的就是地球，蔚藍的海洋、綠色的原野、白雪皚皚的高山、黃色的沙漠，構成了多姿多彩的地球。保持距離就容易產生美感，道家思想就是讓人把心胸放寬放大，最後就會發現一切都值得欣賞，一切都很美。

　　莊子在〈逍遙遊〉裡提到的「大」至少有四方面的用意：

### （一）超越時間的限制

　　一般人活在世界上，短短幾十年，就以為自己懂得很多，莊子則不以為然：「朝生暮死的菌蟲不明白什麼是一天的時光，春生夏死、夏生秋死的寒蟬不明白什麼是一年的時光。」[69]（《莊子‧逍遙遊》）；「夏蟲不可以語於冰」（《莊子‧秋水》），夏天的蟲不可以同牠談冰，因為牠到秋天就死了，從沒見過冬天的冰。所以從時間上來說，人不要以為短短幾十年就可以掌握很多東西。

### （二）超越空間的限制

　　《莊子》書中最讓人震撼的描述出於外篇中的〈秋水〉，莊子說：秋天雨水隨著季節來臨，千百條溪流一起注入黃河，河面水流頓時寬闊起來，黃河之神河伯得意洋洋，以為天下所有的美好全在

自己身上了，河伯順著水流向東而行，到了北海，朝東邊看過去，卻看不見水的盡頭。海比河大多了，但海神依然感嘆：中國存在於四海之內，就像小米粒存在於大穀倉裡。蘇軾的〈前赤壁賦〉中「渺滄海之一粟」的說法顯然受到了莊子的啟發。

中國如此之大，居然被比作倉庫裡的一粒米，可見莊子視野之開闊，完全超越了空間的限制。如果有這樣的空間觀念，又怎會在意自己住的房子有幾坪，自己的車子有多大呢？

### （三）突破義和利

人的心靈如果經由提升而展現開闊的格局，不僅可以超越空間和時間，還可以突破義和利的局限。通常儒家主張見利思義，見到利益就要想該不該得。

在人間的範圍內區分義和利，設定善惡是非的標準，不僅十分辛苦，且格局實在有限。如果放寬心胸將整個宇宙納入視野，人間的義利之分則難免顯得格局太小。

### （四）超越生死

莊子認為生與死都是氣的變化，這一點後面再詳細闡述。

莊子作〈逍遙遊〉目的何在？他連用三段內容相同、表達方式不同的大鵬鳥的寓言，想要表明的是同一個道理：人要讓自己的心胸如天地般寬廣，最終目標則是要悟道，使心胸像道一樣廣大無邊。

莊子描述了修行的三重境界，先不說最高的和第二層境界，單說第三層境界都令人難以想像：即使天下人都稱讚，他也不會特

---

68　二○○六年八月二十四日，第二十六屆國際天文學聯會通過決議，將冥王星劃為矮行星，從此太陽系從九大行星變成了八大行星。

69　原文：朝菌不知晦朔（ㄕㄨㄛ、、），蟪（ㄏㄨㄟ、）蛄（ㄍㄨ）不知春秋，此小年也。

別振奮；即使天下人都責備，他也不會特別沮喪[70]（《莊子·逍遙遊》）。對於我們教書之人，不要說天下人，班上五十位同學下課時給我鼓掌，就會令我歡欣鼓舞，看來自己的格局還是太小。

我在美國念書時就遇到過一個鮮活的例子。在美國，學生上課很少給老師鼓掌。我的指導教授擅長講宗教哲學，有一次他的課講得特別精采，下課時一百多人一起鼓掌，教授嚇了一跳，高興到不行。從此以後就麻煩了，每次下課後他都要稍微等待，期待有人鼓掌，如果沒人鼓掌，他就神情沮喪地回到研究室。我由此聯想到莊子說的：天下人都稱讚你，不會讓你更振奮。我們要把別人的稱讚當成身外之物。

反之，即使天下人都批評我，也不會讓我特別沮喪。別人批評是別人的自由，世俗的評判標準常常變化，今天有人批評，說不定明天就有人稱讚。我如果輕易受他人影響，這樣的生命還有自主性和自由選擇的可能嗎？

我們從《莊子》第一篇〈逍遙遊〉可以看出：莊子將老子的「道」充分消化吸收之後，再應用於自己的觀念和生活中，展現了開闊的思想格局。莊子讓我們的生命在精神層面可以不斷地提升轉化，最後將產生無限的審美感受。


## 有用真的有用嗎

《莊子》常見一個重要話題是：什麼是有用？什麼是無用？莊子和他的朋友惠施經常就這個問題展開辯論。惠施在梁國當宰相，當然很有用；莊子則窮困潦倒，小小公務員也不做，回家自己種田、打獵、釣魚，勉強維持一個小家庭的生活，看起來好像很無用。

　　如果認為莊子與人辯論只是讓人不要做有用之人，而要做無用之人，這樣的結論顯然太過簡略，完全沒有掌握莊子的思想。莊子絕不是反對有用，他希望人們了解有用、無用的判斷標準和人生的最終目的，這些才是重點。

　　莊子首先肯定任何東西都有用，不能採用單一標準。莊子在〈逍遙遊〉中舉了一個例子：宋國有人世代都以替人洗衣服為職業，古代洗衣服要在河邊拿木棒敲打，冬天河水冰冷刺骨，手極易龜裂，這家人有祖傳祕方可以讓手不會龜裂。

　　一位客人聽說此事，願意出一百金購買他的藥方。洗衣人於是召集家族會議說：「我們世代替人洗衣服，所得不過數金而已；現在一旦賣出藥方就可以賺到一百金，就賣給他吧！」可見一百金顯然是很大一筆錢，遠遠超過洗衣服獲得的收入。藥方賣給客人是否會帶來同行競爭，洗衣人一時也顧不了那麼多。

　　客人拿了藥方，便去遊說吳王，聲稱自己有辦法打敗越國。吳、越兩國長期交戰，此時恰逢越國興兵來犯，吳王於是派他擔任將領，冬天與越人在江上作戰，結果大敗越軍。因為冬天交戰，吳國士兵手上都塗了藥膏而不龜裂，越國士兵的手則全部凍裂，連武器都抓不住，完全無法和吳軍對抗，客人因而得到封地做為獎賞，加官進爵。

　　同樣是不讓手龜裂的藥方，有人只能世世代代替人洗衣服，有人卻可以用它裂土封侯，這說明任何東西要設法應用得恰到好處。由此可知，莊子並非反對有用，而是不要僅局限在小的方面發揮功用，讓自己累得要命，要設法將自己的才華用於大的方面。

---

70　原文：且舉世而譽之而不加勸，舉世而非之而不加沮。

　　《莊子‧秋水》列舉了不少例子，說明一樣東西只能針對特定方面「有用」，無法面面俱到。譬如，一根很大的樹幹可以衝撞城門，卻堵不住老鼠洞，堵老鼠洞一根樹枝就夠用了；千里馬可以日行千里，但是捕捉老鼠的本事不如野貓與黃鼠狼。

　　對於人的世界，莊子特別提醒人們注意：有些人固然是人才，可以為人所用，發揮才幹，但到頭來可能提早結束生命；另外的人可能算不上人才，卻說不定可以安其天年。

　　有關「用」的話題，最精采的故事是在《莊子‧山木》中講述的。莊子帶了一群學生上山，看見一棵大樹，枝葉十分茂盛，伐木工人在樹旁休息卻不加砍伐。莊子問他什麼緣故，伐木工人說：「這棵樹沒有任何用處。」伐木工人很有經驗，一看就知道這棵樹裡面是空的，連最普通的窗戶、門板和桌子都不能做。

　　莊子一行人從山裡出來後，借住在朋友家中。朋友很高興，吩咐僮僕殺鵝來款待客人。僮僕請示說：「一隻鵝會叫，另一隻不會叫，請問該殺哪一隻？」主人說：「殺不會叫的那隻。」我小時住在鄉下，村裡不一定非要養狗，可以養鵝替人看門，陌生人來了，鵝會大叫著追趕，所以不會叫的鵝沒有用。

　　第二天，弟子請教莊子說：「昨天山中的樹木，因為無用而得以保存；現在主人的鵝，卻因為無用而被殺。老師打算如何自處呢？」莊子說：「我將處在有用與無用之間。」這是標準答案，如果能確保安全，該有用就有用，該無用就無用。

　　想要達到莊子所說的境界，需要具備兩方面的智慧：一是了解人情世故和生存的安危法則；二是能夠根據情況做出準確判斷，針對不同處境有不同的表現。莊子並非要人完全無用，他所說的重點是：全身保真，保全生命，真正做自己。

　　關於「有用無用」的判斷，一般人都把「有用」界定為升官

發財，而莊子則提醒大家思考：為了升官發財所付出的代價是否太高？如果為此付出高昂的代價，人生將得不償失。莊子對於「有用無用」的看法可概括為以下幾方面：

1. 不要追求特定的有用。特定的有用可能會讓人付出高昂的代價。

2. 要化解對有用的執著。大家都想念重點學校，畢業後在大公司和好行業裡工作，賺很多錢，認為這些很有用。我們千萬不要人云亦云，因為光鮮亮麗的背後總要付出相應的代價。

3. 要安於自身的條件。我們每一個人都處在特定的時代和社會，不能為了追求有用，為了具備某種專長或能力，就不顧一切。

4. 珍惜此生，樂天知命。

我們要了解世間萬物都有用，但只有人能做出選擇，人會選擇在什麼情況下、為了什麼理由而讓自己變得有用，此時就要衡量得到與付出是否成比例。

莊子「無用之用」的說法很有深意，我雖然一無所用，但我也因此一無煩惱。這絕不是懶惰者的藉口，人生在世要安於現有的條件，腳踏實地，就地取材，自得其樂。每個人都有其特定的條件和處境，人不可能在每一方面都有用，所以該發揮時則發揮，但要適可而止；無法發揮時就欣賞別人發揮，這樣才是對有用、無用的正確認識。

## 見利要思害

將儒家和道家對照比較，可以幫助我們理解得更為透澈。儒家強調見利思義，看到有利益就要想該不該得，如果明知不該得

還非要去爭取獲利，就會心生不安，社會亦有輿論壓力。但是莊子不同，他強調見利思害，看到有利益就要想到它的害處和弊端是什麼，天下沒有一件事是完全有利而無害的，即便是最容易的事情也要花時間去做，這不也是一種付出嗎？

說到見利思害，大家常用「螳螂捕蟬，黃雀在後」來形容。這一成語出自《莊子・山木》，原文是「螳螂捕蟬，異鵲在後」，異鵲是指奇怪的鵲鳥。既然我們今天學習《莊子》，就要尊重原文的記載。

完整的故事是：莊子經常一個人在山上閒逛，有一次他正在欣賞一座漂亮的栗園，忽然從南方飛來一隻奇怪的鵲鳥，鳥翅膀居然擦碰到莊子額頭。莊子嚇了一跳，心想：「一般的鳥都會避開人類，這是什麼鳥啊？翅膀大卻飛不遠，眼睛大卻看不清，翅膀居然碰到我的額頭，難道不知道我是一個兼職獵人嗎？」莊子外出時，身上隨時帶著一個彈弓。

他順著鳥飛去的方向看，發現在樹蔭底下有一隻蟬高唱著「知了，知了……」十分開心；一隻螳螂躲在隱蔽的樹葉中，盯著這隻蟬正要下手；這隻從南方飛來的怪鵲盯著這隻螳螂，弓起了背準備攻擊，這就是「螳螂捕蟬，異鵲在後」。

莊子很聰明，立刻想到：「天下的人和物都是只看眼前利益而不知自己身處險境，這隻大鳥原本應該害怕人類，卻因貪圖一隻螳螂，忘了獵人就在身邊；我是獵人，如果一心只注意這隻異鵲，那麼身後是否有人要對付我呢？」想到這一點，他嚇出一身冷汗，立刻丟掉手裡的彈弓以避免嫌疑，倉皇跑出栗園。但為時已晚，栗園的管理員在後面一邊追趕，一邊大喊：「小偷別走！」

好好的卻被人冤枉是小偷，莊子回家之後三天都不開心。他想到：萬物都是如此，每一樣東西都只注意到自己的需要，卻忽略了

隨之而來的危險和災難，自己一時之間竟然也陷入了迷惑。

當人們一門心思想要獲取的時候，也是最危險的時候，此時往往疏於防範或麻痺大意，一心盯著眼前的目標，結果就會出問題。這個故事說明天下沒有免費的午餐，要得到任何東西都要準備付出代價。

有些人常常覺得自己懷才不遇，自己是千里馬卻沒有遇到伯樂。《莊子·馬蹄》裡講述了伯樂和千里馬的故事：伯樂很厲害，可以訓練千里馬，但是在訓練過程中，經過層層篩選，很多馬被淘汰，馬至少死一半以上才能挑出幾匹好馬，被選出的馬後面恐怕面臨更大的壓力，要不斷面對賽事和表演。

《莊子·山木》中舉了很多類似的例子，將見利思害和有用、無用的判斷相結合。大狐、花豹十分警惕，卻仍然無法避免機關羅網，這是因為牠們的皮毛太漂亮了。如果沒有那麼漂亮的皮毛，牠們肯定可以活得更加自在，更為長久。

《莊子·徐無鬼》中講述了獵人打獵的時候，一定以身手最敏捷的猴子為目標。古人狩獵喜歡打猴子，今天還有耍猴戲表演，中國古代將馬戲團稱為猴戲團，因為猴子是靈長類，比馬靈巧得多。笨拙的猴子無法引起獵人的興趣，身手敏捷的猴子則是最好的狩獵目標。人間的很多事情都是如此，有利就有害，獲利的時候千萬不要以為沒有後患。

《莊子·列禦寇》中講述了一頭用於祭祀的牛，披的是紋彩刺繡，吃的是青草大豆，等牠被牽到太廟待宰的時候，即使牠拚命哭喊，想做一頭孤單的小牛，也不可能再有機會了。

莊子深知獲取利益的同時往往要付出很大的代價，因此他安於貧窮的生活，他的貧窮令人深感同情。《莊子·外物》中講述莊子有位老朋友是監河侯，負責治理水患，所以可向沿岸村落收稅。有

一次莊子想跟他借些錢或米，監河侯說：「過幾個月收到稅之後，借給你三百金。」莊子一聽，氣得臉色都變了，立刻給監河侯講了一個故事。

莊子說：「我昨天來的時候，半路上有人喊我，我回頭一看，在車輪壓凹的地方有一尾鯽魚，鯽魚說：『我是東海的水族之臣，現在快渴死了，有沒有一升一斗的水可以救我？』我說：『好，我將到南方遊說吳國、越國的君主，引進西江的水來迎接你。』鯽魚氣得立刻變了臉色，對我說：『等你開鑿運河把水運來，我早就變魚乾了，還不如早一點去乾魚鋪找我算了。』」

莊子聽到朋友找藉口不願借米給他，臉色立刻變了；有趣的是，他講的寓言裡的魚也會立刻變臉色。他意在責怪朋友：我生活窮困而向你借米，而你做為朋友竟然百般推托。

所以莊子確實了解生活貧窮的困窘，借米不是為了自己而是為了家人。人生在世難免會有委屈，不過莊子清楚地知道，這種委屈是他自己的選擇。如果他不肯受委屈而去做官或是經商，付出的代價恐怕更高，利益背後的危害恐怕難以承受。由此可見，莊子並非只講一些消極無奈的話，他是希望人們對人情世故能有更加透澈的了解。

## 與自己要安

談到道家思想，我們可以用「安、化、樂、遊」四個字概括，即：

1. 與自己要安：與自己相處，不管遭遇什麼狀況，要安心接受。2. 與別人要化：與別人相處，要做到「化」，即「外化而內不

化」。3. 與自然要樂：與自然界相處，要體味快樂。4. 與大道要遊：悟道之後，要設法與道同遊，即逍遙之遊。

本節我們先談第一點：與自己要安。

每個人都有不一樣的人生遭遇，我們不必羨慕別人，因為我們不可能成為別人。「與自己要安」是說，任何事情發生在自己身上，都能安心接受。

譬如，我們生活在二十一世紀，我們面臨什麼樣的社會環境和國際局勢，我們會遇到哪些內外考驗，我們身邊的家人、親人、朋友是哪些人，諸如此類的很多事情都不是我們可以自由選擇的。因此，對於我們所遇到的各種情況，先不要判斷好壞，而要安心接受。

### （一）安於現狀

我曾在比利時魯汶大學和荷蘭萊頓大學教書，在荷蘭萊頓大學執教一年，時間較長。期間我留心觀察荷蘭人的生活，發現在特定的時空環境之下，荷蘭人表現出的生活態度居然和道家的說法很接近，荷蘭人能夠安於他們的生活情況。

歐洲國家眾多，荷蘭的綜合實力排名僅位居第六，德國、英國、法國一定排前三名，義大利第四，西班牙第五。所以荷蘭人很少有遠大志向，從來沒聽荷蘭人說過「下一個世紀是荷蘭人的世紀」之類的豪言壯語。荷蘭人自知不可能在歐洲拔得頭籌，更不要說在整個世界上領先了，久而久之，便形成了安於命運的心態。

譬如，英文中有一句成語「go Dutch」，意為按荷蘭人那一套。如果約人喝咖啡時說「go Dutch」，代表各自買單，即現在所謂的「AA制」。平均分攤，誰也不吃虧，如此相處才能長久，這就是從荷蘭人那裡學來的。

我在荷蘭教書時，有一次下課後幾個教授湊在一起，其中一位

教授提議說「喝咖啡去吧」，這絕不代表他要請客。這與中國的情況完全不同，中國人在一起聊天，誰提議「喝咖啡去吧」代表他要付帳，這是約定俗成的。在荷蘭喝咖啡，AA制是約定俗成的，不用再說「go Dutch」。

在咖啡店，我看到兩個教授商量半天，原來是一塊蛋糕太大，兩人要一人一半、共同分享；付帳時一半是多少錢，算得清清楚楚。我們看了會覺得太小氣了吧？其實，荷蘭的人均國民收入很高，很多年前就超過三、四萬美金，但是他們知道在歐洲多國競爭的環境下，生活不易，因此要存錢，要安於實際的狀況。

### （二）退一步想

荷蘭人「與自己要安」的心態，還反映在另外一句口頭禪上：「還好事情沒有變得更壞。」荷蘭人看待任何事都會退一步想，從更壞的角度來審視現在的情況，從而更容易感到慶幸和滿足。

比如，一個中國人和一個荷蘭人開車，都發生了車禍，中國人會說：「真倒楣，我的車撞壞了。」荷蘭人則會說：「太幸運了，我沒有受傷。」中國人只看到損失的，而荷蘭人會看到獲得的。車禍之後，如果兩個人都斷了一條腿，中國人會說：「完了，只剩下一條腿。」荷蘭人則會說：「太幸運了，還有一條腿。」這並非開玩笑，而是荷蘭人的真實想法。

對於已經發生的事，與其抱怨「早知如此，何必當初」，不如直面現狀，安心接受。只要還活著，便可尋找有利的條件，繼續勇敢地活下去。當然，中國人看重損失的心態從另一個角度來看，也有可取之處，這樣會提醒自己下次更加珍惜、更加小心。

### （三）自得其樂

在荷蘭，晴天出太陽是件非常愉快的事情。荷蘭素以風車聞名於世，代表荷蘭常有很大的風雨。我在荷蘭時住在臨街的公寓，

到學校上課需步行十分鐘，如此短的路程，有一回竟然碰到雨時下時停了三次。一旦出太陽，荷蘭人便把椅子搬出來，在院子裡曬太陽，享受難得的陽光，很是愜意。

荷蘭地勢很低，近一半的國土低於海平面，城內的運河星羅棋布，運河上設有拱橋，方便行人通過。有一次下課回家途中，我看到一位年輕人坐在一個拱橋上釣魚，不免好奇，心想：「這裡的水不太乾淨，真的會有魚嗎？」於是，我就站在他身後十公尺左右的地方，等著看是否有魚上鉤。這個年輕人發現我在看他，便回頭笑著對我說：「先生，我的竹竿上沒有線。」我聽了之後嚇一跳，心想這個境界太高了。我們以前只聽說過姜太公釣魚用直的魚鉤，現在一位荷蘭年輕人釣魚，竟然連魚線都不用。這說明荷蘭人能夠自得其樂。

做為一個荷蘭年輕人，難得碰到天氣不錯，他沒有幻想著如何征服世界、建立豐功偉業，卻自己玩起了VR（虛擬實境），坐在橋上拿一根竹竿，想像自己在釣魚，結果竟然讓我信以為真，他能如此自得其樂，我當時深受感動。

的確，人活在世界上，為什麼一定要活在一個偉大的時代，從事一項偉大的工程？難道不能安於現狀，就身邊現有的條件，跟周圍的人好好相處嗎？我們完全可以就現有的條件，把今天該做的幾件事做好。出太陽的時候，就愜意地享受陽光；下雨的時候也不必抱怨，可以用心感受雨中的浪漫情調。

我以荷蘭人為例並不代表荷蘭人都懂得道家，荷蘭人具有獨特的生存條件，長期的潛移默化造就了荷蘭人安分守己、自得其樂的心態。所以，每個人若想過得快樂，一定要學會就地取材，享受當下的快樂，生活中的一點小確幸就可以使平淡的日子充滿樂趣。

人活在世界上，不正需要這樣的心態嗎？這樣的心態無疑將

給我們的人生帶來積極的影響，這是我們從道家得到的啟發，對待自己，要做到「與自己要安」。即使升官、發財，也照樣可以「安」，你不需要向別人炫耀或與人攀比，要設法為自己找到一個適當的生活態度。

# 與別人要化

談到道家思想給我們的啟發，第二點是「與別人要化」。「化」這個字很重要，《莊子‧知北遊》中提到古代人的處世原則是「外化而內不化」，可見「化」分為兩個方面：1. 外化，外表與別人同化；2. 內不化，內心完全沒有任何變化。

### （一）外化：外表與別人同化

「外化」是指外在的生活習慣、言行舉止與別人同化，即要入境問俗，入鄉隨俗，尊重他人的生活方式，避免引起別人的側目。在這一方面，道家充分掌握了儒家的優點。儒家強調「善是我與別人之間適當關係的實現」，因此與人相處要謹守規矩，以禮相待，道家對此並不排斥。學習道家思想後，如果行為舉止變得稀奇古怪，與社會格格不入，不能算是學會了道家；相反，在任何地方不會被人認出是道家，才算掌握了道家的特色。

《莊子‧天運》中有一段談到孝順，顯得比儒家更為深刻；但是儒、道兩種思想出發點不同，並不能簡單地評判高下。儒家談孝順強調兩點：第一，尊敬父母；第二，愛護父母。其他的都是圍繞這兩點的具體表現。莊子在此基礎上，將孝順進一步分為六種境界：

第一種，尊敬父母。

第二種，愛護父母。

第三種，子女孝順父母的時候，忘記父母是父母，即把父母當成朋友。

做父母的都知道，子女進入中學之後，會變得難以溝通，從前子女對父母無話不談，現在變成只向朋友和同學傾訴。如果子女能敞開心扉，把父母當成朋友，實屬孝順。

第四種，子女孝順父母的時候，讓父母忘記子女是子女，即讓父母把子女當成朋友。

如果子女透過孝順父母，能讓父母把子女當成朋友，則更加難得。比如我們小時候回家，常碰到父母正在聊天，一看到我們回來就戛然而止，還說「大人的事小孩別管」，讓我們別瞎打聽。能做到第三、第四種孝順，已經可以算是「外化」了。

第五種，孝順父母的時候忘記了天下人。

我們熟知的「父子騎驢」的故事顯然沒做到這一點。爸爸和兒子牽著一頭驢進城趕集，半路上有人說：「有驢不騎，不是浪費嗎？」爸爸覺得言之有理，爸爸疼愛兒子，就讓兒子騎到驢背上。走了一段，又聽到有人說：「兒子騎驢，讓爸爸走路，太不孝順了。」兒子馬上下來，讓爸爸騎上去。過了一會兒，又有人說：「爸爸騎驢，讓兒子走路，太不慈愛了。」於是父子兩人一起騎在驢背上。走了一段，又有人說：「父子兩人都騎在驢背上，這不是虐待動物嗎？」最後，父子兩人乾脆抬著驢進城。這說明太在意別人的看法，自己反倒會缺乏主見。真正的孝順要忘記天下人，孝順是真誠之心的自然流露，只需盡其在我，不必在意別人怎麼說。

《二十四孝》故事中，老萊子「戲彩娛親」的故事也反映了同樣的道理。老萊子七十歲時，奉養九十多歲的父母，他回家後換上五色彩衣，揮舞彩帶，像幼稚園小朋友一樣，唱歌跳舞給父母欣

賞。有一次給父母送水，又假裝摔倒在地，裝出嬰兒的哭聲，讓父母笑得前仰後合、樂不可支。別人可能會覺得老萊子有問題，這麼大歲數了還假裝小孩，但是他喜歡這樣做，父母喜歡看，就不必在意天下人怎麼看，這才是孝順。

第六種，孝順的最高境界是讓天下人都忘了我在行孝。

這種境界實在令人難以想像，借莊子的話來形容叫做「相忘於江湖」（《莊子・大宗師》）。魚在江湖裡優游自在，完全忘了同伴；人間孝順的最高境界則是完全忘了彼此之分。否則，一天到晚循規蹈矩，區分長幼尊卑，被繁文縟節所束縛，難道不覺得累嗎？

莊子描述的「外化」的境界令人難以想像，這正是道家的精采所在：外表與別人同化，不去刻意改變社會現狀，不讓別人有突兀之感，尊重別人的生活方式。

## （二）內不化：內心完全沒有任何變化

更重要的是「內不化」三個字，即內心完全沒有任何變化。對一個人來說真正可貴的是，無論財富、名聲、地位、學問如何，個人的內在完全不受影響，這正是道家強調的重點。人生在世努力奮鬥，難免會有「時也，命也，運也」的感慨，努力未必會有成果，面對外在的各種情況要學會淡然處之、逆來順受。

《莊子》多次提到「不得已」，此一說法十分重要。莊子所謂的「不得已」並非指被迫無奈、不得已而為之，而是當發現各種條件都成熟時，要順其自然。所以「不得已」非但不是委屈無奈，反而是順其自然，其關鍵在於判斷條件是否成熟。

## （三）適合學習道家的三種人

學習道家，需要對人情世故有非常深入透澈的了解，有三種人適合學習道家：

第一種是年紀很大的人。像老子一樣，飽經滄桑之後，看透人

情冷暖、世態炎涼。

　　第二種是失意之人。就像莊子，人只有在失敗的時候，在極度困頓中才能看破世間浮華的表象。如果從未失敗，怎能真正了解成功是什麼？

　　第三種就是智慧極高之人。世界上的人分為兩種，用佛教的術語來說，一種叫做「利根」，一種叫做「鈍根」。「利根」代表冰雪聰明、一點就通之人；「鈍根」代表反應遲鈍、需要慢慢磨練之人。「利根」之人適合學習道家，道家強調智慧的覺悟，道家的智慧只有一個標準：能夠悟道才是智慧。一旦悟道，從道的角度來看萬物，一切都好像是透明的，一目了然。

　　莊子是宋國人，常常提到宋國國君宋元君。《莊子・田子方》中講到，有一次宋元君打算畫些圖樣，公告一出，全國有名的畫師都趕到宮廷集合，一下子把宮廷塞得滿滿的，畫師們站立等候，有一半的人都站到門外去了。有一個畫師稍晚才到，悠閒地走進來，行禮作揖之後也不站立恭候，直接就到畫室去了。宋元君派人去察看，他已經解開衣襟，袒露上身，盤腿端坐著，準備開始繪畫。宋元君說：「好，這才是真正的畫師。」

　　這個故事影響到晉代大書法家王羲之。東晉時代，王家是一個顯赫的大家族。郗太傅派使者去王家挑選女婿，丞相王導對使者說：「我家子姪眾多，你到東廂房隨意挑選吧。」王家的年輕人聽說郗太傅要選女婿，個個盛裝打扮、精神抖擻。唯獨靠牆的床上躺著一個年輕人，袒胸露腹在睡午覺，好像什麼事都沒發生似的。使者回去報告之後，郗太傅說：「就找這個人。」這個人就是王羲之，成語「東床快婿」就出自這個故事。王羲之為人真誠，完全不考慮外在的得失榮辱，將來結婚之後自然容易相處。

　　談到道家的智慧，與別人來往要做到「化」，雖然只有一個

「化」字，但其中的內涵卻十分豐富，值得我們用心體會。


# 與自然要樂

　　道家思想給我們的第三點啟發是「與自然要樂」，此處的「自然」指自然界。《老子》書中的「自然」指萬物保持自己如此的樣子；到《莊子》成書的時代，「自然」一詞業已成為術語，所指為自然界。

## （一）自然界的公平

　　人間最大的煩惱和痛苦，往往在於人感覺不到公平和正義，這並非全由昏瞶的統治者所造成，即使像堯、舜這樣英明的帝王，也不可能讓所有百姓都覺得公平。每個人都會拿自己和別人進行比較，相形之下總覺得自己受到委屈，如此一來，公平和正義難有客觀、統一的標準。

　　自然界會帶給人快樂，因為自然界總能讓人感到公平。比如一陣清風吹來，無論有錢人還是窮人，都會覺得涼快；如果風吹過來，有錢人覺得涼快，窮人覺得很熱，那一定是人們想像出的，不是真實的情況。

　　自然界的表現符合客觀規律，可以預測。《莊子‧則陽》中說：「我深耕田地，仔細鋤草，稻穀就繁榮滋長，定以稻穀豐收回報我；相反，耕地時動作魯莽，鋤草時草率，到最後長不出好稻穀，又能怪誰呢？」同樣的，我種一盆花，每天細心澆水，修剪枝葉，花期一到，它就會開出美麗的花朵回報我。

　　自然界的特色是有付出必有收穫，並且付出與收穫成正比。人類社會則不然，有些人生下來應有盡有，不勞而獲；有些人奮鬥到

老還一文不名，勞而無功。人類社會中找不到公平正義，這時就要擁抱大自然，在自然中重新發現公平，因為大自然本就如此。

蘇東坡（1037－1101）文采斐然，他在〈前赤壁賦〉中寫到：「惟江上之清風，與山間之明月，耳得之而為聲，目遇之而成色，取之無禁，用之不竭。」再多的人欣賞明月、享受清風，明月照樣皎潔，清風依舊涼爽，大自然對人類十分慷慨，絕不吝嗇。

### （二）排除刻意的目的

人活在世界上，為什麼要經常親近大自然呢？因為大自然沒有人為的刻意安排。

道家思想講「無為」，所指是「無心而為」，即不要有刻意的目的。刻意去實現某個特定目標，常常會犧牲其他目標，原本可同步達成的其他目標，現在則被完全拋棄。特定目標即使達成，通常也會引起反彈，從而構成更大的問題。自然界沒有刻意的安排，這正是自然界的可貴之處。

我有一個朋友家裡養著十條狗，我問他：「家裡為什麼養這麼多狗？」他說：「我喜歡看狗臉勝過看人臉。」人是有表情的，當看到別人全身名牌，我們會兩眼放光，羨慕不已；當看到炫酷跑車呼嘯而過，我們會自嘆不如。動物則不會如此，一條狗從小被人養大，一定會對主人忠心耿耿，絕不會嫌貧愛富，看到開賓士的就跟著跑了，因為狗把主人當做生命的寄託。

植物和動物都屬於自然界，大自然中完全沒有人類的矯揉造作和人際間的複雜關係，人在自然中可以完全回歸自己本來的樣子，這正是自然帶給人的快樂。

莊子認為天下人所看重的是財富、顯貴、長壽和名聲，一心追求這些東西，會帶來諸多問題，從而失去自然之樂。（《莊子‧至樂》）

### 1. 財富

「富有的人，勞苦身體，辛勤工作，累積大量錢財而不能充分享用，這樣對待自己的生命，也太見外了！」有錢人積累的財富幾輩子也用不完，他們的子孫不勞而獲，繼承大量財產後，必然失去奮鬥的動力，後代家道中落的情形不難想像。

### 2. 顯貴

「顯貴的人，夜以繼日，思索考慮決策的對錯，這樣對待自己的生命，也太疏忽了！」有時看到古裝劇中的雍正皇帝，喜吃素食，自奉簡約，卻每天通宵達旦地批改奏摺。對於整個國家而言，他當然很重要；但是沒有他，國家就一定無法發展嗎？可見他對自己太疏忽了，所以後來年壽不長。

### 3. 長壽

「人活在世間，與憂愁共生，長壽的人煩惱特別多，長期憂愁又死不了，何其痛苦啊！這樣對待自己的生命，也太遠離了！」如果懂得道家思想，長壽而且活得快樂，當然是好事；但很多長壽之人，為了子孫而長期憂愁，煩惱不已。

### 4. 名聲

每個人都喜歡好名聲，但莊子以伍子胥為例，說明「烈士受到天下人稱讚，可是卻無法活命」。伍子胥對吳王夫差忠心耿耿，卻被小人進讒言，最後自刎身亡，儘管有好名聲，卻活不長久。

## （三）活出自己生命的特色

莊子博學多聞，言語詼諧，舉了很多古代賢士的例子，挑戰儒家思想。儒家教人忠孝節義，但是莊子指出這些古代賢士死得都很悲慘。《莊子·盜跖》以尾生為例：「尾生與一名女子相約在橋下見面，女子沒來，下大雨洪水湧至他也不離開，抱著橋柱淹死了。」尾生十分守信用，寧可被水淹死，也不肯失信而上橋。

　　莊子把這些例子當做反面教材，說明守信用固然很好，但不能過於執著，不知變通。人間許多既定的規則不是我們能夠改變的，與其為了名利權位等利益付出重大代價，還不如活出自己生命的特色。

　　所謂的自然，還有回歸原始之義，回歸自己本來的樣子，保持自己如此的狀態。當與大自然親密接觸時，植物動物、日月星辰、山河大地、鳥獸蟲魚，每樣東西都能讓我們感到快樂，只要敞開心胸，很容易自得其樂。

　　很多人都喜歡「採菊東籬下，悠然見南山」的田園詩意，陶淵明的另一句話「勤靡餘勞，心有常閑」（《自祭文》）則很適合做為座右銘。每天辛勤工作，不遺餘力，但是內心經常保持悠閑；雖然恪守本分，努力工作，卻不為工作勞心傷神，做到形勞而心閑，忙而不亂。我們也可以用同樣的方式與他人相處，往來酬酢中讓內心保持悠然自得。


## 與大道要遊

　　道家思想給我們的第四點啟發是「與大道要遊」。但問題是「道」在哪裡？如果不了解道在哪裡，又該如何與道同遊呢？

### （一）道無所不在

　　《莊子·知北游》中東郭子就向莊子提出這樣的疑問：「所謂的道，在哪裡呢？」一般談到一樣東西時總要說明它具體在哪裡，這樣才好被人認識。

　　我有位朋友在香港教書，他在女兒七歲的時候，第一次帶她坐飛機。飛機飛到高空之後，女兒一直很認真地盯著窗外看，他

就問：「你在看什麼？」女兒說：「我在找上帝。」朋友頓愕。又問：「為什麼在窗外找上帝呢？」女兒說：「老師說上帝存在，而且就在天上。」女兒信以為真，第一次坐飛機就希望看到上帝是什麼樣子。爸爸聽了女兒的話不免心驚膽顫，心想萬一找到了該如何是好？

其實這種擔心是多餘的，哪裡有天上、地下之分？地球是圓的，從這邊看是天上，從另一邊看就是地下。人們認識事物時，往往要先知道它的位置後，才能接受它存在的事實。但是，道或上帝不占空間，沒有具體的位置可言。

那麼，莊子對東郭子的問題是如何回答的呢？

東郭子請教莊子：「所謂的道，在哪裡呢？」

莊子說：「無所不在。」（這是標準答案，道家認為「道」無所不在，每個地方都有道。）

東郭子說：「一定要說個地方才可以。」

莊子說：「在螞蟻中。」

東郭子說：「為什麼如此卑微呢？」（一般人認為，「道」應該在終南山之類的名山大川中，怎麼可能在不起眼的螞蟻身上呢？）

莊子說：「在雜草中。」

東郭子說：「為什麼更加卑微呢？」

莊子說：「在瓦塊中。」

東郭子說：「為什麼愈說愈過分呢？」

莊子說：「在屎尿中。」

東郭子不出聲了。

莊子智慧過人，他的回答完全超出一般人的想像，他說「道」在螻蟻、雜草、瓦塊、屎尿中，這是按照動物—植物—礦物—廢物的邏輯順序。莊子的意思是：連最低賤卑微之物都有「道」在其

中。

　　莊子接著說：「先生的問題，本來就沒有觸及實質。有個市場監督官，名叫獲的，他向屠夫詢問檢查大豬肥瘦的方法，屠夫的回答只有四個字『每下愈況』。」

　　「每下愈況」稍微調換一下字序，就變成今天我們常說的「每況愈下」，比如說美國經濟每況愈下，是指美國經濟愈來愈差，莊子的意思顯然與此不同。莊子所謂的「每下愈況」是指，每次用腳踩在豬腿上，愈往腿下的部分而有肉，這隻豬就愈肥，「每下」就是每一次用腳往下踩。

　　一頭豬通常比人重幾倍，古代沒有大的磅秤，豬不像雞鴨可以秤重，人們就通過用腳踩豬腿的方式來判斷肥瘦。踩的時候不能踩大腿，因為豬大腿上的肉很多，不好分辨；要踩小腿，愈肥胖的豬，小腿的肉愈多；最好踩豬蹄，連豬蹄上都長滿肉，才是真正的肥豬。

　　為什麼莊子回答「道在哪裡」時，以賣豬為譬喻呢？莊子是想藉此說明：你不要執著在一個地方，你用腳踩的任何地方都是道，道無所不在。認識到這一點，我們的人生觀將發生明顯的改變。

### （二）「無所不在」不等於「無所不是」

　　莊子分辨出道和萬物的區別：萬物可以消長、衰退或消失，而道沒有任何消長變化，更不會消失；萬物充滿變化，用佛教的術語來形容就是「成住壞空」，但是道完全不受任何影響。道是使萬物成為萬物的力量，但這個力量本身從來不會有任何變化，這正是老子所說的「獨立而不改，周行而不殆」（《老子‧第二十五章》），意即：道獨立長存而不改變，循環運行而不止息。

　　同時，「道無所不在」不等於「道無所不是」。只有分辨清「在」與「是」的差別，才能體現出道的超越性。

如果說「道無所不是」，就會變成西方的泛神論。「是」意為「等於」，「道無所不是」意為「道就是萬物」，也可說成「道等於萬物」，這樣說會出現困難。據科學研究，月球和地球是在大約四十億年前出現的，有出現就會有發展，有結束。如果道等於萬物，而最終萬物全部消失，道難道會隨萬物一起消失？不管萬物如何變化生滅，道完全不會受到任何干擾，所以絕不能說道是萬物，只能說道遍在萬物，萬物都在道中。

用「在」可以同時體現出道的超越性和內在性。道的超越性是指：道不隨萬物的變化而變化。道的內在性是指「道無所不在」。萬物雖然紛繁複雜，有大小、貴賤之分，但道就在萬物之中，沒有任何地方、任何東西能夠離開道的範疇。

### （三）身邊的一切都值得欣賞

如果真正懂得道家，根本不需要去九寨溝、黃山、美國大峽谷等風景名勝，因為以道的角度來看，身邊的一切都值得欣賞。如果缺少這樣的眼光，認為一定要去旅遊勝地才能欣賞到美景，那麼除了旅遊的短暫時光，其他大部分時間都無法有審美的感受。

由此可見道家的智慧。萬物中都有道的存在，你有善觀的眼，就能從萬物中看出道的光輝，就連我們自己也在道裡面，這樣一來，內心很容易產生一種安定的力量。

一個人學習道家之後，生活可以平平淡淡、雲淡風輕，對萬物都樂於接受、能夠欣賞，原因就在於他覺悟了「道」是什麼。人一旦覺悟，將表現出完全不同的生命態度。

總之，道家給我們的啟發是：與自己要安，與別人要化，與自然要樂，與大道要遊。對照儒家給我們的啟發 —— 對自己要約，對別人要恕，對物質要儉，對神明要敬 —— 我們會發現：講道家的啟發，第一個字是「與」，講儒家的啟發，第一個字是「對」。

「對」有針對性;「與」有整體性,「與」代表我與他人、與萬物都有共同的來源 —— 道。

## 生死是一體

本節介紹道家的莊子對於生死問題的看法。

生死問題是最根本的問題。沒有人不怕死,沒有人不喜歡活得長久,在中國古代的《尚書・洪範》裡談到五種好的報應(五福),第一就是長壽。好生惡死是一種本能的想法,對任何生物都如此。

莊子如何看待生死?《老子》裡相關的題材很少,《莊子》裡則講述了很多有趣的故事。談到生死問題,《莊子》裡有一句話可以做為他的基本立場:「善吾生者,乃所以善吾死也。」(《莊子・大宗師》)意為:那妥善安排我的生命的,也將妥善安排我的死亡。

人並非通過自己的努力而降生世間,而是莫名其妙地來到了這個世界,沒有人知道緣由。出生之後,如何度過此生是我們可以自己把握的。生命終歸結束,人要怎樣面對最後的結束呢?莊子告訴我們:不必擔心,是道讓你活著,道也會妥善安排你將來怎樣結束。

然而我們仍不免好奇:道家究竟是如何面對死亡的?莊子說:「死生為晝夜。」(《莊子・至樂》)即死生的變化就像晝夜的輪替一樣,有生就有死,這是最自然的發展過程。

《莊子・至樂》講述了莊子如何坦然面對妻子去世的故事。莊子的妻子過世,朋友惠施到家中弔喪,一進門嚇了一跳,莊子正蹲在地上,一面敲盆一面唱歌。惠施心情不快地說:「你一輩子那麼

窮，妻子與你一起生活，她把孩子撫養長大，現在年老身死，你不哭就罷了，竟然還要敲著盆子唱歌，不是太過分了嗎？」

莊子說：「你先別怪我。當她剛死的時候，我又怎麼會不難過呢？後來我經過省思，察覺到她起初是沒有生命的，只是荒郊野外的一股氣而已，這股氣的變化賦予了她生命，她出生長大後嫁給我過了一輩子，現在她死了又回到那股氣裡面，死亡好比是回家。我覺悟之後就不再傷心哭泣了。」我們今天說「視死如歸」讓人感到萬分悲壯，似乎只有軍人才能做到；莊子則認為每個人看待死亡都應該像回家一樣，是值得高興的事。

《莊子·齊物論》裡有一段話讀後讓人有醍醐灌頂之感：「我怎麼知道貪生不是迷惑呢？我怎麼知道怕死不是像幼年流落在外而不知返鄉那樣呢？」莊子舉了一個例子，他的例子常有相關的歷史背景，但並非真實的歷史事實，很多時候是他自己杜撰的寓言故事。

晉獻公有次巡視邊疆，發現邊疆官的女兒麗姬長得非常漂亮，相貌傾國傾城，是《莊子》書中四大美女之一，晉獻公立刻就要迎娶她回王宮。麗姬從小在邊疆長大，不知道王宮的富麗堂皇，她一想到要離開父母，哭得眼淚沾溼衣襟，至少流了一升的眼淚；等她進了王宮，與晉王同睡在豪華舒適的大床上，共同享用滿桌的山珍海味，這才後悔當初不該哭泣。

很多人生病快死了，四處求神拜佛，總希望活得久一點；死後才發現，想不到死後這麼快樂，這才後悔當初為何要努力求生。莊子的寓言故事讓人感到十分震撼，使人深受啟發。莊子認為，人活在世界上，正好像年輕時離家出走，所以死亡就是回家，回家應該感到快樂才對。

《莊子·至樂》有一段莊子和骷髏頭的對話十分有趣。莊子身逢亂世，當時正處於戰國中期，戰亂頻仍。莊子來到楚國，看見路

邊有一副空的骷髏頭，形骸已經枯槁。莊子用馬鞭敲擊它，然後問道：「你是因為貪圖生存、違背常理，才變成這樣的嗎？還是因為國家敗亡、慘遭殺戮，才變成這樣的？還是因為作惡多端，慚愧自己留給父母妻子恥辱而活不下去，才變成這樣的？還是因為挨餓受凍的災難，才變成這樣的？還是因為你的年壽到了期限，才變成這樣的？」莊子的話反映了當時人們死亡的五種原因，大都是天災人禍或做了壞事，只有最後一種才是壽終正寢，說明當時天下大亂，大多數人都死於非命。

後來莊子枕著骷髏頭睡著了，在夢中和骷髏頭開玩笑說：「我叫管地府的官恢復你的生命，你願意這樣嗎？」骷髏頭皺起眉，憂愁地說：「我在這裡睡得好好的，不需要吃東西，可以暖暖地曬太陽，自由自在，就算讓我當帝王我也不幹，我又怎會再回到人間去受苦呢？」想成為傑出的帝王十分辛苦，殫精竭慮；昏庸的帝王固然可以享樂，但人的欲望無限，追逐物欲享受只會帶來更大的痛苦。由此可見，莊子對死亡不存成見，人沒有必要刻意抗拒死亡。

隔了幾年，莊子自知天年已盡，《莊子·列禦寇》記載了此事。莊子學識淵博，有幾個學生跟在他身邊，學生們認為老師一生很委屈，於是想要為莊子安排厚葬。莊子說：「千萬不要厚葬，就把我丟到曠野好了。我把天地當做棺槨，把日月當做雙璧，把星辰當作珠璣，把萬物當做殉葬，我陪葬的物品難道還不齊備嗎？還有什麼比這樣更好的！」學生說：「我們擔心烏鴉與老鷹會把先生吃掉。」莊子說：「在地上會被烏鴉和老鷹吃掉，在地下會被螞蟻吃掉，從那邊搶過來，送給這邊吃掉，真是偏心啊！」

莊子的話令人哭笑不得，但他的話自有道理。據「探索頻道」介紹，地球上曾經生活過的人將近一千億，現在活著的有七十多億，可見，死去之人早已塵歸塵、土歸土，重新回歸自然，變成地

球的一部分。百年之後，我們不也是其中之一嗎？

所以，死亡是自然現象，何必大興土木、建造陵墓來厚葬。很多帝王建造了奢華的陵寢，無數金銀珠寶陪葬，這樣反而更可憐，隔了幾百年還要被盜墓，死後不得安寧。莊子把自己當做寫作的素材，意在化解我們對生死的執著。

古希臘哲學家蘇格拉底說：「你不要害怕死亡，因為你不了解什麼是死亡。如果你害怕死亡，就好像把你不了解的東西當做你了解的東西，這是自欺欺人。」一個人害怕死亡，好像他知道死後很慘似的。然而我們真的知道死後是怎麼回事嗎？我們何以得知？又該如何證明？其實我們對死後的認識完全出於自己的主觀想像。

道家思想深具智慧，對生死問題的看法十分豁達，既不悲觀也不樂觀，而是達觀，即能夠對事實做完整而透澈的了解。學習道家思想後，人絕不會有偏激的觀念或行為，反而可以將許多事情看得很透澈，坦然面對；既不會人云亦云，也不會標新立異，能做到「外化而內不化」。這是因為人一旦悟道，就會洞見許多事情。


## 智慧的頂點

儒家強調德行修養，道家強調智慧覺悟，談道家最後不能避開的問題是：什麼是最高的智慧？莊子的思想上承老子，下啟禪宗，旁通儒家，對照西方，其中「對照西方」就是針對智慧而言的。

《莊子》書中關於最高智慧的描述讓一般人不知所云，他至少三次提到古代人的智慧抵達最高的境界，用「至矣，盡矣，不可以加矣」（《莊子·齊物論》）來形容，即這種智慧到了頂點，到了盡頭，無法增加一分。我們當然很好奇，古代人的最高智慧究竟是什

麼呢？

古代人能夠認識到「未始有物[71]」就是最高智慧。「未始有物」就是從來不曾有萬物存在過。前面介紹過，道家要克服的是「存在上的虛無主義」；現在說最高的智慧就是了解從來不曾有萬物存在過，這豈非虛無主義？其實並非如此。

莊子所說的「物」指萬物，說萬物從來不曾存在過，因為從頭到尾存在的只有「道」。「未始有物」的說法宛如置之死地而後生，只有了解萬物在本質上是虛幻的，才能真正覺悟「道」是存在本身，是永遠的本體。

將莊子的說法與西方對照，西方兩千六百多年的哲學一直在探討一個問題：為什麼是有而不是無？萬物一直在不斷變化生滅中，紛紛紜紜，可見萬物的本質是虛無的；那萬物為什麼「有」（存在）呢？萬物是「無」（不存在）比較合理。譬如，一百年前沒有我，一百年後也沒有我，我在本質上是虛無的。萬物都在時間過程裡出生和結束，從永恆來看，沒有任何東西存在過。

西方的這個問題等於是在問：世界上為什麼會有萬物呢？既然萬物存在，就需要解釋。萬物的本質是無，是存在本身（存在的基礎）使萬物得以存在，萬物有生有滅，但存在本身沒有改變，沒有消失，所以萬物的存在讓人驚訝。

古希臘時代的柏拉圖曾說：「哲學起源於驚訝。」譬如，看到一朵花開了，這朵花是去年那朵花嗎？當然不是。既然不是去年那朵花，為什麼也叫玫瑰呢？這就是哲學的開始。萬物本身根本沒有存在的理由，萬物的本質是虛幻的，但是它現在居然存在了，這就

---

71 「未始有物」的說法見《莊子》中的〈齊物論〉、〈庚桑楚〉、〈徐無鬼〉和〈則陽〉。

需要解釋。西方哲學就是在不斷解釋，為什麼萬物不斷變化卻一直存在？萬物背後的存在本身究竟是什麼？這些探討構成了西方的形上學，即本體論。

我們了解了西方的思維模式後一定十分驚訝，因為早在莊子的年代，就已經指出智慧的最高境界是認識到「未始有物」，即從來沒有東西存在過。將莊子思想與西方哲學對照，讓我們興奮不已，西方哲學懸而未決、直到今天仍在探討的問題，莊子早就講了。

我們都很熟悉禪宗六祖慧能大師的四句偈：「菩提本非樹，明鏡亦非台。本來無一物，何處惹塵埃。」「本來無一物」和莊子所說的「未始有物」意思相同，都是說從來不曾有任何東西存在過。

道家絕不會讓人陷入虛無主義，道家希望人們了解：唯一存在的是「道」，它妥善安排我們的出生，也將妥善安排我們的死亡，我們可以放心地生活；不要逐物而不返，不要計較人間的得失成敗，如果把自己的生命只放在這個世界上、放在人類社會中，實在很累，往往會錯過真正重要的東西。

真正重要的東西就是悟道，一旦你覺悟什麼是道，整個生命將豁然開朗，一切得失成敗根本不會放在心上。道家所謂的無為是指無心而為，「為」這個字代表還是要努力生活，但是不存刻意的目的，千萬要避免「我一定要如何」的執著，如果非拿第一不可、非得金牌不可，到最後非死不可。道家最高的智慧就體現於此。

莊子繼續說：「有些人達不到最高的智慧，他們認為有萬物存在，但是萬物之間未曾區分。」他們不會區分這是天、那是地、這是人、那是物，這樣的人至少心態上比較平衡和諧。

「還有一些人認為萬物之間有區分，但是未曾有誰是誰非的爭論。」他們不會評論「今天天氣很好」、「今天不應該有霧霾」，因為他們不會去評判是非好壞。

　　但是人類社會出現之後就開始評判是非，到底是成王敗寇還是堅守仁義，儒家和墨家到底誰對誰錯，這些辯論受到莊子的批評，因為辯論需要先設定標準，但問題是人間沒有客觀普遍的標準。

　　《莊子·齊物論》是全書最難讀的一篇，齊物就是萬物平等的意思。萬物都來自於道，所以萬物是平等的，將萬物分出高下、好壞的是人類。〈齊物論〉中莊子舉了一個很有趣的例子來說明世間沒有普遍的標準。

　　莊子說：「假設我同你辯論，是我對？還是你對呢？我們要找裁判，可是我要請誰來裁判呢？請與你意見相同的人來裁判，既然與你意見相同，怎麼能夠裁判？請與我意見相同的人來裁判，既然與我意見相同，怎麼能夠裁判？請與你我的意見都不相同的人來裁判，既然與你我的意見都不同，怎麼能夠裁判？請與你我的意見都相同的人來裁判，既然與你我的意見都相同，怎麼能夠裁判？」

　　這說明世界上出現爭議時，沒有任何人可以當裁判。現在不要說法院，一般同學間的爭論都有裁判，裁判需要裁斷的標準，但是很抱歉，世界上沒有客觀普遍的標準。這種觀念與後現代的思潮十分契合，「後現代」的特色是：對所有過去接受的標準都要質疑，並重新討論，要問為什麼如此，為什麼跟我的想法不同，每一個人都可以參與討論。

　　道家的智慧抵達了人類智慧的最高點，所有的一切都在變化之中，人生只有一個目的：設法找到永遠不變的、做為存在本身的「道」。

　　道家不僅對中國人非常重要，對西方人也一樣深有啟發，西方人聽到老子、莊子描述的道，認為那就是他們在形上學中一直討論和追求的存在本身。對於基督徒來說，道可以等同於宗教信仰裡超越一切的上帝；對於佛教徒來說，道可以等同於他們一直追求的不

再輪迴的涅槃境界。道家思想的普遍性、有效性由此可見一斑。

# 與道教不同

在此我們對道家做一總結。

道家思想出現的時代背景是，中國古代社會進入禮壞樂崩的亂世。儒家面對「價值上的虛無主義」的危機，希望人們重新行善避惡，方法是設法使人的真誠由內而發，對別人的遭遇感到不安和不忍，由此產生內在的行善動力。儒家把「善」界定為「我與別人之間適當關係的實現」，因此儒家是標準的人文主義。但如此一來也有盲點，一切以人為中心，那萬物怎麼辦？

學習道家有兩個基本觀念可做為出發點：

1. 人和萬物平等，兩者有共同的來源，都來自於道；
2. 人和萬物不同，只有人可以悟道。

學習道家之後，人就會走上一條特別的道路，這條道路偏重於智慧的覺悟。

與儒家對照就會發現道家的不同：道家不以人為中心，道家尊重萬物本身存在的特性。一切都來自於道，人沒有權利以自己的喜好做為真假、是非、美醜的唯一標準。古往今來，人們對於價值的判定標準各不相同，如果非要統一標準，反而亂成一團，道家從根本上化解了這一難題。

道家思想後期的發展有兩方面值得注意。

## （一）道教的出現

道教出現於東漢末期，始於民間信仰，在魏晉時代逐漸發展成為有規模的宗教，並以老莊思想做為理論基礎。老子的年代早於道

教七百多年，莊子早四百多年，所以並非老莊創立了道教，而是道教成立後借用了老莊思想。我們要尊重歷史發展的事實，一定要分辨道家不是道教。

道教是本土宗教，包含三大系統：第一是符籙派，這是典型的民間信仰，當人遇到困難或疾病等狀況，利用符籙來驅鬼捉妖，消災解厄，恢復健康；第二是丹鼎派，研究煉丹、黃白之術，促進了古代化學的發展；第三是性命派，通過心性修養，希望得道成仙。

道教只是從道家思想中借用了一些概念。道教將許多修行的出家人稱為真人，譬如大家都熟悉的丘處機（1148－1227），據說他曾勸告成吉思汗不要再打仗殺人，所以被稱為丘真人。但要成為莊子所謂的「真人」談何容易！

《莊子．大宗師》開頭用很長一段話來描寫真人的表現，其中有八個字令人印象深刻——「其寢不夢，其覺無憂」，即睡覺時不作夢，醒來後沒煩惱。我每一次讀到這句話都深感自卑，我是一睡覺就作夢，一醒來就煩惱，只能算是一個假人，兩腳根本沒踩在道上，完全沒有悟道。莊子意在提醒你，要設法悟道，悟道後就會有真人超凡脫俗的表現。

除了真人以外，莊子還描述了神人，其文筆極大地啟發了後人的靈感，創造了大量神仙題材的小說。譬如《莊子．逍遙遊》中描寫：「藐姑射之山，有神人居焉。肌膚若冰雪，淖約若處子；不食五穀，吸風飲露。」這樣的神人令人難以想像。

我們要分辨道家和道教的關係，才能保證道家思想可以給人以永恆的啟示。道教已經演化為宗教，有自身完備的儀軌和理論系統，同樣值得尊重。

### （二）宋朝學者對道家的批判

宋朝的學者主要是儒家，他們吸取了歷史上儒家失勢的教訓。

譬如，唐朝皇帝姓李，道家創始人老子同樣姓李，叫李耳，因此唐朝特別推崇道家和道教。西漢後期佛教傳入中國，唐朝十分重視佛教的發展，比如我們都聽過玄奘西行取經的故事，唐代還組織大規模地翻譯《佛經》，佛教在唐朝發展到非常完備的程度。

唐代的韓愈（768－824）做為儒家知識分子對此難以忍受，就勸說皇帝將政治和宗教分開。宋朝建立之後，儒家學者汲取了歷史教訓，都有強烈的危機意識，都主動爭取儒家的正統地位。他們清楚，如果再不去掌握發言權，儒家思想將漸趨沒落，被人遺忘。

宋朝的儒家學者好學深思，博覽群書，他們年輕時都或多或少地接觸過佛教、道家或道教的思想，但在立場上始終堅定地維護儒家的正統地位。考慮到當時的時代背景，他們的表現情有可原，但他們都犯了一個錯誤，就是所有儒家學者都不約而同地批判「二氏」。

「二氏」是一種不太禮貌的說法，好像說佛教和道教這兩家東西。這些儒家學者雖然學過不同學派的經典，但他們對於佛教、道家或道教，包括老莊的思想，一概加以批判，不免使人深感遺憾。

如果看《宋元學案》、《明儒學案》，會發現儒家學者對道家的批判頭頭是道，說道家逃避現實世界，講「無」很虛幻，與佛教的出世幻滅的想法很接近，不像儒家注重實實在在的生命，在時間之流裡發展個人的生命潛能，並努力造福社會，儒家的理論很容易被廣泛認同。

宋朝學者提到老子，批評最多的就是《老子‧第四十章》的一句話：「天下萬物生於有，有生於無。」《易經‧繫辭上傳》中說：「《易》有太極，是生兩儀。」宋朝學者認為：宇宙大化流行，一路發展，一定有一個做為根源的起點；老子卻說「有生於無」，等於說一切都來自於虛無，這令學者們無法接受。但是，這顯然是當時

學者對道家的誤解。

這些學者批評莊子時，認為莊子講天地、生死、空間、時間，虛無縹渺，大而無當，怎麼看都覺得不切實際，對於實際人生未免太過玄虛，對於青少年難有正面啟發。他們無法理解和欣賞莊子，十分可惜。

今天再回頭看宋朝到明朝的儒家學者，由於他們對於道家思想總體持批判態度，因而無法把握道家思想的精采之處，無法從老莊的思想出發，返回「道」這個根源。

《老子》虛擬了一個「悟道的統治者」（聖人），希望以「聖人」來示範該怎樣照顧百姓。莊子教人在亂世裡如何過一種自在的生活，因為所有的一切都是可有可無、可多可少，但對於生活的態度要能夠自己負責。

道家思想強調智慧的覺悟。西方學者的很多觀念，以及宗教裡描述的人生最高境界 —— 與萬化的根源合一的境界，都能在《莊子》中找到相關的線索。因此《莊子》一書值得我們在空閒時反覆閱讀和思考，一定會給我們深刻的啟發。

第十二章

# 藝術與審美

# 美是什麼

通常我們會認為藝術與審美同自己的生命沒什麼直接關係，我們最多只是藝術的欣賞者而已；而專業藝術家很早就按他們的興趣進入專門的領域，如從事音樂、美術、雕塑、詩詞、小說等創作，卻未必能夠了解藝術的整體意義所在。

在此先對「美是什麼」做一大致說明。關於中文裡「美」字的由來，根據字形結構有兩種說法：

1. 羊大為美。這說明美來自於我們的感官（如口中的味覺），屬於人自然的感性能力。

2. 羊人為美。從甲骨文的字形來看，「人」字像是人的側面，好比一般百姓。在「美」這個字中，上面「羊」，下面「人」，這裡的「人」是人的正面，也就是大人。「羊人為美」代表巫術時代在圖騰、舞蹈裡展現出的人類審美，反映出人的精神能力和人使用符號的特色。

所以，中文裡「美」這個字，一開始就與人的感性能力和精神需求兩方面有關。審美最直接的途徑當然是用眼睛看、用耳朵聽、用嘴品嘗，由此「感覺」到愉快；但是人類的審美可以超越「感覺」的範疇，透過審美發現自己的生命特色。這是從字源的角度來分析「美」的大致起源。

在西方，「藝術」、「審美」、「美學」等詞的字根均與「感覺」相同，可見，「美學」是一種與感性有關的學問，人人都具備這樣的能力。另一方面，既然美是透過感性表現出來的，那麼顯然不是一般人可以輕易掌握的，必須經過長期的技術訓練。正如古希臘時代強調的——美是一種技術或技藝，這些技藝後來逐漸演化成為審美的對象。

「庖丁解牛」(《莊子‧養生主》)的故事廣為人知。庖丁是一名廚師，文惠君觀看他殺牛的過程，感到美不勝收，伴隨著庖丁的動作而發出的聲響無不切中音律，既配合《桑林》舞曲，又吻合《經首》樂章。文惠君從中受到啟發，領悟了養生的原則：不要違背普遍的規律，同時要掌握個體的特性。庖丁肢解過數千頭牛，而刀刃還像新磨過的一樣，被肢解的牛似乎也沒有感覺到痛苦，「遊刃有餘」的說法就源自於此。庖丁將「技術」提升為「道」，也可以說從「技術」提升到「藝術」。藝術家正是經過長期的苦練，才能抵達技藝精湛的境界。

中國畫家的境界可用「外師造化，中得心源」[72]來形容，即畫家在觀察自然界的萬千變化時，內心要有覺悟的能力。如果只是描摹，怎樣畫也不如拍照更逼真。畫家需要從特定視角發現山水之中蘊含的獨特魅力，引發觀賞者對美的嚮往。

西方近代哲學家黑格爾認為，整個宇宙都是絕對精神的運作過程，絕對精神為了回歸自己而暫時走出自己，從而呈現出整個自然界。換句話說，自然界本身沒有特別的價值，只是一個過場而已。因此，黑格爾反對「自然美」的說法。

如果問這裡的風景美嗎，關鍵要看是誰在欣賞。對一條魚或一隻猴子而言，風景沒有美不美的問題，只有是否適合生存的問題。如果人類認為某地風景很美，一定需要某種框架或特定視角，就好比拍照時一定要有取景的範圍和焦點，如果以某座山為相片的焦點，其他山峰可能就被排除在外了。類似的，一幅風景畫一定會有一個主題，主題之外的素材就會被捨棄。所以黑格爾認為沒有「自

---

72　唐代畫家張璪所提出的藝術創作理論。

然美」這樣的概念，所有的美都是人類精神的投射，這進一步界定了藝術的範疇。

我們一般人顯然不會對「美」做如此精細的分辨。黑格爾的說法有一定道理，美屬於一種價值，任何價值（包括真善美）都需要有評價者，否則沒有美不美的問題。對萬物來說，只有是否存在或是否實用的問題，只有人類會問：除了存在和實用之外，還有哪些價值？

對人類來說，實用性包括兩方面：

1. 認知。認知是人類的明顯特色。人有理性，總希望知道畫上的蘋果產自何處，外觀有何特別之處，如何分辨這個蘋果和其他蘋果的不同。

2. 意願。當看到一幅畫上的蘋果時，如果突然覺得肚子餓了，想吃這個蘋果，代表這個蘋果讓我產生了食欲，此時這個蘋果已不再是審美的對象。

人類若要產生審美感受，必須排除各種實用的考慮。

在拍賣市場，很多人只是用價格來衡量藝術品的價值，愈貴的代表愈多的人認為它很稀有。但把藝術品買回家之後，大多數人恐怕只是想方設法保值而已，不見得能從藝術品本身獲得審美感受。

可見，藝術一定是藝術家展現出來的心得。我們每一個人都有審美能力，在欣賞藝術品時都會產生審美感受。接下來我們就要從這兩方面出發，展開深入的探討。


## 藝術家在做什麼

談藝術最好的切入點是藝術家，哪些人可以被稱為藝術家？藝

術家有何特色？

## （一）藝術家以直接的途徑，展現新形式與新象徵

直接的途徑是指感性可及的範圍，譬如音樂家透過聲音，畫家透過色彩，雕塑家透過造型。藝術家使用世間的各種材料進行藝術創作，使每一個人都可以直接體會到美感。如果只是心中有某種感受卻無法表達，別人則無從欣賞。藝術家的挑戰在於能否運用感性可及的素材，展現新的形式和新的象徵。

1. 新的形式

什麼是新形式？「形式」與「內容」是相對的。古往今來，人類的生活經驗相差無幾，可以用「生老病死、喜怒哀樂、恩怨情仇、悲歡離合」十六個字概括，這些生活經驗就是內容。藝術家能夠創造新的形式來表現相似的生活內容，使人受到啟發。

2. 新的象徵

人類的語言就是一種象徵。譬如，我說「有一座山」，「山」是一個概念，它只是真實的山的一種象徵，我們不可能真的把山搬到眼前。

什麼是新的象徵？比如很多人都會說「母親像月亮一樣」，第一個使用這個比喻的人就是藝術家，後面再用的則是模仿者。我們一般人都是模仿者，當聽到一句話很貼切，就會模仿別人的說法；模仿得好也不容易，經常模仿別人，至少表明見多識廣，如果運用得恰到好處也會得到別人的讚賞。

但是只有展現新形式、新象徵的人，才能被稱為藝術家。像中國的唐詩、宋詞、元曲，這些作品所展現的生命型態（人的情感、訴求、委屈、體會）都彼此相似，但語言的結構形式在不斷變化，新的象徵亦層出不窮。創造性地提出新的象徵會被認為是天才。

每一個人都有創造的衝動，為什麼只有藝術家才有特別的表

現呢？因為藝術家具有入門的知識和獨特的人生體驗，他們熟知已有的形式和象徵，並使自己與真實的世界保持距離。莊子說：「天色蒼蒼，那是天空真正的顏色嗎？還是因為遙遠得看不到盡頭的結果？從天空往下看，你會發現地球同樣很美。」[73]（《莊子‧逍遙遊》）正是因為有距離，不太考慮實用的需要，所以才會孕生美感。

到底是先有藝術家才有藝術品，還是先創作出藝術品才能被稱為藝術家？藝術家很容易與外界隔絕，他們聚在一起，形成社會上一個特殊的群體，有獨特的壓力、挑戰和快樂。

一件東西被稱作藝術品是由場所決定的嗎？紐約大都會博物館曾舉辦過一場藝術展覽，其中有一件作品很有特色：一棵白菜被包在塑膠袋裡面，底下有藝術家的簽名。有個農夫看到後心想：「這個我也會啊！」第二天，他就拉了一卡車白菜，分別裝在塑膠袋裡，到博物館前面宣稱藝術品大拍賣。但是別人不會認同其價值，因為農夫的白菜無法讓人產生美感。

博物館展出的白菜因為藝術家的簽名而成為藝術品，這對一般人來說似乎不太公平，好像藝術家擁有某種特權。由此可見，一件東西是否稱為藝術品，是由展覽場所決定，或是由藝術家所認定。一般人沒有藝術家的資格，無論自己再怎麼喜歡，都僅止於個人的感受。

藝術家要展現出新的形式或新的象徵是非常困難的。最令荷蘭人引以自豪的藝術家當數梵谷（Van Gogh，1853－1890），然而他的一生失意委屈，年僅三十七歲就自殺身亡。梵谷生前只賣出過兩幅畫作，還是弟弟幫他找的買家，其他畫作根本無人問津。

荷蘭因為錯過梵谷這樣的大藝術家而倍感遺憾，為此設立了許多鼓勵藝術創作的基金。有位心理學教授需要經費，於是以藝術創作為名申請資助。一年後，政府要驗收藝術創作的成果，他就在研

究室前搭了個小平台，自己站在上面，擺了一個姿勢，旁邊寫著：「我就是藝術品，因為我是獨一無二的。」審查委員認為他的做法也頗有創意，就通過了驗收。這是我在荷蘭教書時碰到的事，此事一度傳為美談，但如果別人效仿他，明年再擺一個姿勢，則沒有人會接受。

可見藝術的一個重要特色就是創新。時下流行的「創造」、「創新」、「創收」這些字眼，通常是指通過產品創意吸引顧客注意，促進經濟效益的提升；然而，藝術的創新和經濟效益無關。

藝術家如果對象徵所代表的「真實」缺乏深刻的了解和切身體會的話，又怎能表現出創造性呢？在別人創作的基礎上，如果只在外形上稍加改變，很難造就上乘的藝術品；然而在相似的藝術品中，也不乏靈感閃現、巧奪天工的佳作。可見，藝術家和一般人確實有不一樣的思維和體會。

## 共同的感受

### （二）藝術家表達某種集體潛意識，使個人可以過渡到群體

瑞士心理學家榮格經常使用「集體潛意識」（the Collective Unconscious）一詞，他年輕時曾是佛洛伊德的學生。佛洛伊德最大的貢獻是在心理學領域提出「深度心理學」，他通過分析人的夢境，發現人普遍具有潛意識，每個人的潛意識都是黑暗的世界。佛洛伊德將複雜的潛意識化約為性衝動，他認為每個人在童年時期性

---

73　原文：天之蒼蒼，其正色邪？其遠而無所至極邪？其視下也，亦若是則已矣。

欲均受到壓抑，長大後就會以各種方式宣洩出來。

　　榮格認為這樣的解釋太過簡化。每個人對藝術品都會有自己的欣賞角度，但處在同一個國家或地區的人們，因為有相似的歷史背景和社會環境，會自然而然形成「集體潛意識」。透過藝術品，個人可以過渡到群體。

　　唐詩就是一種藝術品，中國的孩子從小背誦《唐詩三百首》，久而久之便會形成集體潛意識。中國人見面，寥寥數語就能達到很好的溝通效果。

　　記得剛去美國耶魯大學報到時，面對未來的諸多不確定性，我不免憂心忡忡。忽然聽到身後有人用中文叫我的名字，原來是一位曾在台灣大學攻讀哲學碩士的美國同學。他一開口就說：「他鄉遇故知。」外國人的中文可以如此地道，著實令人驚訝，他的這句話讓我倍感溫暖。集體潛意識可以讓我們快速融入社會，與人群和諧相處。

　　藝術品可以形成某一國家或地區的集體潛意識，甚至可以形成全人類的集體潛意識。馬塞爾曾說：「任何人只要聽到貝多芬的第九號交響曲〈歡樂頌〉，都會放下一切煩惱，大家變成了『命運共同體』，感到生而為人是多麼幸運。」中國人聽〈歡樂頌〉卻未必如此感動。但不管你是否信仰宗教，宗教音樂都會讓人感到平靜喜悅，心中的嚮往之情油然而生。

　　宗教重視藝術是正確的方向，宗教不能只讓人訴諸於信仰，還要對信徒的日常生活加以引導。歐洲很多建築內部都有彩繪，主題多為希臘神話或基督宗教的典故，目的是讓人們思考神話背後蘊含的深意。西方通過建築、雕塑、音樂、繪畫等藝術形式，孕生出西方人的集體潛意識，凝聚成西方人對人生的共同態度。

　　當藝術家的作品展現出集體潛意識時，會引起大家的「共

鳴」。人本來以為自己的生命是完整的，當你看一幅畫，聽一首歌時，忽然會有悵然若失之感，好像自己遺忘了生命中重要的東西，欣賞完畢之後才覺得生命又恢復了圓滿。這很像戀愛時的感覺，我們從小按部就班生活，在沒有遇到生命中的另一半之前，不覺得自己缺少什麼；那個人一旦出現，會忽然覺得自己的生命不夠完整，若有所失。

欣賞藝術品能夠讓人回憶起遺忘多時的美好之物，讓生命重新恢復完整。人不能每天只追求實用的效果，要把一些美好的東西珍藏在內心的角落，當面臨外界壓力時，可以到內心的角落稍事調整，這就是藝術的重要作用。

《論語‧陽貨篇》中，孔子說：「同學們為什麼不學《詩》呢？《詩》，可以興，可以觀，可以群，可以怨。」

「興」就是引發真誠的情感。人到了一定年紀，可能早已忘記了年輕時純真的理想和抱負，讀《詩經》可以使人恢復真誠的情感。孔子說：「《詩》三百篇，用一句話來概括，可以稱之為：無不出於真情。」[74]（《論語‧為政篇》）只有真情能夠引發真情，讀《詩經》可使人意識到自己不是孤單的一個人，而是整個人類大家庭中的一員，如此一來便會產生共鳴。

「觀」是指觀察個人的志節。也有人認為「觀」是指觀察社會，但觀察社會比較複雜，觀察個人志節則比較可行。通過與詩中的情境對照，觀察自己一路走來是否遠離了自己的初心和根源。

「群」是指感通群眾情感，這句話開始涉及到我和人群的關係。我們既然生活在同一個社會中，就會有共同的遭遇，像政治是

---

74　原文：子曰：「《詩》三百，一言以蔽之，曰：思無邪。」

否清明，官吏是否公平，稅負是否沉重之類的問題，彼此都會有共同的感觸。「群」也意味著合群，大家可以通過情感交流達到和諧共融。

「怨」是指紓解委屈怨恨。人生在世，怎能事事如意？人難免抱怨，讀了《詩經》才發現，多少人條件比我好，但遭遇比我差，又有什麼好抱怨的？人的情感需要有抒發的途徑，讀《詩經》時，可以把內心鬱結的不滿和惆悵全部發洩出來，讓內心重新恢復平和。

藝術家的作品能使個人過渡到群體，喚醒每個人心中的集體潛意識，這是藝術家對人類的特別貢獻。

## 文化的雷達

### （三）藝術家有如雷達觀測站，對人類文化的病症提出預警

人類文化也會生病。文化是人類生活的表現，人類生命的問題層出不窮，因而人類文化也會隨之有興盛衰亡等各種問題。戰爭中的雷達可以在空襲到來前給人預警，提醒人們及時避難，藝術家對於人類文化的病症也可起到類似的預警作用。

尼采（F. W. Nietzsche，1844 － 1900）曾說：「哲學家是文化的醫生。」可見，文化會生病，而哲學家可以像醫生一樣診斷文化的病症。哲學就是愛好智慧，智慧的特色是完整而根本。哲學家看問題的視角比一般人更為完整而根本，因而能有洞見，很早就能看出事情的端倪和發展趨勢，可以預先採取防範措施或對症施治。

尼采對人類文化的最大貢獻是，他早在十九世紀就預言了虛無主義時代的來臨。尼采說：「上帝已死！」他要重新為人類找到

價值的基礎。尼采發現：世界逐漸變成人類表現的場所，人們喪失了對上帝或超越界的信仰，社會活動變成赤裸裸的政治活動，其本質就是虛無主義。人們只顧眼前，追逐權力，沒有人去思考人類生命真正的價值何在，擁有權力等於擁有一切，權力失去了約束和限制。尼采很早就看到虛無主義的危機。

藝術家和哲學家有類似的作用。藝術家的心靈極為敏感，觀察入微，可透過作品展現出未來的變化趨勢。以畢卡索（Pablo Picasso，1881 － 1973）為例，他於一九五七年在紐約展出生平畫作，將他的作品分成數個階段，以下介紹比較重要的三個階段：

1. 一九二四年以前（古典時期）

一九二四年畢卡索四十三歲，這個時期他的畫作充滿唯美色彩，是一種希臘人物的反射。古希臘時代創作雕像時會選取希臘最美的男女做為模特兒，最知名的雕像當數「斷臂的維納斯」，後來很多藝術家嘗試將其雙手復原，但無論怎麼拼接都有畫蛇添足之感，說明當時的創作確屬神來之筆，很難模仿和超越。

畢卡索早期的作品，很多是描繪俊男美女在海灘追逐嬉戲的場景，反映的是歐洲在第一次世界大戰（1914 － 1918）前後的情景。那時的畢卡索比較年輕，且一戰所造成的傷害還不算太嚴重，所以當時的畫風較為緩和。

2. 一九二五年至一九三六年（蛻變時期）

二十世紀三〇年代左右，已接近第二次世界大戰（1939 － 1945）的爆發，當時整個歐洲的氣氛變得十分詭譎，各種消息紛至沓來，強人政治在德國出現，希特勒令人難以預測，到底這個世界何去何從，人們對未來普遍感到彷徨不安。這一時期畢卡索的畫作充滿了人間存在的不確定性。

3. 一九三七年至一九五三年（二戰前後）

　　二戰前後，畢卡索的畫都以灰色為主調，灰色是當時坦克和槍枝的顏色，這種暗色系讓人感到壓抑。一九三七年西班牙內戰爆發之際，畢卡索創作了「格爾尼卡」（*Guernica*）這幅經典畫作，畫中人物全部是扭曲的，完全被割裂後重新拼湊，根本找不到視覺的焦點。此一時期畢卡索的作品大都沒有名稱和主題，只留下編號。

　　當時整個世界被戰爭完全撕裂，人類嚮往的和平遙不可及，人性的價值被完全摧毀。藝術家的作品能夠提前告訴人們：照此情勢發展，危險即將來臨，千萬不要大意。

　　藝術家為什麼能夠感知未來呢？打個比方來說明。人活在世界上感到一片漆黑，雖然我們有眼睛，但是觸目所及的範圍有限，還多帶有虛幻色彩。誰能看懂世界如何運作？誰能看到神明和人的靈魂？誰能看到什麼是人間真正的價值？這樣的世界對於心靈來說等於一片漆黑。

　　忽然一道閃電劃過夜空，剎那間，世界完全呈現，但是短暫的光明過後又是一片漆黑。藝術家就是在閃電的一剎那看到光明的人，他們用自己的方式，比如繪畫、音樂、詩詞歌賦，將剎那間看到的真實景象展現出來。

　　將藝術家比作雷達觀測站意味著藝術家看到了整體。一般人都活在狹小的範圍內，藝術家看到完整世界後不忍心一人獨享，認為自己肩負著重要使命，要讓真實世界以適當的形式得以呈現，讓他的同胞也可以分享他的睿智，不再渾渾噩噩隨俗浮沉。藝術家內心的這種願望，很像柏拉圖「洞穴比喻」中的蘇格拉底[75]。

　　我的老師方東美喜歡將詩人、哲學家、先知三種人合而為一，詩人代表藝術家，哲學家代表愛好智慧之人，先知指宗教裡的先知。一個人如果兼具這三種生命特色，既有藝術家的才情，又有先知的預見性，同時又像哲學家一樣能以開放的心靈不斷探討真理，

就可以做為人類先驅的理想代表。

# 反叛死亡

### （四）藝術家在人與神之間掙扎，以創造力反叛死亡

　　西方最常以希臘神話中的普羅米修斯（Prometheus）做為藝術家的象徵。普羅米修斯對人類在地球上的悲慘遭遇十分同情，人類因為沒有火而不能驅趕猛獸和煮熟食物，生命受到很大限制。普羅米修斯就到天上為人類盜取火種，由此觸怒了天神宙斯（Zeus），宙斯判他有罪，並把他綁在高加索山上，讓老鷹啄食他的肝臟做為懲罰。

　　普羅米修斯很像卡繆（Albert Camus，1913 － 1960）筆下的薛西弗斯[76]（Sisyphus），可謂「求仁而得仁，又何怨？」（《論語‧述而篇》）既然願意為人類做這件事，受到懲罰也心甘情願。但是老鷹每天啄食他的肝臟，第二天早上肝臟又長出來，普羅米修斯的肝臟變成老鷹固定的早餐，他的痛苦永無止息。

　　如果沒有火，人類實在不是猛獸的對手，生存機率也將大大降低。火可用來冶煉金屬，人一旦掌握了火的使用，隨後便進入了青銅器和鐵器時代，冶煉出的工具可以耕田、打仗，對付猛獸更不在話下，所以西方人視普羅米修斯盜火為人類文明的開端。後來西方人常以普羅米修斯做為藝術家的原型，很多藝術家都有與之類似的遭遇。

---

75　參見第二章「洞穴假象」的相關描述。
76　參見第八章。

　　卡繆曾描寫一位畫家生活清苦，整天在閣樓上進行創作。他常常想：「算了，不要再當畫家了，不僅自己活不下去，還連累一家人跟著我受苦，明天一早就去街上找個工作，哪怕是小商店的售貨員也有固定薪水，總比畫家要好。」打定主意就睡覺了，第二天早上起來好像「肝臟又長出來了」，畫家想：「人生苦短，藝術創作才有真正的價值！」如此周而復始。卡繆創作中參考的原型就是普羅米修斯。

　　學哲學的人常會發愁未來的出路，也經常萌生類似的念頭：「不如學學經商，做點小生意，總可以勉強維生。」但是第二天早上起來，愛好智慧的心依然存在，還是要繼續努力開展自己的研究。

　　如今，梵谷畫作的拍賣價格高得令人難以想像，但在梵谷生前，他一心為了藝術，連能否活下去都成了問題。梵谷後來自殺不完全是情感上的原因，跟他的身體狀況也有很大關係。他曾把顏料當成調味料去燒菜，身體不出問題才怪！

　　一九九七年我在荷蘭教書時，有一天一位教授帶我去參觀梵谷美術館，館內展出一百多幅梵谷的真跡，每一幅作品都強烈地表現出梵谷獨特的藝術魅力。教授還講了一個故事：梵谷死後大約二、三十年，他的畫作開始廣為人知，一對富有的夫婦就把能找到的梵谷作品全部買來，並在荷蘭中部的森林裡蓋了一座美術館，專門用於梵谷畫作的收藏。這對夫婦過世後將美術館捐給國家，做為荷蘭人共同的智慧財產開放給世人欣賞。這位教授說有時間帶我們去參觀，後來因為工作繁忙而沒能成行。

　　梵谷當然希望別人能了解自己作品的價值。後來有記者找到曾住在梵谷隔壁的一個小女孩，接受採訪時她已年過花甲，記者問她：「你是否還記得年輕時隔壁有人每天在畫畫？」老太太說：

「我記得是有這麼個人，天一亮就出去畫畫，風雨無阻。」記者於是十分興奮地問她對畫家的印象如何，老太太想了想，說：「他是神經病！」這就是一般人對藝術家的理解。

　　一般人只看外表，難以了解藝術家的心靈。大家都循規蹈矩過日子，一代代人都有類似的生活軌跡。梵谷年紀輕輕，每天只知埋頭作畫，更何況他的畫還無人問津。梵谷給自己的畫開的價碼很低，他說：「只要出的價格讓我有錢買一幅新畫布，我就賣。」充其量一百美金一幅，如今梵谷的畫作動輒能賣到幾千萬美金。

　　梵谷在意的不是他的畫值多少錢，而是希望透過繪畫展現自己生命的價值，他希望用自己的創造力來反叛死亡。人的一生在時間的長河裡終將結束，死亡使人無法接觸到永恆，然而藝術家要留下永恆的作品以反叛死亡，這實在是巨大的挑戰。藝術家就是要「知其不可而為之」，用天賦的藝術靈感去創作不朽的藝術作品。

　　梵谷美術館展廳的終點寫著梵谷的一句話：「我畫了這麼多作品，最後發現自己的一生是完全的失敗。」梵谷做為畫家，原以為自己可以把握永恆之美，但一路畫到最後才發現，自己距離最初的目標還有十萬八千里，由此覺得自己的一生是徹底的失敗。這就是一個真正藝術家的心聲，他們永遠在追求完美，但是在這個世界上，完美偏偏難以企及。

## 高昂的代價

　　藝術家將永恆之美帶到人間，與此同時也面臨著很大的困境。有這樣一段有趣的故事，海飛茲（Jascha Heifetz，1901－1987）是當代世界第一流的小提琴家，有一天英國幽默文學家蕭伯納

（George Bernard Shaw，1856 - 1950）給他寫了一封信，內容如下：

海飛茲先生雅鑑：

內子與我對閣下的演奏會讚嘆備至。如果您繼續演奏得如此美妙，將難免於早夭。沒有人可以演奏得如此完美，而不致激起諸神的嫉妒。我誠心奉勸閣下，每晚臨睡前胡亂演奏一些曲子⋯⋯

中國亦有「自古美人如名將，不許人間見白頭」之說，人間的完美轉瞬即逝，藝術家為了把握完美，需要承受常人難以想像的壓力，常會陷入罪惡感、精神失衡和自殺傾向這三種困境。

## （一）罪惡感

藝術家為何會陷入罪惡感？就像普羅米修斯盜火之後，產生了複雜的後果：人類從此突破限制，火可用於冶煉兵器、發動戰爭，讓無數人死於非命。可見，善意的動機也可能導致負面的結果。藝術家原本希望將永恆之美帶到人間，一旦創作出完美的作品又好似洩露了神明的祕密，由此產生強烈的罪惡感。完美的藝術品是否更加反襯出世界的不完美？藝術真的對人類有幫助嗎？藝術家們常會思考這些問題。

## （二）精神失衡

很多藝術家特立獨行，與社會主流格格不入。在人們心中，畫家或音樂家總是一副蓬頭垢面、不修邊幅的樣子，如果一位藝術家穿戴整齊，我們反而會覺得他不像是藝術家，似乎藝術家就應該與眾不同，有獨特的生命格調。

然而一個人外表與眾不同，舉止驚世駭俗，則很容易和別人產生隔閡而受到排斥，因此藝術家極易患上精神官能症。精神官能症已成為普遍現象，根據調查，精神官能症患者大概占總人口的五分之一到四分之一，輕者表現出厭食、失眠等症狀，嚴重的還會形成躁鬱症或憂鬱症。

　　藝術家不但與外在世界格格不入，其內外自我也很難平衡。藝術家的精神嚮往著永恆，可他的身體必須活在世間，所以需要各種刺激來麻痺自己，比如酗酒、吸毒等。早期很多作家喜歡抽菸，就用「菸絲波里存」來翻譯「inspiration」（靈感），不抽菸怎麼會有靈感呢？飲酒也是一種方法，半醉半醒之時，意識會鬆懈，潛意識將發揮作用，從而展現出創意。但長期處於這種身心狀態，藝術家很容易精神失衡。

### （三）自殺傾向

　　藝術家為藝術傾盡心力，好像活著的唯一目的就是為人類找到永恆的精神寄託。陸游說：「文章本天成，妙手偶得之。」（《劍南詩稿・文章》）藝術家特別容易有江郎才盡之感，一旦覺得自己喪失了巧奪天工的能力，便會覺得生命失去了意義。藝術家往往孤芳自賞，看到有人比自己更傑出時，內心會有強烈的失落感，因而藝術家自殺的例子屢見不鮮。

　　《老人與海》的作者海明威（Ernest Miller Hemingway，1899 － 1961）和日本作家川端康成（Kawabata Yasunari，1899 － 1972）都是諾貝爾文學獎得主，他們最後都選擇用自殺來結束自己的生命。

　　川端康成有一部短篇小說很有趣，講一個男人長得很醜，婚後生了一個女兒，結果發現女兒很像他，因此內心陷入了掙扎，該作品可能是從《莊子》獲得了靈感。《莊子・天地》中描寫一個女人很醜，她半夜生下一個孩子，趕緊點亮蠟燭去看，生怕孩子長得像自己。[77] 她生的孩子當然像她，但她明知自己很醜，卻不能接受自己的現狀，顯然內心已經陷入矛盾。

---

77　原文：厲之人夜半生其子，遽取火而視之，汲汲然唯恐其似己也。

　　藝術家很容易體會到內在生命的分裂，從外表到內心都覺得自己與社會格格不入，許多事情與自己的理想都有明顯的落差。日本著名作家三島由紀夫（Yukio Mishima，1925 － 1970）同樣選擇了自殺來結束自己的生命。藝術家為藝術付出了高昂的代價，他們犧牲了自己的生活品質甚至生命，只希望為人類留下永恆的藝術作品。然而，藝術品的保存十分困難，頻繁的戰亂將許多人間的藝術傑作毀於一旦，將藝術家用生命進行的創作化為虛無。

　　我們不僅要感謝藝術家的創作，更要懂得欣賞藝術作品，因為欣賞也是一種創作，這讓藝術家的心靈不再孤單。每個人都有創作的衝動和需要，我們在欣賞藝術品時，比如聽音樂、看畫冊等，每一次都要設法以新的視角來欣賞，這同樣是一種創作。以前欣賞過的畫，隔幾年再看時體會完全不同，這是因為我們的生命有了新的經歷和體驗。

　　藝術家的創作並非為了自己，而是為了全人類。人類需要永恆的信念，藝術家在一瞬間看到了光明，就以感性所及的方式創作出各類藝術作品，將人類對永恆之美的認識留存了下來。我們要把自己當成另一種型態的藝術家，把欣賞當成一種創作，如此才不會辜負藝術家的良苦用心。

# 美有什麼用

　　美到底是什麼？美有什麼作用？古希臘時代兩位重要的哲學家柏拉圖和亞里斯多德對美有不同的評價。

### （一）柏拉圖對美的評價

　　柏拉圖對藝術家的批評直接而明確。他在《理想國》中設計了

一個理想的城邦，城邦中的每個人都要接受完整的教育，從而表現出善良的行為，成為城邦的棟梁，並代代相傳。談到教育時，柏拉圖特別指出應排除藝術家，即畫家、戲劇家等，他認為藝術家離真理很遠。

什麼是真理？我們用感官掌握的一切都充滿變化，這背後是否有真實的東西存在呢？如果沒有，則人生如夢，一切都不必多談；如果有，該如何掌握？柏拉圖的基本出發點是用理性掌握事物的本質，因為用感官掌握的是變化的世界，都不可靠。理性就是理解，比如要認識什麼是桌子，天下沒有兩張一樣的桌子，必須要用理性才能掌握桌子的本質。

柏拉圖認為真理就是理型，先有理型之後才有具體的東西。比如牛的理型是完美的牛，人親眼所見的牛只是一頭具體的牛，已經距離真實（牛的理型）有一定距離；畫中的牛與真實的牛又隔了一層，因此，柏拉圖認為畫家離真實很遠。戲劇與真實的生活亦有距離，日常生活中一個男人失聲痛哭會被認為缺乏男子氣概，但演戲時哭得再傷心也無可厚非。

柏拉圖認為，把藝術作品當做兒童教材，等於是教孩子不要追求真實而去追求幻覺，久而久之，大家會對真實視而不見，這是不好的教育，所以柏拉圖要把藝術家趕出理想國。

我們常會聽到「為藝術而藝術」的說法，似乎藝術家完全不用考慮道德價值或社會責任，純粹為了藝術而藝術，為了創作而創作，其實這句話很難成立。純粹的藝術該怎樣界定？如果每個人都各行其是，完全按照自己的意願寫作、繪畫、演奏音樂，不為他人考慮，這樣的藝術難免誤入歧途。

柏拉圖的思想傾向於為社會而藝術。人不能脫離社會，所以藝術品一定要有正面的意義，可以用來教育下一代，或有助於在社

會上推廣善良風氣。比如宗教題材的繪畫可以讓人產生崇敬虔誠之心，歷史題材的繪畫可以讓人產生精忠報國之心。有些畫的主題完全是負面的，使人心生歹念，儘管畫家技藝高超，可以把壞人的嘴臉畫得生動傳神，但也不能不加分辨地「為藝術而藝術」，只看繪畫技巧或表現手法。柏拉圖認為藝術不能脫離社會，不能背離社會共同肯定的價值。他的說法有一定的道理。

### （二）亞里斯多德對美的評價

柏拉圖對美的評價不多，對美談得較多的是他的學生亞里斯多德。亞里斯多德寫過一本書叫《詩學》，他所謂的「詩」並非指詩詞歌賦，「詩」的古希臘文是 poiesis，代表廣義的創作，包括戲劇、詩歌、繪畫等創作在內。談到有關繪畫的部分，亞氏特別提出美是秩序、勻稱和明確。

1. 秩序：比如畫中人物圍桌而坐，應錯落有序，通過畫面布局，突出主要人物。

2. 勻稱：整幅畫應結構完整，圖像和色彩搭配和諧，給人渾然天成之感。

3. 明確：一幅畫要有明確的主題，比如要表現幾個人在一起聊天的場面。

亞里斯多德較為務實，他認為變化的世界並非虛幻，要設法找出變化背後的規律。亞氏關於審美的觀點一般被稱為客觀主義。客觀主義認為美有客觀的標準：譬如一幅畫只要色彩和諧、結構對稱、主題明確、各方面搭配得恰到好處，就可以說這幅畫是美的；一首樂曲只要有起承轉合的結構、悠揚的旋律、明快的節奏，就可以說這首樂曲是美的。

客觀主義的說法顯然有一定漏洞。因為不同時代、不同社會的集體潛意識不同，所以人們對美的看法也不盡相同，不可能有一幅

畫所有人都覺得美。對於藝術欣賞我們不必人云亦云，但一定要忠於自己的內心感受。就拿「蒙娜麗莎的微笑」這幅畫來說，我並不覺得它有多美，若想了解此畫有何特別之處，就要回到文藝復興時代的歷史背景，體會達文西創作時的用心所在。

因此，很難說美有什麼客觀標準。但能否就此說美是完全主觀的呢？是否自己認為美就是美呢？從藝術欣賞的角度來看，這種說法較容易說得通，但要注意不要用「美」這個字來評價。「美」代表一種價值判斷，當你說「美」時，代表你希望別人能接受你對美的判斷，這樣一來又陷入了客觀主義。

對於美是什麼，美有什麼作用，大家一直爭論不休。以下將介紹藝術家到底有什麼樣的心路歷程，他們到底是如何創作出藝術品的，我們反而更容易從中獲得啟發。

## 與美遊戲

席勒（J. C. F. von Schiller，1759 - 1805）是西方哲學界在美學領域的一位重要學者，他和歌德（J. W. von Goethe，1749 - 1832）是朋友，兩人年代相仿，都處於西方浪漫主義時期。席勒的思想可用「與美遊戲」四個字來形容。

「遊戲」通常很有趣，去做一件沒有實際需要或效益的事就是遊戲。譬如，一棵樹的葉子長得十分茂盛，遠超過根部需要被遮蔽的範圍；一隻小貓無聊時追逐自己的尾巴，繞圈跑半個小時也不停歇；一條狗見到有人扔飛盤，就高興地去追逐。一切生物都會有多餘的能量超過生命當下的需要，遊戲就是生命力過於豐富的表現。

人經常會覺得自己的一生受到限制，自己的家庭背景、教育程

度、和誰交友、從事什麼職業，好像沒有其他可能性，由此產生抑鬱之感；而具有多種可能性才會讓人感到自由和快樂。遊戲則與現實生活脫節，使人擺脫現實的種種限制，生命在遊戲時好似重新開始，出現了新的希望，顯示了新的格局。比如下棋時，不管對手是帝王將相還是販夫走卒，在遊戲規則面前人人平等。

遊戲中每個人的機會都是均等的，只要掌握規則、運用智慧，就能獲取勝利、感受快樂。我初中時開始學下象棋，用以緩解升學的壓力。大家都是從零開始，我用心研究了《橘中祕》等殘局棋譜，掌握了基本技巧，再加上臨場的隨機應變，於是常常獲勝；雖然並沒有贏得金錢或榮譽，但每當我回憶起那段時光，都會感到特別快樂。有些人每週約朋友打橋牌也會有同樣的感受。遊戲時不要用金錢做為賭注，以避免複雜的後遺症。

席勒比康德年輕，康德之後的哲學家通常都非常熟悉康德的思想，並以之為出發點而繼續發展。康德哲學如何談論美呢？在康德看來，「美」是無目的的目的性，即美沒有任何目的，卻恰好符合目的。

譬如，當我看到一幅畫上的蘋果，我既沒有求知欲，不想了解蘋果的產地、價格、營養成分等資訊，也沒有食欲。康德稱之為「無私趣」的態度，即沒有個人的興趣或利益；但是畫中蘋果的擺放、光線、構圖和色彩都配合得天衣無縫，讓人覺得渾然天成，這叫做合乎目的性。我對這個蘋果本來沒有任何目的，但是它又自然合於某種目的，使我產生愉悅的審美感受。

席勒受康德啟發，認為人有理性的衝動和感性的衝動：理性的衝動注重形式，要人中規中矩、符合邏輯；感性的衝動注重質料和內容。這兩種衝動彼此矛盾，不易找到平衡點。席勒特別提出人還有第三種衝動——遊戲的衝動，目的是要顯示豐富的生命力，將

理性和感性融合為一。席勒認為遊戲有三個特色：

1. 遊戲本身是嚴肅的。因此不能說「只是玩遊戲而已，何必當真」。

2. 遊戲本身就是目的，沒有其他外在的目的。賭博則違背了這一原則。

3. 遊戲有不斷創新的可能性。每一盤棋都是全新的局面，隨時可以展現新的創意。

席勒進一步指出，真正的遊戲是「與美遊戲」，藉此產生「有生命的形式」。「有生命的形式」意味著將理性的衝動和感性的衝動完美結合。一般而言，形式意味著冰冷、僵化的結構，感性所面對的則是活潑的生命力，人要透過遊戲設法使形式充滿活力。席勒接著說：「唯有如此，才能產生審美感受，唯有透過審美，才有完整的人。」

我們在社會上工作，每個人都有固定的職業，如教師、會計、軍人、商人、消防員等，每個人的生命都像被割裂了，只能發揮某種特定的功能，如何恢復生命的完整性？人只有在遊戲時，才彷彿又回到了童年。小孩玩遊戲時不知疲倦，完全忘記了時間，充分享受遊戲的快樂，正是遊戲讓孩子的生命得以保持完整。

「只有當人是完全意義上的人，他才遊戲；只有當人遊戲時，他才完全是人。」這句話席勒在《審美教育書簡》（*On the Aesthetic Education of Man in a Series of Letters*）[78]中反覆重申。席勒認為一個社會要進步，一定要在矛盾中取得統合。如果一個社會只注重規矩，會讓人覺得冰冷而乏味；如果完全不要規矩，讓每一個人自由

---

78　席勒為了感謝丹麥奧古斯登堡公爵對他的資助，前後共寫了二十七封信，闡述其美學思想，後匯整為《審美教育書簡》。

發展生命中的欲望，社會就會陷入分裂和混亂。如何讓一個社會既有規矩又充滿活力，這正是席勒提出「與美遊戲」的目的。

由此可見審美教育對社會進步的重要意義。美育可以使人在提升生命能量的同時兼顧形式，這種形式並非死板的規定，而是使人在一定範圍之內，實現理性和感性的協調。席勒的這些說法不太好理解，因為這些學者在談論審美感受時，往往針對的是他自己熟悉的審美對象。譬如，某些樂曲雖有嚴格的韻律和整齊的音階，但其中展現的活力可以讓人感受到奔放的生命力。西方的美學觀念頗有特色，我們下節將介紹尼采怎樣看待藝術。

## 比真理更重要的

尼采關於藝術的觀念同樣值得我們參考。尼采年輕時對古希臘時代的文學和思想有非常深入的研究，他第一本著作名為《悲劇的誕生》，原名為《從音樂精神誕生的悲劇》。尼采說：「如果沒有音樂，人生將是一種錯誤。」人生在世，如果沒有音樂將會極其單調無聊。糾正這一錯誤並不難，只需培養欣賞音樂的習慣即可。

尼采認為希臘藝術絕不是一種歡樂的表達，而是源於希臘人內心的痛苦和衝突，他們明白了人生的悲劇性，因而設法用藝術來拯救人生。希臘藝術展現出兩種精神，第一種是太陽神阿波羅（Apollo）代表的理性、形式與限制，第二種是酒神戴奧尼索斯象徵的無限奔放的生命力，兩者搭配才能產生藝術。一般人認為太陽神象徵著光明和理性，注重形式，因而與藝術無關，尼采則認為不然。

尼采解釋說，太陽神狀態是藝術趨向幻覺的一種力量；酒神狀

態是藝術趨向放縱的一種力量。在幻覺中，人的理性能夠想像完美的形式，如想像最美的人或風景，藝術趨向幻覺最明顯的表現是造型藝術，包括建築、雕刻等；藝術趨向放縱最明顯的表現是音樂藝術，包括悲劇、抒情詩等，可以讓人擺脫形式的約束。

人同時需要這兩種力量。太陽神的狀態使人理性，一個人可藉著外觀的幻覺來滿足自我肯定的衝動，人活著必須首先肯定自我的存在，了解自己的長相、身高、外形等情況；酒神的狀態帶來放縱，使人否定自我，返回到世界本體的衝動。人在清醒時有清晰的人我界限，一旦喝醉酒就會忘記彼此的區分，酒神狀態可以解除個體的束縛，使人回到原始的自然狀態。

對任何個體來說，個人生命的瓦解無疑是最大的痛苦，但這樣恰恰可以化解一切痛苦的根源。人的痛苦大都來自於自我的執著，我們在與他人比較時會發現自己的不足，由此產生痛苦。人一旦肯定自我，就會立刻發現非我的存在，這個世界有七十五億人，就有七十五億的非我存在，這樣的對比使自我顯得十分渺小。尼采所講的並非佛教中的破除我執，不過從尼采的角度來看，人生的痛苦確實與自我有關。

如何消解自我？透過藝術品，特別是音樂，可以讓人在優美的旋律中好像喝醉酒一樣，衝破平日的束縛，去除自我的界限，實現與整體合而為一。經過痛苦之後將會發現，與世界本體融合是最高的歡樂，所以酒神的狀態是痛苦和狂喜交織成的一種顛狂狀態。希臘悲劇的起源就與酒神崇拜有關，為祭祀酒神戴奧尼索斯，人們圍繞著葡萄園載歌載舞，一個人戴著山羊面具與歌舞隊長展開對話，講述一段故事，這就是希臘悲劇的最初形式。

尼采說：「只有做為一種審美現象，人生與世界才有其充足理由。」即世界和人生只有從審美的角度來看才有意義。春夏秋冬，

每個季節都有獨特的風景；年輕到年老，人生每個階段都有不同的韻味：世界和人生充滿了美感。一旦考慮具體的利害關係，人與人的相處就很累，有人得意就有人失意，有人心想事成，就有人可能面臨災難。

尼采說：「藝術是人生命的最高使命與生命本來的形而上活動。」生命的最高使命就是要抵達藝術的境界，任何個體的生命終將消失，因而要追求個體與整體的融合；「形而上活動」就是希望人透過藝術的接引，返回自己的根源。

尼采說：「太陽神精神使人停留在外觀，可以看到自己的外表，認清自己的形式。」然而形式就是限制，我是我自己就不是別人，就不能探尋世界與人生的完整真相。藝術與真理是對立的，真理僅是理性的對象，「藝術勝過真理，比真理更有價值」。

關於什麼是美，尼采認為，美是人的自我肯定，但又不能說「自在之美」，因為人是美的原因，世界與美無關。可見，美是因為人而出現的，世界本身無所謂美。他顯然受到了黑格爾的啟發，黑格爾認為沒有「自然美」的概念，所有的美都是人的精神運作的結果，只存在「藝術美」，目的是讓人的有限精神回歸到無限的絕對精神，整個宇宙的真相就是絕對精神。

尼采認為康德提出的「審美的無私趣態度」和叔本華的「審美的默觀」都過於安靜和退縮，缺乏力量；真正的美應是強烈生命力的表現，生命的目的就是要突破自我的局限，返回原始生命的整體之中。尼采對美的看法獨樹一幟，他認為美是一種力量，美是一種真理。

# 全方位的遭遇

藝術家究竟是如何創作出藝術作品的？人的創造力與潛意識密切相關。意識的領域好比冰山，潛意識好比冰山在水面下的一大片體積，人的潛意識往往是創造力的來源。

## （一）遭遇實在界，達到主客融合之境

實在界是指真實存在的領域，包括實際存在的一切。遭遇就是遇到，我在路上碰巧遇到朋友就是一種遭遇；反覆欣賞一幅畫或一首音樂是一種更深刻的遭遇，它會深入到個人的生命經驗中。藝術家的「遭遇」更為深刻，他們將整個生命全部投入而與實在界產生碰撞。

在校園裡常看到美術專業的學生練習寫生，不出兩、三個小時就能維妙維肖地畫出校園一角，一看就受過專業訓練，但這種畫不能稱為藝術。那什麼樣的畫才能稱為藝術呢？

法國著名畫家塞尚（Paul Cézanne，1839－1906）曾花了一年的時間畫一棵樹。有人問他為什麼畫一棵樹要這麼久，他回答說：「樹在春、夏、秋、冬四季展現出不同的姿態，如果不觀察一年，怎麼知道它真實的生命是什麼樣的？」他花了一年的時間認真觀察，然後才下筆。

塞尚畫中的樹怎麼看都不像一棵樹，這棵樹顏色特別，樹上分布著神經和血管，甚至連樹根都可以看到。但當人們面對這棵樹時，會感受到它湧動著生命的活力：在春天欣賞，它充滿朝氣；在夏天欣賞，它熱情奔放；在秋天、冬天欣賞亦各有風采。塞尚不僅看到了這棵樹的外表，還看到了樹裡所蘊含的生命，他用神經、血管等比擬的方式，展現出樹的蓬勃生機，塞尚真正「遭遇」了樹的本身。

　　在藝術家眼中，萬物都是有生命的，一般人卻不易察覺。我在一九八九年底到德國進修，住在德國南部一個名為施韋比施哈爾（Schwäbisch Hall）的偏僻小鎮。小鎮只有三萬多居民，但基本文化設施一應俱全，不但有圖書館、美術館、演奏廳，還有一座有三百年歷史的聖米迦勒大教堂。二戰期間德國遭到全面轟炸，全國只有兩座教堂得以保留，該教堂便是其中之一。

　　有一次小鎮美術館舉辦了一場以「樹木」為主題的展覽，我好奇地進去參觀。觀眾入場後要戴上耳機，繞著展館中央的樹環行一周，行進至不同的方位，耳中就會聽到不同的聲音，有時好似低聲輕唱，有時好似哀聲嘆氣，有時好似高興欣喜，有時好似悲傷哭泣。繞行一圈回到原點後，我感覺到這棵樹是有生命的。從此以後，每次當我看到樹的時候，都會覺得它們是有生命的。

　　一般人只看樹的表面，這棵樹是什麼品種、有多高、是否健康、會不會結果；藝術家則會讓人意識到樹是有生命的，它可以與人的生命相呼應，由此增進了人們對大自然的了解和珍惜。藝術家在創作中運用象徵的手法，讓人發現生命的不同維度，這就是藝術家的偉大之處。

　　象徵就是符號，符號（symbol）與記號（sign）不同。記號的特點是一一對應，譬如，路上的綠燈代表可以通行，紅燈代表禁止通行。動物也可以理解記號，狗看到綠燈也會走，看到紅燈也知道停。

　　符號則是一種象徵。譬如，國旗就是一種符號，它代表你對國家的情懷。當你看到別人對本國國旗致敬，會心生自豪；當看到別人燒毀本國國旗，這時燃燒的不只是一塊布，而是你的愛國之心，這會讓你無法忍受。這就是符號的象徵作用。象徵會隨著人的生命歷程而改變，一個人服過兵役、上過戰場之後，再看到國旗時，心

中的激動之情會溢於言表。

真正的藝術家能使我們在平凡的世界中體會到超凡脫俗的境界，這一點在詩詞之類的文學作品中表現得尤為明顯。平常我們對風和月亮沒什麼感覺，但聽到蘇東坡說「惟江上之清風，與山間之明月，耳得之而為聲，目遇之而成色，取之無禁，用之不竭」，從此就覺得清風和明月有了特別的韻味。

透過音樂、繪畫、雕刻等藝術形式，人會感到與萬物之間恢復了親密和諧的關係。本來我是我，樹是樹，但是經過藝術家的接引之後，我和樹可以融合為一，去掉主客對立，不再互相競爭。我們前面談過沙特（Jean-Paul Sartre，1905 － 1980），他無法忍受別人的注視，會讓他覺得自己被視為沒有生命的物體，失去了自己的主體性，這就是主客對立的感受。

除了藝術品，我們身邊的每一個人或每一樣東西，都可以和我們的生命形成互動，給我們啟發。只要找到關鍵的鑰匙，就可以解除限制，實現超越。道家思想能讓人產生審美的感受，道家認為一切來自於「道」，道無所不在；一切本來沒有區分，是人的意識能力造成了主客對立，從而形成了人間的各種困擾。當然，人一定要先學會區分才能正常生活；但是人的認識更應提升，要學會從整體和永恆的角度來觀看，體會到我們與萬物不再是主客對立，而是融合為一，一切都在「道」之中。

藝術家遭遇實在界而達到主客融合為一的境界，我們在欣賞他們的藝術作品時，可以從中得到很好的啟發。

# 潛意識沒有冬眠

談到藝術家如何創作藝術作品，第二點是：

## （二）洞見闖入潛意識

「洞見」的英文是insight，可理解為「看進去」。一般人只看到事物的表面，能夠看到事物的本質則稱為洞見。

「洞見」可用於形容對某人的了解。比如一般人只認識張三的外表，但我可以看透張三的內心，可以說我對他有某種洞見。魏晉時代《世說新語》中常用「千人亦見，萬人亦見」形容某人長相俊美，在成千上萬人中一眼便可以看到他。我們在車站的人潮中也可以一眼看到自己的朋友，如果向員警描述朋友的身高、外貌等特徵，員警則很難找到，因為外貌不能僅靠描述來加以認識，而要通過觀看來直接把握，這種感受與洞見相似。

人平時的意識作用很明顯，內心受到很多束縛，較難獲得洞見。比如我們從小按照老師教的方法解決數學問題，以為只能如此，其實還有許多更快捷的演算法。

科學研究亦需要洞見。譬如，美國紐約有一位化學教授主持了一項重要實驗，他一直努力尋找能夠與實驗結果吻合的化學公式，卻未能如願。一天晚上他突然夢見完整的公式，於是興奮地從夢中醒來，立刻找了一張紙把它記下來。睡醒後發現那張紙撕裂了，什麼也看不清楚，這令他非常沮喪。從此以後他每晚都在床邊放一個筆記本，希望能再作同樣的夢。幾天之後，同樣的夢又出現了，真可謂「日有所思，夜有所夢」，他趕快把公式記下來，後來居然因此獲得了諾貝爾化學獎。

這是一個真實的故事。為什麼這位教授白天不管怎麼做實驗都無法找到完美的公式？這是因為人的意識在白天一直保持警覺，反

而像一堵牆一樣把潛意識阻擋在外；夜晚睡覺時意識鬆懈，潛意識突然冒出來，這就是「洞見闖入了潛意識」。

潛意識有一種完形（Gestalt）作用，它會自動運作及組合，使人透過局部的結構可以看到整體的型態，這稱為完形心理學。

在現象學中的「啊哈經驗」[79]與之類似。比如我在草原向遠處眺望，看到遠方有一個尖尖的角，我無法判斷那是一隻犀牛角還是一座教堂的塔尖。我朝它走過去，當到達某個臨界點時，我會說：「啊哈，原來是一隻犀牛！」我可以通過一個角分辨出那是犀牛而不是教堂。

不論大人還是小孩都喜歡玩拼圖遊戲，如果根據圖紙去拼，則沒什麼樂趣。真正富於挑戰的玩法是直接面對一大堆碎片，不依賴任何提示，自己慢慢去拼，拼到中間你會忽然發現那是什麼圖案，再往後拼就容易多了。

完形心理學表明人的內心具有一種完形能力。你在布置任務時不必詳述所有細節，接受任務的人會自動融合他過去的經驗，將任務的要求補充完整。這說明人的潛意識裡早就埋藏了許多內容，這些內容在清醒狀態下不易察覺，在夢中則可能忽然出現。

人的快樂和痛苦往往與潛意識有關。根據專家研究，人在五歲左右開始形成潛意識，孩子表現欲望時會受到大人的警告和約束，隨之產生的壓力會進入潛意識而形成複雜的情結。這些情結彼此之間會有機組合，慢慢衍生出很多有趣的故事，這些故事可能根本不曾發生過。

每個人都有豐富的潛意識，這正是創造力的源泉。當我們試圖

---

穿透意識的阻礙而深入認識某些現象時，應設法把握意識鬆懈的關鍵時刻，使潛意識得以自由呈現，此刻我們將獲得洞見，能清楚看到內心的真正訴求，得到藝術創作的靈感。

美國知名心理學家、哲學家威廉·詹姆士（William James，1842 － 1910）說過許多有趣的話，比如，「我們在夏天學習溜冰，在冬天學習游泳。」他是不是講反了？事實上他是對的，我就有過類似的經驗：我在小學暑假時開始學騎自行車，冬天由於雨水較多而無法練習；到第二年夏天再騎車時，我發現自己的車技顯著提升。在不知不覺中，潛意識已經在協調我的四肢來適應騎車的動作。冬天學游泳也是一樣的道理：雖然整個冬天沒有游泳，但潛意識會自動協調手腳來配合泳姿；第二年夏天一下水，泳技會有明顯提升。溜冰亦然。

可見，我們的潛意識具有豐富的潛能，藝術家能夠在關鍵時刻展現這些能量。一般人只能看到片斷，藝術家則可以看到完形，他們的作品好像觸碰到我們心中的潛意識，使我們受到深深的震撼。

# 剎那的靈光

## （三）創意往往在意識轉換之剎那展現

我們都有這樣的經驗：當注意力集中一段時間後，在意識轉換的一剎那經常會出現創意。愛因斯坦曾說：「為什麼我最好的靈感都在刮鬍子的時候出現呢？」這是因為在修剪鬍鬚時，他可以完全停止物理學的思考，擺脫其他雜事的干擾，將意識轉換到另外一個頻道；這反而打開了潛意識的大門，創意和靈感隨之展現。

人要讓自己的意識不斷轉換，才能長期從事專業性的工作。

《易經‧繫辭下傳》提到恆卦時說：「恆，雜而不厭。」雜就是複雜、混雜，將不同類型的工作穿插進行就不易感到厭倦，可以長期做下去，這體現了古人的智慧。如果一個學生一整天只念數學則極易感到厭煩，如果將數學、語文、英語等科目交替進行，學習效果將有明顯的改觀。同樣的，如果我們每天的生活有不同的內容，則趣味盎然，充滿新意；如果從早到晚重複做一件事則令人難以忍受。

美國一位作家在家中特別設計了一個沒有窗戶的房間，關上門裡面一片漆黑。每隔兩、三個月他就要把自己關在裡面一個下午。平時我們能看到一樣東西，是因為有光線的照射而使之呈現，一片漆黑則意味著一切存在之物都無法彰顯。這位作家藉此讓自己返回原始的渾沌，好像回到了生命的最初階段，回到了母親的懷抱之中，讓生命有了重新開始的機會。

創意意味著從頭開始、重新創造，不能因襲模仿。隨著年齡的不斷增長，創意會愈來愈難以展現。以寫作為例，今天借助現代科技，很容易判斷一部作品是作家在哪個年齡階段創作的。我們可以將這位作家的全部作品轉換成電子文字檔，用軟體分析出常用的轉接詞，再根據他不同年齡階段的用詞習慣，判斷出作品的創作時間。

人在寫作時，文章如何起承轉合，如何表達感嘆語氣，通常都有固定的習慣，很少能徹底改變。如果一個人經常發表文章，即使偶爾用筆名寫作，熟悉他的讀者也很容易判斷出作者是誰。譬如專家經過研究發現，《紅樓夢》最後四十回並非曹雪芹所著，因為與前八十回的用詞習慣多有不同。

美國這位作家保持創意的做法值得參考。定期遠離光明，把習慣的做法統統拋諸腦後，讓自己完全回到黑暗；當再度走出房間，

好似重獲新生，創意層出不窮。

宗教中也有類似做法，早期天主教剛剛興起時的受洗儀式與今天的做法不同。現在該儀式通常在教堂內舉行，由神父在受洗者額頭上灑幾滴聖水，代表他接受了洗禮。耶穌曾在約旦河裡受洗，當時的普遍做法是：施洗者將受洗者完全浸入水中，待水面恢復平靜後唸一段禱詞，再把受洗者從水裡拉出來。這象徵著新生命的誕生，受洗者洗淨了過去的罪過，從此可以重新做人。

讓一個人徹底改變思維模式和表達習慣顯然困難重重，逐漸改善則較為可行，透過不斷學習和細心觀察，可使自己的知識和閱歷逐漸豐富。真正優秀的作家能夠同時描寫多個不同的角色，並使每個角色都符合其身分地位和性格特徵。譬如《紅樓夢》這部小說中，每個人的言談舉止都刻劃得恰如其分，遠遠勝過某些拙劣的小說中「千人一面」的人物描寫，就好像現代城市千篇一律的建築風格，不能稱為藝術。

藝術家要讓意識回到最原始的狀態，關鍵是在意識轉換的一剎那，使「今日之我」和「昨日之我」徹底決裂，從而產生創意。但是困難在於「習慣是人的第二天性」，人們往往習慣於按固定的模式生活，總希望未來可以被預測，從而獲得安全感。

做為藝術家，每隔一段時間就要設法打破自己的習慣視角，改變對創作工具的使用方式（如聲音、文字、色彩等），這絕非易事，甚至有些強人所難。但最難的還是思想上的創見，通常我們只是把其他哲學家的思想加以提煉後，再用自己的話重述一遍。古往今來，不同哲學家所表達的往往都是相同的道理，都是用自己的話再說一遍。

總之，對藝術家來說，每一天都是新的一天，也是唯一的一天；每一次創作都是新的創作，也是唯一的創作。做為觀賞者，我

們要設法體會藝術家的苦心孤詣，不斷從新的視角欣賞藝術作品，讓自己從單純的欣賞者轉變為創作者。

# 審美的創意

本節開始介紹藝術的審美效果。藝術家該如何表現，才能夠讓處於不同時代、不同社會的觀賞者得到正確的理解？做為觀賞者應該如何欣賞藝術作品？

## （一）表現感情要超過模仿自然

黑格爾認為沒有「自然美」，所有的美都是人精神力量的投射。如果一件作品簡單地模仿自然，則稱不上是藝術品。一幅畫即使畫得和實物一模一樣，也不如拍照更加精確；如今手機拍照還可以美化渲染，使照片中的人更加漂亮：這些都屬於模仿。真正的藝術作品需要藝術家在充分認識現實世界的基礎上，透過特殊手法表現出內心的情感。模仿只是一種技術，還需要進一步提升到藝術的境界。

有一次我坐計程車，司機只用一根手指駕駛，嚇得我閉上了眼睛，司機則若無其事地說：「先生，別擔心，我開車已經三十年了。」他已經將駕駛技術變成了藝術。

將嚴格的外在行為規範內化為生命的本能，就可以稱為藝術。任何一門藝術在入門階段都要掌握一定的規範，比如學樂器要先掌握基本的樂理和演奏方法，學繪畫就要先掌握線條和顏色的表現手法。有些人從未受過專業訓練，僅靠天賦和熱情進行藝術創作，我們一般稱之為素人藝術家。他們的作品不乏天才的表現，但恐怕難以為繼，因為若沒有嚴格的規範做為限制，藝術才華就像河水缺少

兩岸的約束，氾濫無所歸，風吹日曬之下很容易枯竭。

　　因此，用藝術表現感情需要扎實的基礎訓練。我們常說：「文窮而後工。」這句話既可以理解為一個人在困窮中才能嘔心瀝血地創出佳作，也可以表示一個人熟練掌握了藝術創作的基本功之後，才能進入更高的藝術境界。

　　要想在藝術品中表現感情，需要藝術家與所表達的作品合而為一。一個人如果沒有遭遇過不幸，他的作品不太可能深刻而感人。有位作家為了寫一部戰爭題材的作品，訪問了很多受害者，完稿之際便罹患憂鬱症而自殺。這位作家是一位真正的藝術家，他將受訪者的生命經驗轉變成自己的內心體會，對受害者的痛苦感同身受，在創作中耗盡了自己的生命。

### （二）創造性的表現應該有目的性的結構

　　藝術並非單純模仿，要表現出創作者的感情才會有審美效果。同時，藝術是一種創造性的表現，需要有目的性的結構。頭痛就喊一聲「好痛」，肚子餓就喊一聲「好餓」，這只是感情的隨意抒發，不能被稱為藝術。

　　什麼是目的性的結構？「起承轉合」就是一篇文章的結構。如果文章只有精采的語句，沒有合理的結構，則無法表達完整的思想內容，小說、詩詞都是如此。音樂方面的作曲更需要結構，否則聽眾無從欣賞。

　　《論語》裡描寫孔子在齊國聽到〈韶樂〉之後，三月不知肉味，並說：「想不到製作音樂可以達到這麼完美的地步。」[80]（〈述而篇〉）遺憾的是古代沒有像今天這樣的錄音設備，我們無法得知舜時代的〈韶樂〉究竟是如何演奏的。

　　優美的音樂能夠影響人的整個生命，美的體會不是一種「感覺」，而是一種「感受」。「感覺」只是感官直接感知到聲音、圖像

或味道;「感受」是被動的,整個生命會不由自主沉浸到美妙的情境之中,使人不由得感慨「此曲只應天上有,人間能得幾回聞」[81]。

孔子後來跟魯國的樂師說:「音樂是可以了解的。開始演奏時,眾音陸續出現,顯得活潑而熱烈;發展下去,眾音和諧而單純,節奏清晰而明亮,旋律連綿而往復,然後一曲告終。」[82](〈八佾篇〉)我們雖無法再度聽到當時的樂曲,但是孔子的描繪顯示出樂曲具有完整的結構,包括序曲、和聲、節奏、旋律等,由此構成完整的音樂藝術。

我們現在處於所謂的「後現代社會」。藝術本來要展現審美情操,但如今很多藝術品不再關注美醜,而是追求真實,希望人們藉此擺脫事物虛偽的外表。比如,有人居然把廁所裡的馬桶當做藝術品,通過繪畫或雕塑展示出來,目的是讓人了解真相。所謂香臭美醜恐怕只是人們的主觀想法,客觀事物的真實面目可能早已被遮蔽。也有人把戰爭地區的幾百個骷髏頭疊在一起做為藝術品,那是一種讓人震撼的真實,人們自以為身處現代文明社會,可事實卻未必如此。

呈現真實成為後現代藝術創作的一種目的,這使得藝術不再局限於審美,藝術欣賞也變得更加複雜。

---

80　原文:子在齊聞〈韶〉,三月不知肉味,曰:「不圖為樂之至於斯也。」
81　出自唐代詩人杜甫的〈贈花卿〉。原文:錦城絲管日紛紛,半入江風半入雲。此曲只應天上有,人間能得幾回聞。
82　原文:「樂其可知也。始作,翕(ㄒㄧˋ)如也;從之,純如也,皦(ㄐㄧㄠˇ)如也,繹如也,以成。」

# 情感的昇華

### （三）藝術不只是情感的宣洩和淨化，而是昇華

藝術有情感宣洩和淨化的作用，最早提出這種觀點的是古希臘時代的亞里斯多德，他認為悲劇可以引發憐憫和恐懼的情感。

人活在世界上，與別人來往時常常缺乏憐憫之心，對他人態度冷漠，甚至有時會幸災樂禍，看到別人受苦受難，自己反而有一種安全感。當看到悲劇的主人公受到命運的宰制、遭遇了諸多不幸時，觀眾會感到同情和憐憫；在感慨命運無情之際，觀眾會聯想到，發生在別人身上的不幸遭遇同樣可能發生在自己身上，命運之手隨時可能伸向自己，從而感到恐懼。

悲劇的作用是引發觀眾的憐憫與恐懼的情緒，然後加以淨化，使人可以重新開始，回到人與人之間單純互助友愛的狀態。

在這個世界上沒有真正的自由可言，只有在審美的世界，才有真正的自由。譬如在馬路上開車必須遵守交通規則，如果隨意逆行則會引發車禍，社會上的任何事都有一定的規範。

有人認為道德意味著自由，人可以自由選擇行善還是為惡；但既然區分了善惡，則只有行善才可稱為自由。按康德的說法，只有理性給自己立法，使個人的行為準則成為人類普遍的法則，才能說自己是自由的；換言之，我的理性告訴自己，如果我要做一件事，就要允許任何人在同樣情況下都可以這樣做，這才是道德上的自由。這種自由不但聽起來複雜，而且還涉及責任，並非完全的自由。

我想自由念書，可許多地方未必能理解，以為自己理解了，卻未必符合作者的原意。我想自由與別人交談，卻未必彼此溝通。

真正的自由只有審美的自由。我可以自由欣賞音樂，感受其中

的美妙，不用考慮專家的意見或評獎的結果。我可以自由觀賞喜歡的電影，不必在乎是否得過奧斯卡獎，兩、三個小時的電影，只要有一句話讓我體會到人生的真諦就夠了。

有一部電影「刺激一九九五」（*The Shawshank Redemption*），講述一位銀行經理被冤枉謀殺了妻子和妻子的情人而入獄，別人問他犯了什麼罪，他說自己是冤枉的，罪犯們都笑了，監獄裡每一個人都覺得自己是被冤枉的。

有一天，他得到監獄長官的信任而進入播音室，恰好看到莫札特的《費加洛婚禮》（*Le Nozze di Figaro*）唱片，他非常高興，就用擴音器播放了出來。那一瞬間，監獄裡所有的犯人都愣住了，擴音器裡傳出的一向是粗俗的喊話，現在居然播出如此美妙動聽的音樂，令人十分震撼。因為此事，他被罰關禁閉兩週，別人問他：「為了聽一首曲子付出這麼大代價，值得嗎？」他說：「當然值得。監獄只能關住我的身體，音樂可以使我得到真正的自由。」

藝術使人的情緒得以昇華，暫時忘記生命的限制和不幸的遭遇，這一刻我們擁有完全的自由。透過藝術作品，我們從被動變成主動，使生命力重新凝聚而產生新的動力。年輕時欣賞藝術可能感觸不深，隨著生命的不斷成長，多年後再次欣賞就會有不一樣的體會。

我在美國留學期間，為了在四年內完成學業，每天讀書至少十二小時以上，非常辛苦。每當夜深人靜，電台中傳來芭芭拉‧史翠珊（Barbra Streisand）演唱的〈回憶〉（*Memory*）時，我都會深受感動，忽然之間忘掉一切，即使天下人都不了解我也沒關係，至少這首歌曲能打動我的心。這種感覺可以用阿拉伯詩人紀伯倫（Kahlil Gibran，1883－1931）的話來形容：「美──就是你見到它，甘願為之獻身，甘願不向它索取。」

我們平常做任何事都會有所保留，不會讓自己太累，心裡想著何必為此賣命呢？而且一旦付出就要求回報。但審美時的情形與之不同，美本身就是最好的回報。每當悠揚的樂聲響起，當下便會覺得生命不再有遺憾。

對於藝術品和藝術家也應稍做區分。藝術家盡心做好自己的工作，扮演好自己的角色，值得我們尊敬，但我們不必崇拜藝術家。安德烈・波伽利（Andrea Bocelli，1958－至今）是我非常喜歡的盲眼聲樂家，每當聽到他的歌聲便會覺得自己很幸福。有一次，朋友邀請我去聽他的演唱會，我婉言謝絕了，能聽到他的CD，我已經心滿意足。藝術家有其獨特的生命格調，不一定喜歡他的歌就要和他做朋友。對藝術家來說，我只是千千萬萬的聽眾之一，我只要盡好聽眾的責任，買一片正版CD常常欣賞就好了。

這就好比作家寫作，讀者並不需要了解作者是誰，重要的是能否從作品中獲得啟發，使自己對生命的了解達到新的高度。對藝術家的個人崇拜只會讓我們陷入幻想，並承受幻想破滅後的痛苦，我們還是要設法讓自己的生命充滿創意。

# 真正的自由

## （四）通往自由之路，恢復完整生命

藝術能幫助我們通往真正的自由，恢復生命的完整。我們的生命經常處於分裂狀態，每個人通常只能從事一種工作，如學生、工程師、老師、員警等。人類社會的分工合作使個人的生命極易被功能化，僅根據一個人的能力和作用來界定他的本質，這既不合理亦不公平。人活在世界上，除了從事專業工作外，還有對生命完整

性的要求。

為什麼我們會在放假時覺得特別開心呢？假期（holiday）一詞在西方有兩個意思：1. holiday 的字根 holy 有神聖之義，西方人在每個星期天都要做與神明有關的事，如上教堂，這是教徒共同遵守的規範；2. holy 也可理解為完整，我們在假期可以做一些上班不能做的事，使生命不再受到限制，從而恢復完整性。

人透過藝術可以快速恢復生命的完整性。很多地方會在假日舉辦嘉年華活動，參加者忘了自己的身分和地位，一個個盛裝打扮，載歌載舞，人與人之間打成一片，每個人都像重新回到了童年，自由自在玩耍：有的追著牛跑，忘了受傷的危險；有的互相潑水，弄得渾身溼透；還有的互丟番茄，搞得一片狼藉。各種民俗活動都有一個共同目的，就是希望人們在這個特殊的日子裡恢復生命的完整性。

一個人如果想透過藝術作品體驗審美的愉悅，可選擇的範圍十分廣闊，包括音樂、舞蹈、繪畫、小說、戲劇、詩或電影等。現代人欣賞最多的是電影，好電影其實並不多，很多電影都採用類似的橋段，劇情也不夠完整，為了迎合觀眾而譁眾取寵，難以讓觀眾產生共鳴。

人有審美感受時會覺得非常幸福，真正的自由就是做我自己，減少被其他因素干擾和限制。真正的審美感受可用一句話來描述：「能夠欣賞這樣的藝術作品，就算人生再苦也值得。」人不能脫離社會，無論從事任何行業都會有壓力，感覺受到各種束縛；但只要有審美的趣味，人生再苦也值得。

每個人都要設法找到讓自己快樂的祕密武器，譬如珍藏一些自己最喜歡的曲子、電影、小說、畫作或詩詞等，在心情鬱悶時拿來調節自己的情緒。選擇時不必和別人商量，若你接觸這些作品時

內心會產生「再苦也值得」的感受，僅憑這一點就可以定取捨。在藝術的世界裡不用請別人當裁判，對美的判斷不需要借助理性的概念，你只要心思單純、用心感受即可。

欣賞藝術作品時通常會有兩種體會：一方面覺得自己與藝術作品融為一體；另一方面覺得這些作品打開了生命中被閉鎖的能量，自己重新成為一個完整的人，不會再以職業成就或財富地位去判斷別人，而是從更完整的角度去欣賞他人，對別人的遭遇感同身受。

法國的卡繆是我年輕時頗為欣賞的作家，他於一九五七年獲得諾貝爾文學獎。一九五三年，卡繆在接受一場名為「藝術家與時代」的訪談時提出，他反對兩種類型的文學作品：

1. 反對神話式的未來。神話是有關神明的故事，當人的理性尚未昌明時，需要透過神話來掌握世界的結構和生命的意義。如果藝術家為了讓人們忍受痛苦而將未來描繪得無限美好，這相當於用神話來糊弄大眾。藝術欣賞採用感性所及的方式，如果在欣賞的當下無法得到快樂，誰又能保證將來會有快樂呢？

2. 反對浪漫主義。浪漫主義只注重生命的動態層面。卡繆顯然受到了尼采的啟發，尼采提到生命有兩種力量：一種是太陽神，重視形式，與人的理性要求相配合；一種是酒神，重視生命力的無限躍動，與人的感受能力相關聯。浪漫主義把藝術變成逃避現實苦難的避風港，這是不切實際的。我們寧可將目光返回自身，讓自己有能力面對人生的各種挑戰，而把藝術做為一種調節自己情緒的方法。

卡繆強調，藝術既要了解現實的狀況，還要展現創造的作用。現實生活反映出人性的寶貴，創造過程則體現了藝術的價值。藝術家不能脫離現實世界，應該關注普通百姓的生活，正視他們遭到的迫害、羞辱和不幸；但藝術家也不能完全沉浸於現實世界中，自

古以來人間就缺乏仁愛和正義，藝術家要給人們帶來希望和力量，引領他們進入藝術的世界。人必須要同時接納痛苦與美麗，只要美麗、不要痛苦僅僅是一種幻想。卡繆最後的結論是：「在面對壓迫時，打開監獄之門，為悲傷者帶來希望，為一切人帶來歡欣，這就是藝術家的偉大使命。」

第十三章

# 宗教與永恆

# 好好批判宗教

自古以來，人類社會上一直存在著宗教現象，如教堂、寺廟、出家的僧侶、傳經布道活動以及宗教音樂等。

什麼是宗教？中文裡「宗教」一詞出現較晚，原本是「宗」與「教」分開使用。宗教的英文是 religion，其字根在拉丁文中包含兩個意思：第一指捆綁，人的生命在不同時空中極易分散，以致於忘了自己是誰，「宗教」意味著將個人生命捆綁起來，使之不再分散；第二指重新與神建立關係，神是人類生命的根源，因為某種緣故，人與根源分裂了，宗教要使人與根源重新建立聯繫。兩種解釋彼此相通，人只有把自己捆綁起來，使內在形成統一的自我，才能連繫到根源。

中國很早就有與宗教相關的巫術和神話，古代有專門的神職人員負責與鬼神溝通，女的稱為巫，男的稱為覡（ㄒㄧˊ），使人的世界與鬼神的世界可以相通。

世界文明的發展造就了當今世界的幾大宗教，這些宗教說的是什麼？宗教還能繼續存在嗎？首先要探討宗教面臨的挑戰。

## （一）自然科學的挑戰：無對象可言

很多人都認為隨著自然科學的發展，宗教將無法繼續存在。然而，自然科學研究的對象十分明確，一定是有形可見、充滿變化的物質世界；並且科學研究分門別類，有天文學、地質學、物理學、化學、生物學、醫學等。科學研究的目的是幫助人類更深刻地了解自然界，那麼自然科學的發展可以駁斥宗教的存在嗎？

早期宗教經典中關於宇宙和人類起源的描述，顯然與後面的科學發展相矛盾。西方最早對宇宙的看法是西元二世紀出現的托勒密天文學，認為地球是宇宙的中心，包括太陽、月亮在內的其他星球

均圍繞著地球不斷旋轉。《聖經・舊約》中提到上帝創造了世界和人類，地球是宇宙的中心，人類是萬物之靈。

但是後來科學的發展清楚證實：地球非但不是宇宙的中心，反而只是繞太陽旋轉的行星之一；根據達爾文的進化論，人類也不是上帝特別製造的萬物之靈，反而變成萬物演化的末端環節。在自然科學明顯的證據面前，對於如何看待宇宙和人類生命的來源問題，宗教面臨著巨大的挑戰。

事實上，自然科學與宗教未必矛盾。宗教的核心問題是宇宙是否有起源，答案是有或沒有。如果宇宙沒有起源，說明宇宙本身是永恆的，但從宇宙內部不斷變化來看，這個說法不能成立。變化代表有生有滅，不斷變化的東西不可能永遠存在，宇宙內部有生有滅，宇宙整體也在變化之中，因而宇宙本身不可能是永恆的。關於宇宙的起源，無論科學界主張的「黑洞說」還是「爆炸說」都代表宇宙有開始。那開始之前是什麼？什麼力量使它開始？可見，科學對於宇宙起源的主張與宗教裡的神並沒有直接的矛盾。

另一方面，人的生命特色與萬物不同，人的生命是否有特殊的起源和特別的目的？簡而言之，人從哪裡來，要往哪裡去，人的生命有沒有特殊的價值？這是宗教特別關注的地方。而科學家應該謹守本分，實事求是，有幾分證據說幾分話。因此，在自然科學領域，沒有任何學科可以宣稱神或涅槃境界不存在，因為根本沒有專門研究這些問題的學科。

偉大的科學家愛因斯坦曾說：「一個人對於宇宙和人生，一定要存有敬畏之心，因為其中充滿了奧祕，而這些奧祕永遠不能被解釋清楚。」愛因斯坦是猶太人，猶太民族具有強烈的宗教性格，對任何事都喜歡探求根本。學習哲學意味著愛好智慧，智慧的特色是具有完整性和根本性，而根本性亦是宗教信仰的特色。

　　哲學與宗教有何關係？答案很簡單：宗教與哲學的方向一致，方法不同。宗教和哲學的方向都是要探尋最後的真理或真相。宗教的方法是信仰，只要你相信，所有的問題統統解決；而哲學的方法是理性，要敞開心胸，不斷提問，希望通過邏輯思考找到言語無法描述的東西，因而哲學家只能說自己愛好智慧，而不能說已經擁有了智慧。

　　自然科學否定或批判宗教無疑是選錯了對象，真正的科學家對於宗教應該存而不論、保持緘默，因為他們知道自己對於宗教問題沒有發言權。科學家只能說地球繞太陽轉、人類從其他生物進化而來，只能到此為止。

　　這兩點科學發現在今天的宗教界也可以得到解釋，比如基督宗教現在也承認地球繞太陽轉，《聖經》裡描述的畢竟是三千年前的宇宙觀，不能苛求當時的人們根據《聖經》的啟發就能知曉一切。有關人類起源的問題，上帝造人本來就是一個奧祕，是上帝直接造人還是上帝先造其他生物再慢慢演化出人類，一個直接，一個間接，兩種說法並沒有必然的矛盾。可見，自然科學確實取得了長足的進步，但對於宗教存在的必要性或宗教涉及的根本問題則應謹守分寸。


## 社會的工具嗎？

### （二）社會學的批判：社會之工具

　　社會學家對宗教的批判要比自然科學家更為有力，自然科學只研究有形可見的物質世界，而社會學研究的是人類群體的現象，這與宗教的關係顯然更為密切。在批判宗教的社會學家中，最具

代表性的當數法國社會學家涂爾幹（Emile Durkheim，1858 － 1917），其代表作《自殺論》（*Suicide*）時至今日仍有廣泛的影響。

　　塗爾幹對宗教的批判可用一句話概括：「宗教是社會的工具。」這種說法的根據是：組成社會的是個人，每個人都有自私自利的傾向，很容易以私害公而忽略整個社會的需要。為了避免社會分崩離析，必須發明宗教裡的上帝或鬼神來約束個人的欲望，使其不會過度擴張而破壞社會正義。同時，很多國家或團體也希望借助宗教的力量使社會秩序變得更好。

　　上述說法有一定道理，但不能因此說宗教只是社會的工具，我們可從三方面加以反駁。

　　1. 宗教的戒律遠遠超過法律的要求。

　　法律無疑是社會最主要的工具，社會發明各種法律來約束個人。但法律只能約束人的行為，如果只是心生歹念而尚未付諸行動，甚至已經作惡而未被發現，法律也無可奈何。但宗教的戒律比法律更嚴格，它直指人心，在起心動念之際就已經開始分辨善惡，而不必等到付諸行動。所以宗教顯然不是社會的工具，社會不可能管控到每個人內心的欲望。

　　2. 宗教的訴求針對的是普遍的人類。

　　宗教一定是面向所有的人，而不會只針對特定的人群。古往今來，人類社會總是多元共存，今天雖說是「地球村」，但社會仍處於明顯的分裂狀態。宗教的訴求針對的是普遍的人類，能夠跨越不同的民族及不同的時代，並非是某一個國家或民族的工具。目前世界上幾大宗教都有普遍的訴求，希望全世界每個人都能信仰。

　　宗教「信仰」和用理性「理解」是兩回事。可以被理解的是學識，人愈有學問就愈難信仰宗教，因為學問針對的是現實世界，了解得愈多愈會耽溺其中；宗教信仰與學識無關，宗教涉及的是根本

的奧祕，人有再多學識也無法對死亡有透澈的認識。死亡是一個奧祕，人只能和它一起生活，對死亡秉持某種特定的態度。

3. 當宗教與社會抗衡時，反而更增活力；當兩者和諧時，卻隱藏了俗化的危機。

以西方天主教為例，耶穌過世後的三百多年中，信徒飽受迫害，隨時面臨生命危險，耶穌的門徒彼得和保羅都被迫害致死。當時羅馬帝國規定，任何人檢舉基督徒即可獲得被檢舉人的全部財產，當時檢舉基督徒成了發財的最好機會。被抓到的基督徒除非發誓放棄信仰，否則就被燒死、釘死或送進鬥獸場餵獅子。

然而，天主教非但沒有因此消亡，信徒反而覺得自己肩負著特殊使命而倍感榮耀，他們相信做為殉道者能直接實現靈魂進入天堂這一最高目標。基督徒一個個視死如歸，他們被抓進競技場，不但沒有痛苦求饒，反而擁抱親吻獅子，他們被釘死或被燒死時，還高唱凱旋之歌，他們的表現令當時的羅馬人受到強烈的震撼。

西元三一三年，君士坦丁大帝（Constantinus I Magnus，272－337）公開承認宗教信仰自由，並成為第一位皈依天主教的羅馬皇帝。西元三八〇年，天主教進一步成為羅馬帝國的國教，這反而讓天主教迅速腐化墮落。

到第十二至十四世紀，經過近一千年的發展，天主教人多勢眾、財大氣粗，凌駕於各諸侯國的王權之上。當時不管是德意志、日耳曼、法蘭克還是盎格魯－撒克遜，各國國王的加冕都要得到羅馬教皇的首肯，由教皇或大主教主持加冕儀式。

十四世紀末期，天主教嚴重腐化，居然同時出現了三位教皇（1378－1417），背後各有支持的國家，為了利益而爭戰不休。此後愈演愈烈，到十六世紀終於出現馬丁‧路德宣導的宗教改革運動。

可見，如果宗教與社會配合得太好，反而有俗化的危機；宗教與社會有矛盾衝突，反而使宗教可以保持自身的鬥志和純潔性，對信徒修行的要求也特別高。中國歷史上也出現過類似情況，當佛教或道教與朝廷的關係太過緊密時，很容易出現宗教腐敗的現象。

社會學家的觀點有一定道理，人畢竟是社會性的動物，不能否認宗教對社會確實有相當大的影響和幫助，但是不能僅把宗教當成社會的工具，宗教還有其獨特的使命。

# 心理的拐杖嗎？

心理學對宗教的批判顯然比自然科學、社會學的批判更為深入。

## （三）心理學的批判：心理上的拐杖

每個人心中具有的內在世界稱為心理。心理學對宗教的批判以佛洛伊德的一句話最具代表性 ——「宗教是人類心理上的拐杖」，就好像腳受傷後需要拐杖的幫助一般，宗教信仰只是人類心理上的依靠。

早期的心理學屬於哲學的範疇，古希臘談到人的生命狀態時，認為人有靈魂，「靈魂」（Psyche）一詞和「心理」一詞在古代經常通用。談哲學時會順便提及人的心理狀態，譬如人的情感相當複雜，人要學會調整自己的心態。

心理學（Psychology）雖是當前很熱門的學科，但直到一八七九年，德國心理學家馮特（Wilhelm M. Wundt，1832 – 1920）在萊比錫大學設立心理學實驗室後，心理學才正式成為一門獨立的學科。馮特以自然科學為標竿，注重實證和重現性，試圖

改變人文學科眾說紛紜、難以驗證的局面，從此心理學獲得長足發展。心理學在開始階段，主要通過觀察人的外在行為來推測人的內心狀態，因而顯得較為淺顯和粗糙；直至佛洛伊德發展出深度心理學，透過對夢的解析，探知人普遍具有潛意識，心理學才變得較為完整和深刻。

心理學和哲學的差別在於：心理學的命題都是假言命題，哲學基本上屬於定言命題。

所有心理學命題無一例外都是假言命題。假言命題就是假設命題，一定先假設某種情境，然後教人「應該」如何反應，以期達到理想的效果。例如，「假如你要出國念書，就應該學好英文」，但問題是如果不出國，是否就不必學英文了？或者「如果你希望別人喜歡你，就要關愛他人」，但如果我不在乎別人是否喜歡我，是否就不用愛護別人呢？這是心理學的困難所在，如果沒有條件的制約，則無法確定人應該做什麼。

哲學命題屬於定言命題。定言命題需要先給事物下定義，一樣東西只能按照它的性質發揮作用而不能談條件。比如先確定一隻動物是牛還是馬？如果是馬，就應該具備馬的功能；如果是牛，就應該具備牛的功能，牛與馬之間不能混淆。

哲學家探討「人性」的問題費力不討好，還經常會使自己陷入困境；但若不清楚界定人性是什麼，便無法要求一個人應該怎樣度過一生。心理學家則認為人性是一張白紙，人出生後進入社會便會受到社會的影響，可謂「染於蒼則蒼，染於黃則黃」（《墨子·所染》）。也有人主張人性本善，但「本善」的「善」根本無法界定，譬如，孝順應該是「善」，但沒有人一出生就能做到孝順。心理學的觀點反而顯得更具說服力，因為人都會受到環境的影響。

心理學認為宗教是人類心理願望的投射。人在主觀願望無法

滿足時，便會設法將願望投射出去，譬如當人遭遇挫折、心力交瘁之際，就會希望有全知、全能、全善的上帝或神，能夠超越人的局限。如果到一座廟裡找十個僧人，雖然他們有同一位師父，講同一部佛經，但由於每個僧人的心理狀態不同，他們所描述的佛或涅槃境界也不盡相同。可見，人描述的神明的確與人的心理需求有關，反映了人的心理願望。

不過，我們可舉一例來反駁這種觀點。義大利人馬可波羅（Marco Polo，1254－1324）在元朝時曾造訪中國並做官，回國後撰寫了《馬可波羅遊記》，說中國繁榮富庶，人民謙恭有禮，社會一片和諧。此時的歐洲剛剛經歷了大瘟疫，生靈塗炭，民生凋敝，於是歐洲人把中國想像成美好的樂土。馬可波羅描繪的完美中國顯然不存在，但這並不代表真實的中國也不存在。同理，宗教信徒描述的完美的神、佛不存在，並不代表真正的神、佛也不存在，真正的神、佛未必像人期望的那樣完美和圓滿，但照樣可能存在。

宗教信仰當然不能脫離人的心理狀態，一個人很容易將內心的願望投射到信仰的對象上。很多人相信大慈大悲的觀世音菩薩，說明他們內心希望有慈悲的神明來保佑自己。西方也有類似的現象，天主教特別推崇耶穌的母親瑪利亞，他們認為上帝講求正義而過於嚴肅，耶穌的母親一定是慈悲的，向她禱告比較容易得到幫助。

然而，就此認為「宗教只是人類心理需求的投射和滿足」顯然有問題，人的主觀願望與超越界是否存在是兩回事。人所想像的完美天堂不存在，並不代表宗教裡描繪的超越的境界也不存在。宗教信仰的神明並非理性的對象，心理學不足以解釋宗教的所有現象。

# 空話連篇嗎？

### （四）語言學的批判：無意義的話

語言學對宗教的批判以英國哲學家艾耶爾（Alfred Jules Ayer，1910 - 1989）為代表，他認為宗教語言是無意義的話，《聖經》、佛經所用的文辭令人不知所云。

艾耶爾等學者透過「檢證原則」（Verification）來判斷一句話是否有意義，他認為只有在以下兩種情況下，一句話才有意義：

1. 合乎感覺經驗。一句話有意義，是因為可以立刻用感官加以驗證。比如說「外邊在下雨」，你可以立刻到外面看，如果真在下雨，則這句話有意義；又如「社會上有許多人挨餓」，你也可以立刻去檢驗，如果真是如此，則這句話有意義。

2. 合乎數學與邏輯。合乎數學規律的命題有意義，譬如一加一等於二，或按規則進行的四則運算。合乎邏輯的言語有意義，譬如可由「天下雨，所以地上會溼」，推出「地上沒溼，所以天沒下雨」，這合乎「否定後項才能否定前項」的邏輯規則；但不能推出「天沒下雨，所以地上一定不溼」，因為灑水也會使地上變溼。邏輯是哲學入門階段的必修課。

能夠應用檢證原則的言語範圍顯然太過狹窄，且「只有合乎感覺經驗或合乎數學和邏輯的語言才是有意義的」這句話本身又該如何驗證？後來該派學者退一步說：「一句話有沒有意義要看其上下文的脈絡。」以下舉幾個相關例子來說明宗教語言的特色。

道德語言是否有意義？「一個人不應該撒謊」是道德語言，但這恰恰表明很多人會撒謊，否則根本沒必要這樣說，這就好像人們不會說「一個人不應該飛上天」，因為人本來就不能飛上天。道德語言的意義不在於讓人獲得知識，它往往只是表達說話者的意圖

（intention）。比如我說「做人不能欺騙別人」，代表不管別人如何，我要誠實做人，不欺騙別人，同時希望談話的對方也能夠誠實做人。

審美語言是否有意義？人們很難界定什麼是美，當說「這幅畫真美」或「海面波瀾壯闊，十分壯美」時，通常只是表達個人的直觀感受，反映出個人的審美特色。

宗教語言是一種形而上的語言，無形可見。檢證原則只適用於人的基本認知，如外面的天氣如何、一個人長什麼樣子等，並不適用於宗教語言。宗教語言在它的脈絡裡自然有意義，因為它可以表達信徒的意圖或感受。

後來，社會學家卡爾·波普爾（Karl Popper，1902 － 1994）又提出「否證原則」（Falsification），即對於一句話，如果不能用任何方式否定它，則這句話沒有意義。

否證原則對宗教的挑戰很犀利。舉例來說，如果「神愛世人」四個字有意義，則一定要具備某些條件，如神不讓無辜的人蒙難，才可說神愛世人。但事實上，每天都有許多無辜兒童因車禍而喪生，如果神愛世人，神又是全能的，為何不設法阻止災難的發生？宗教信徒會解釋說，這是為了激發他人的同情心。但是神為何不直接賦予他人同情心，而非要以無辜兒童做為代價呢？如果進一步解釋說，神的愛很神祕，不管發生什麼，神都愛世人，這意味著「神愛世人」違反了否證原則，它在一切條件下都成立，從而變成無意義的話。

然而，宗教語言的意義在於它會引發特殊的行為。耶穌說：「不是每一個稱呼我『主啊，主啊』的人都能進天國；惟有遵行我天父旨意的人才能進去。」（馬太福音，7：21）其他宗教亦然，如果說得天花亂墜、頭頭是道，卻不能身體力行，那說的話還有什麼

意義呢？

對於宗教信仰，人都會保留一些懷疑的空間，並非一旦相信後就可以一勞永逸，所有信仰都含有冒險的成分。齊克果將信仰比作在彌天大霧中站在懸崖邊上，猶豫是否要跳過去，也許前面就是萬丈深淵，跳下去會粉身碎骨。這樣看來，宗教信仰仍有一定的條件，只是對於不同的信徒，條件各不相同，因而宗教語言仍可滿足否證原則。

宗教語言從上下文的脈絡來看，可以表達信徒的意圖和感受，同時會使信徒的行為發生改變，因此還是要肯定宗教語言的意義。雖然經歷了自然科學、社會學、心理學、語言學等學科的挑戰，宗教信仰依然存在，宗教依然擁有眾多信徒，原因就在於此。


# 信仰有三種

宗教與信仰密不可分，每個人心裡都有某種信仰，信仰至少包括以下三種類型：

## （一）人生信仰

人生在世很容易接受某種觀念，如以某句格言為座右銘，從此矢志不渝。孫中山先生曾說：「人生以服務為目的。」這是標準的人生信仰，但這句話沒有說明服務的對象是誰，因此顯得較為浮泛。如果只為自己的親朋好友服務，格局顯然有限。

很多人將環保做為人生的信仰。我有一位朋友，在她十來歲時，按照當地習俗要為已故的祖母開棺撿骨，她吃驚地發現，祖母的屍體早已腐化，但腳上穿的尼龍絲襪子卻完好如初。她意識到，如果人類大量使用無法分解的材料，勢必會引發生態災難，從此她

有了堅定的人生信仰，立志一生從事環保事業。

　　有一些環保主義者在海上與捕撈鯨鯊的船隻對峙搏鬥，冒著生命危險去保護海洋生物，不免令人肅然起敬。民間亦有各種社團，有的以服務社會為目的，有的以提倡行善為宗旨，這些都屬於人生信仰。人生信仰通常比較浮泛，在人生的不同階段有可能調整或改變。

## （二）政治信仰

　　政治信仰在世界各地廣泛存在，譬如美國有民主黨和共和黨兩大黨派，民主黨偏向自由主義，共和黨偏向保守主義，各有不同的政治信仰。政治信仰常表現為崇高的理想，為了信仰可以拋頭顱、灑熱血，眾人精誠團結，目標是要獲得政治權力、照顧百姓。但權力使人腐化，政界人物除非具有良好的個人修養，否則很難做到不忘初心。各類政治團體的信仰值得尊敬，但關鍵要看獲得權力之後如何造福百姓，這才是對信仰的真正驗證。

## （三）宗教信仰

　　宗教信仰一方面可使人全力以赴地朝神聖目標前進，化解對人間名利權位的執著，具有超越性；但另一方面，人類一半以上的戰爭都與宗教有關，不同教派之間彼此仇視、難以融合。宗教信仰愈虔誠，在內聚力增強的同時排他性也愈強，似乎世界上的宗教愈多，反而距離世界和平的目標愈遙遠。

　　宗教信仰有以下三點基本特色：

　　1. 獨特的辨認

　　一般人對世界的認識大都停留在表面，總希望飛黃騰達，害怕坎坷磨難。中國古代有「積善之家必有餘慶，積不善之家必有餘殃」（《易經‧坤卦‧文言傳》）的說法，意即積累善行的人家，必定會有多餘的吉慶庇蔭後代，使其得享福報（《尚書‧洪範》中提

到五福：壽，富，康寧，攸好德，考終命）；積累惡行的人家，必定會有多餘的災禍殃及子孫。但以家庭做為善惡報應的單位，顯然太過浮泛，因為行善或為惡的主體是個人。

宗教信仰需要有獨特的辨認，每個人都要自己負責。歷史的興衰總是浮於表面，宗教信仰則使人清楚了解到什麼是永恆和真實，人不應追求身心方面的愉悅享受，而應重視靈性的修養，改變自己的生命方向，這就是獨特的辨認。

2. 全盤的付託

人一旦有了獨特的辨認，就會發現人生的真相——一個人真正的自我是內在的靈魂，由此便會有全盤的付託，為了理想而傾盡全力。孔子曾說：「篤信好學，守死善道。」（《論語・泰伯篇》）即以堅定的信心愛好學習，為了完成人生理想可以犧牲生命。又說：「朝聞道，夕死可矣！」（《論語・里仁篇》）即早晨聽懂了人生理想，就算當晚就要死也無妨。孔子將自己的生命全部寄託於「道」（人類共同的正路）之上，具有偉大的宗教情操。

3. 普遍的傳揚

人一旦悟道，就會全力以赴地實踐，用實際行動來傳揚自己的理想。孔子奔走呼號，就是希望每一個人都能體會到生命有無限提升的可能，內在自我要不斷成長，個人生命並非孤立，要與人群融為一體。

孔子的言行表明，儒家雖不是宗教，卻能引發人的宗教情操。一個人一旦認同儒家「人性向善」的立場，內心就會產生一種力量，讓人不斷向上提升超越，就像孔子十五歲立志求學，三十而立，四十而不惑……[83]一路向上，每隔十年就會脫胎換骨，展現出新的生命特色。

信仰可以分為人生信仰、政治信仰和宗教信仰三種類型，宗教

信仰在三者之中最為純粹和完整。


# 專門回應難題

到底什麼是宗教？什麼是信仰？如何證明信仰是可靠的，而不是個人的幻覺？

## （一）宗教是信仰的體現

宗教與信仰的關係可用一句話來概括：宗教是信仰的體現。宗教的核心是信仰，信仰的具體實現就表現為宗教。所有宗教都具有時代的特徵和地區文化的特色。同樣是佛教，印度、東南亞、中國西藏以及中國東部地區的寺廟建築風格就有很大差異。宗教不能脫離特定的時空條件和文化背景，西方的宗教亦然。

## （二）信仰是人與超越界之間的關係

什麼是信仰？信仰是人與超越界之間的關係，這種關係一旦建立，個人生命便會隨之改變。譬如，說「張三有了信仰」，代表他和超越界建立了某種關係，最明顯的證據是他的生命開始不斷向上超越。

與超越界相對的是內存界。人生在世，透過感覺和理性思考所能掌握的範圍稱為內存界，包括自然界和人類兩個領域。自然界和人類都充滿變化，人有生老病死，物有成住壞空，季節有春夏秋冬，國家有興盛衰亡，變化的一切是否有其來源與歸宿？譬如，道家就認為「道」是萬物的來源與歸宿。超越界就是指自然界和人類

---

83 出自《論語・為政篇》。原文：子曰：「吾十有五而志於學，三十而立，四十而不惑，五十而知天命，六十而（耳）順，七十而從心所欲不踰矩。」

的根源。

超越界的存在無法被證明，譬如我們無法證明鬼神的存在；對於超越界，我們只能從不同角度加以描述，比如說這是鬼屋、這個地方陰氣較重，這都提供了某種解釋，卻無法客觀說明鬼神究竟為何物。超越界雖不能被證明，卻被要求存在，以回應人間的痛苦、罪惡和死亡這三大奧祕。

1. 痛苦

人並非只有生病或饑餓時才會感到痛苦，很多人吃飽喝足照樣痛苦。美國有調查顯示，富人自殺的比例超過窮人，這著實令人費解。富人雖有豐富的物質享受，但內心極易感到空虛，他們缺少真正的朋友，倍感苦悶和無奈。現代社會的最大問題是愈來愈多的人罹患憂鬱症，患者大多家境富裕，很少有社會底層的工人。由此可見，痛苦是難以解說的奧祕。

2. 罪惡

為什麼有人非要去做殺人放火、販毒詐騙等傷天害理之事？正常人很難理解罪犯的心理，因為我們沒有處在相同的環境裡。有一句話非常生動：「好人不知道壞人有多壞，壞人不知道好人有多好。」每個人都習慣站在自己的角度去觀察別人，很難真正做到換位思考，除非我們在閱讀、看電影或是實際生活中常常留心觀察、用心揣摩，才能逐漸對他人體貼入微。

許多人明明什麼都不缺，卻顯示出殘忍的本性，比如很多人並非為了生存的需要而去打獵，他們傷害其他生物只是為了娛樂。我們該怎樣解釋人性中的陰暗面呢？這類現象其實很普遍，西方中世紀哲學家奧古斯丁在其代表作《懺悔錄》（*Confessions*）中寫道，他家附近有一座果園，牆上明明寫著「不准偷竊」，他偏要進去偷摘果子，摘了也不吃而直接丟掉。如果偷果子充饑還可以理解，但奧

古斯丁的行為顯然是出於叛逆的心理。

　　有人無聊時專門喜歡惡作劇。多年前，有位加拿大的朋友向我講了他和哥哥的惡作劇，哥哥先打電話給一位陌生人說：「這裡有沒有彼得先生？」對方說：「你打錯了。」哥哥每半小時重打一次，這家人覺得莫名其妙。傍晚時，弟弟再打過去說：「你好，我是彼得，今天有沒有人打電話找我？」弄得這家人幾近崩潰。可見，罪惡的問題非常複雜，以致出現了像「犯罪心理學」這類專門研究犯罪心理的學問。

　　3. 死亡

　　死亡既神祕又特別，令人感到十分困惑，似乎只有宗教界才能解釋。當家中有長輩過世，由於目前沒有合適的喪禮規範，很多人會請宗教界人士來安排喪禮。喪禮在中國古代是最為重要的禮儀，具有悠久的傳統，《禮記》對此有詳細記載。因此，對於目前的中國社會，國家應設計一套完整的喪葬儀式，以使生者的情緒可以適當調節，死者的亡靈能夠得以安息。

　　信仰是人與超越界之間的關係，超越界無法被證明，卻被要求存在。理性無法解釋人間為何有痛苦、罪惡和死亡三大奧祕，超越界的存在正是為了回應這些難題。

## 想到終極關懷

　　基督宗教的上帝、伊斯蘭教的阿拉、儒家所謂的天、道家所謂的道、印度教的梵、佛教的涅槃境界或一真法界，都可做為超越界的名稱。西方如何證明超越界的存在呢？

### （一）萬物存在之充足理由

哲學上常使用「充足理由原理」來證明超越界的存在，即任何東西的存在都有充足理由，絕不會無緣無故存在。譬如看到牆上開花，就知道一定是種子飄落到牆縫中，否則牆上不可能開花，除非是假花。宇宙萬物有生有滅，每樣東西的存在都有充足理由，否則為何是它而不是別的東西存在呢？

西方最推崇《易經》的科學家、哲學家萊布尼茲（G. W. Leibniz，1646 - 1716）根據充足理由原理，推出有趣的結論：「我們所在的世界是所有可能的世界中最完美的。」但因為沒有其他世界做為對照，因而很難界定什麼是完美。他認為上帝所造的這個世界是最完美的，否則上帝沒有理由造它。超越界的存在，使得世界上的一切都能得到合理的解釋。

### （二）使個人產生絕對依賴感的對象

人在某種情況下會出現「絕對依賴的感受」（the feeling of absolute dependence），這一概念由德國著名神學家士萊馬赫（F. D. E. Schleiermacher，1768 - 1834）所提出，他與黑格爾（G. W. F. Hegel，1770 - 1831）年代相仿。感受與感覺不同：感覺來自於感官，比如覺得很冷、很亮、或聲音很大；感受則是整個生命沉浸於某種狀態之中，有身不由己之感。

人都需要有所依賴，可謂「在家靠父母，出門靠朋友」，但人間的各種依賴（父母、朋友、金錢等）都是相對的，沒有真正的可靠性。相對的依賴可以找到化解的方法，比如在沙漠中快渴死了，忽然看到前面有人，就可以向他買水或借水，這就是相對的依賴。

人常常會感到自己生命的基礎是落空的，一想到「人生自古誰無死」，難免會有萬念俱灰、無依無靠之感。著名學者王國維先生（1877 - 1927）曾說：「人間事事不堪憑，但除卻、無憑兩字。」[84]

即人生什麼事都靠不住，只有「靠不住」一詞是例外。這與「世界上唯一不變的只有變化」的說法很類似，這句話生動描述了他內心無依無靠的感受。像他這樣學識淵博、智慧超群的學者，只活到五十歲便因無法接受時代的滄桑巨變而自殺，實在令人扼腕嘆息。

　　一般人很難想像屈原投江自盡時的心態，但每個人都可能在特定情況下產生孤獨無依的感受，此時會迫切需要找到絕對的依賴。超越界的存在使人的生命感到安穩，就算失去一切，依然可以自我安頓。

### （三）人需要終極關懷

　　「終極關懷」（the Ultimate Concern）這一概念是由西方近代神學家保羅·田立克（Paul Tillich，1886 － 1965）所提出，許多人用「終極關懷」來形容宗教的特色。與終極關懷相對的是非終極關懷，即相對的、短暫的關懷。

　　人生在世有許多階段性的關懷。譬如我是中學生，就要設法考入理想的大學，這是相對的關懷。高考猶如千軍萬馬過獨木橋，必須鎖定目標，全力以赴，放棄一切娛樂和愛好，好比賽馬時用布遮擋住馬匹看向兩側的視線，使牠不要東張西望，而要勇往直前。進入大學後，很少有人一心一意讀書，大家往往忙於交友戀愛、考研出國，進入社會後則忙於成家立業、謀求發展，這些都屬於階段性的關懷。

　　終極關懷意味著最後的、唯一的、最重要的關懷，可以做為一個人的主心骨，為其生命提供真正的支撐。如果沒有終極關懷，這

---

84　出自王國維的詞〈鵲橋仙〉。原文：沉沉戍鼓，蕭蕭廄馬，起視霜華滿地。猛然記得別伊時，正今夕、郵亭天氣。北征車轍，南征歸夢，知是調停無計。人間事不堪憑，但除卻、無憑兩字。

一生相當於在平面上打轉，在欲望和無聊間擺盪，最後只會覺得空虛茫然，現代人普遍有茫然無歸之感。

許多人以賺錢為終極關懷。在這個世界上，錢似乎是萬能的，俗話說「有錢能使鬼推磨」，更誇張的說法是「有錢能使磨推鬼」。古往今來，許多人都會把金錢做為人生的唯一目標。耶穌曾說，有錢人進天國比駱駝穿針孔還難。這句話聽起來很刺耳，但有位專家經過研究認為，耶穌所說的「針孔」其實是耶路撒冷的一個很小的門，駱駝大概要練縮骨功才能穿過去，這表明有錢人進天國雖說很難，但只要經過修練還是有可能的。

超越界的存在有三種原因：1. 充足理由原理；2. 人有絕對依賴的感受，需要絕對的依賴對象；3. 人要找到正確的終極關懷，使人的精神不斷向上提升超越，而不致沉迷於具體的物質世界之中。

## 超越界是什麼

使用「超越的力量」一詞可以更好地形容「超越界」的特色。在古希臘時代，神（theos）與力量（theoi）是同一字根，神一定會顯示出某種力量，否則人沒有必要崇拜它；「力量」代表生命的來源和成長發展的動力。

對「超越的力量」有兩種不同的理解：一種稱為「超越界」，這一說法使人感到超然物外，好像進入某個完美的領域，譬如佛教用「涅槃境界」或「一真法界」形容覺悟後的完美境界，由此得以擺脫六道輪迴之苦；另一種稱為「超越者」，這一說法使人感覺神像人一樣具有位格，類似於主宰者、審判者之類的說法。兩種理解的區別在於是否顯示人的位格性（Personality）。

「位格」（person，拉丁文 persona）一詞最早出現於羅馬時代，原指面具，演員演戲時佩戴不同的面具以扮演不同的角色，後引申為人的位格。「人有位格」意味著人有能力根據不同的對象顯示不同的面貌：比如見到孩子，我成為父親；見到父母，我成為兒子；見到朋友，我成為朋友之一；見到學生，我成為老師。位格有三方面的作用：

1. 能夠認知。能知道來者何人，和自己有什麼關係，譬如面對士兵就會展現出將軍的威嚴，面對敵人就會展現出克敵制勝的勇氣。

2. 具有情感。能表現出喜怒哀樂的情感才可以說具有位格，動物無法表現人類所能理解的認知和情感，所以不具有位格。

3. 具有意志。意志代表可以自由做出選擇。

「超越者」的說法表明，神像人一樣能夠認知，具有感情和意志，可稱為「有位格的神」；而「超越界」的說法則不顯示位格性。因為人類具有位格，神也相應地具有位格才能與人溝通；但就神本身來說，至少包含三個層次：

## （一）超位格的部分（Super-personal）

神具有超出人的理解能力的部分。西方雖然長期信仰像「耶穌基督」這樣有位格的神，但依然承認真正的神是「奧祕難解的神」（Deus absconditus）。神一定具有超越位格的部分，完全不同於人類的邏輯，人的理性永遠無法徹底了解。

與西方對照來看，中國墨家的學說顯然缺乏超越性。墨家講「天志」（天的意志）本應具有明顯的超越性，但接著在〈明鬼〉一章中用鬼故事來體現善惡的報應。墨子用心良苦，他把「天」看成「超級的人」，具有像人一樣的愛心，天既然生養了眾多百姓，就希望大家相親相愛，避免戰爭，和諧共存；但如果天的表現和人類的

期望完全相同，天就不再具有超越性。人類永遠要保持謙卑之心，我們永遠無法徹底了解神或佛的最高境界。

### （二）位格的部分（Personal）

神具有與人的位格對應的部分，因此可與人類溝通和建立關係。很多人信仰神、佛或菩薩，正是因為他們覺得自己可與神明溝通，可以向神明傾訴或接收神明的旨意。

### （三）非位格的部分（Impersonal）

神也具有非位格的部分。山河大地、日月星辰、花草樹木、鳥獸蟲魚，神造出的礦物、植物和動物都是沒有位格之物，可見神一定具有非位格的力量。人不可能真正了解石頭、樹木或小狗之類的非位格之物，我們常以為自己了解，其實都是出於自己的想像，真實的情況究竟如何，我們永遠無法驗證。

根據對超越力量的不同理解，可將宗教分為兩大派：第一派是「有神論」的宗教，以西方的基督宗教（包括天主教、東正教、基督教新教）為代表，信徒普遍相信耶穌是人也是神，耶穌明確顯示出神的位格性；另一派是「非神論」的宗教，以東方的印度教和佛教為代表，「非神論」表示不以神為中心。

印度教、佛教不能稱為「無神論」，在宗教界說自己是「無神論」屬於自相矛盾的說法。「神」代表在身、心層次之上的精神層次的存在，譬如，認為祖先死後有靈就不是無神論。真正的無神論通常都有特定的批判對象，譬如近代歐洲的無神論，就是要反對猶太教、基督宗教中上帝的存在。

說自己是「非神論」則意味著：你所謂的神和我所了解的境界不相契。印度教或佛教不以神為中心，而以人的內在覺悟能力為中心，甚至會說「眾生皆有佛性」，眾生包括所有的有生命之物。

總之，宗教是信仰的體現，信仰是人與超越力量之間的關係，

超越力量表現為超越者或超越界兩種型態，兩者的區別在於是否具有位格，由此形成以基督宗教為代表的「有神論」宗教，和以印度教、佛教為代表的「非神論」宗教。

# 獨斷的教義

宗教需要五個條件：教義、儀式、戒律、傳教團體和學理，本節先說明宗教的教義。

## 教義

「教義」的英文dogma與dogmatic（獨斷的）字根相同，教義不講理由、不談條件而直接宣布真理，這與學術界用理性探討學問的方式完全不同。人的理性無法理解獨斷的教義，因此需要借助於信仰。

西方中世紀關於天主教教義出現過各種爭論。天主教認為：耶穌基督是救世主，他是人亦是神，死後第三天復活，復活後第四十天升天，耶穌的母親瑪利亞是童貞生子……這些說法令人難以理解，甚至覺得匪夷所思。當時關於信仰有兩句話廣為流傳，直到今天仍有參考價值：

### （一）我相信，因為那是荒謬的

荒謬意味著不合理，如果合情合理，人可以直接用理性去認知，而不必讓自己「相信」。譬如百科全書中的知識都很合理，人可以用理性來理解而不必借助於信仰。所有宗教徒聽到這句話，都會覺得「於我心有戚戚焉」，譬如佛教講六道輪迴、三世因果，由三世一直推下去就變成無窮世，難免讓人覺得不合理，所以只能

「相信」。

### （二）我相信，是為了可以理解

人一旦相信了宗教的教義，便能很容易地理解。比如，基督宗教認為耶穌是神的兒子，因為人類有原罪，所以耶穌降世替人贖罪。人類為何有原罪？《聖經‧舊約‧創世紀》中提到，亞當和夏娃由神所造，他們違反了與神的約定，得罪了神，人類從此便有了原罪。亞當和夏娃的罪過讓後代繼承，這似乎不合理，但原罪反映的是：人性具有自由，同時就有犯錯的可能性。

為何神不直接原諒人類？因為人是神造的，人沒有能力直接向神賠罪，只有神才能彌補神，所以神派自己的兒子來替人贖罪。如果相信就會覺得這很合理，否則就覺得很荒謬，這顯示了宗教教義的特色，它直接宣布真理，不容商量，要麼信，要麼不信，沒有中間地帶，與哲學討論或科學思考的特性完全不同。

佛教創始人釋迦牟尼又被稱為佛陀，意為「覺悟之人」，他智慧極高，擅長用比喻來闡釋佛教教義。有弟子問他宇宙從何而來，他用比喻回答：「譬如一個人被毒箭所傷，別人要救他時，他先問：『是誰射的箭？用的什麼毒？為什麼射我？』全部了解清楚後，早就毒發身亡了。」

人生在世，如果非要探究宇宙的來源、人生的意義和目的，等全部搞清楚之後恐怕早已衰老。釋迦牟尼的回答體現了宗教的智慧，不要問理性無法找到標準答案的問題，而要問如何擺脫人生的痛苦。佛教認為眾生皆苦，提出苦集滅道「四聖諦」，即四項最根本的真理。

第一就是苦諦，為何眾生皆苦？原因在於人有生命，一定要消耗其他生命才能維持自己的生存，由此產生自我的執著。生命是欲望不斷實現的過程，欲望尚未滿足則會苦惱，欲望實現之後又產生

新的欲望，因此，眾生皆苦是普遍現象。

集諦就是找出苦的原因，佛教有「十二因緣」之說，歸根結底是因為無明、缺乏智慧，把假的當真的，把錯的當對的，生活在顛倒錯亂的世界裡，從而產生無盡的痛苦。十二因緣表明人會不斷輪迴再生，只有透過修練實現覺悟，才能擺脫輪迴之苦，這些都屬於教義。

對於最聰明的哲學家、教育家所不能回答的問題，宗教可以一語道破。如果信仰宗教，那麼對於人為什麼活在世界上，可以給出兩種答案：第一，人要恭敬上帝，拯救自己的靈魂；第二，人要設法覺悟，進入涅槃境界。這分別代表了基督宗教和佛教兩大宗教的觀點。

一般人如果僅用理性思考而沒有宗教信仰，通常無法接受這樣的答案，理性會提出許多反駁意見。譬如，既然神造了人類，為何會讓人類不恭敬神或不相信神？神豈非自找麻煩？對於輪迴的問題，既然我不知道我的前世是誰，又何必在乎我的來世是否繼續輪迴？如果大多數人都無法覺悟，我又何必一定要在今世覺悟呢？提出這些問題說明你尚未信仰宗教；宗教對於世界的來源、人生的意義和目的、得救或者覺悟的方法，已經在教義中講得清清楚楚，你只要相信就不會再感到疑惑。

很多人在信仰宗教之後，生命會發生徹底的轉變，他發現應該修練的不是身或心，而是靈的層次。身體必然衰老；人可以求知，但有可能得健忘症；人有情感，但最後恐怕有心無力；人可以自由選擇，但選擇總會受到各種約束和限制；只有進行靈性修養才是人生正途。

宗教的第一個條件是教義，教義直接宣布真理，它完全超乎人的想像，人僅憑理性無法理解，因此要借助於信仰。教義是獨斷的，

不談條件，不容商量與討論，與一般的知識或學術理論截然不同。

# 巧妙的儀式

## 儀式

宗教的第二個條件是儀式。儀式（有時也稱儀軌）是在進行宗教活動時表現出來的禮儀。

儀式與神話密不可分。神話是有關神的故事，每個民族在早期階段都有神話，通常與古代的宗教信仰有關。神話是說出來的，儀式是做出來的，必須兩相配合。當舉行儀式時，需要神話解釋其中蘊含的道理，否則人們無法了解儀式究竟代表什麼，這好比觀看古代巫術表演，巫師左邊轉三圈，右邊轉三圈，中間點著火，如果沒有解說，觀眾只會覺得一頭霧水。

人有感官，需要通過儀式獲得直觀的感受。親眼看到規模宏大的廟宇會使人信心倍增，寺廟或教堂屬於宗教儀式的靜態表現。親耳聽到誦經聲或宗教音樂會使人感受到超越的力量，耶誕節來臨前一個月，已經隨處都能聽到聖誕音樂了。

儀式借助身體的連續動作，讓古代的神話故事或宗教大事再次上演，使人獲得身臨其境的感受。神話通常都以「在起初」三個字開頭，儀式讓「在起初」發生的事情得以重現，不管你處於生命的哪個階段，都可以借助儀式回到原點、重新出發。

與一般場所不同，宗教場所用來舉行各種宗教儀式，因而屬於神聖空間，置身其中會有明顯的莊嚴肅穆之感。宗教中還有許多神聖的節日，如基督宗教的耶誕節、復活節，佛教的浴佛節、盂蘭盆節[85]等，各種節日當天都屬於神聖時間。

　　人活在平凡的時空當中，如何理解神聖空間和神聖時間？神聖意味著唯一的、不可替代的，平凡則意味著可以替代。譬如，如果覺得會議室太小，可以換一個房間開會，兩個房間沒有本質的差別；但如果在寺廟中舉行宗教儀式，即使場地狹小也不能隨便換成體育館，因為體育館不是神聖空間。

　　同樣的，在浴佛節當天如果天降大雨，也不能換到明天再舉行，因為節日當天屬於神聖時間，不能隨便替換。其實，沒有所謂的「平凡時間」，每一天都是不可替代、不能重來的，今天的會議改到明天舉行看似差別不大，但一天之內，可能會有許多人離開這個世界，許多人生變故就在一秒內出現，所以時間和空間的性質是有差別的。

　　宗教儀式可以安頓人的生命，透過儀式使神話得以重現，目的是使人永遠回到神聖的空間和時間，回到一切最開始的階段，回到神話原型剛剛建立之際，這稱為永恆回歸。人生在世，時間一去不復返，難免會覺得生命愈來愈黯淡無光，宗教最為可貴之處就是透過宗教儀式，使人永遠可以回到出發點，永遠能感覺到全新的力量。

　　天主教有很多儀式，包括受洗、堅振[86]、婚禮和去世前的終傅等，人生就在重要的儀式中不斷開展。最常見的儀式為「望彌撒」和「辦告解」。

　　「辦告解」是一種很重要的懺悔儀式。人難免犯錯，如果違背了教規、法律或社會規範，傷害了他人，就要透過告解向神父坦白說出自己的罪過。神父接受過教會的訓練，對於信徒在告解中承認

---

85　浴佛節：每年農曆四月初八，佛祖釋迦牟尼誕辰。盂蘭盆節，每年農曆七月十五日，用於追薦祖先。

86　參見第四章。

的任何罪過都要絕對保密，否則將被永遠革除教籍。如果有殺人犯向神父承認了自己的罪行，神父知道後必須保守祕密，絕對不能報警。神職人員或出家人都需要有極高的修養，否則他的心理無法承受世間的眾多罪惡。

辦完告解後，人會覺得神清氣爽，好像又回到了嬰兒時期，生命彷彿重新開始，人生又有了新的契機，這就是懺悔儀式的明顯作用。宗教給人懺悔的機會，本意是要人改過遷善，但由於人性的軟弱和懶惰，許多人非但沒有悔改，反而利用宗教的這種設計而一再犯錯，這種現象在任何宗教中都普遍存在。

佛教的天台宗有五種懺悔儀式（懺悔法門）：

第一步是懺悔。定期對自己的過錯加以懺悔。

第二步是勸請。因為我一個人力量不夠，所以勸請諸佛、菩薩一起來加持我。

第三步是隨喜。在任何地方，只要看到別人有善的行為，我應該和他一起高興。

第四步是迴向。我將來如果行善，要迴向到十方眾生。

第五步是發願。面對自己的過錯，發誓以後不再重犯。

人犯錯後即使能被原諒，仍會覺得一個人的力量很單薄。天台宗的「五悔」則非常完備：一個人犯了錯，除了自己懺悔，還需要諸佛、菩薩一起來加持，看到別人行善要隨喜，將來如果自己行善要迴向。這都表明個人是軟弱的，需要借助大家的力量來護持，以使自己能夠站得更穩，最後發願將過去的錯誤完全改正、不再重犯。

儀式對於宗教來說非常重要、不可或缺，我們在參加或觀看宗教儀式時一定要心存敬意。《論語·鄉黨篇》記載：「孔子看到鄉里的人舉行驅逐疫鬼的儀式時，他穿著正式朝服站在東邊的台階上

表示尊重。」[87]這體現出儒家尊重他人信仰的基本態度。

# 深刻的戒律

## 戒律

　　宗教的第三個條件是戒律。宗教戒律與法律不同：法律用於規範人的外在行為，宗教戒律則是從起心動念處開始要求，比法律更為嚴格和深刻。人常會心隨念轉，念隨境轉，心很難安定下來，如果一個人謹守宗教戒律，則會輕鬆地滿足法律的要求。《大學》中提到修身的關鍵在於「誠意」，這正是從起心動念之處著手修練。

　　宗教的戒律十分深刻，耶穌曾説：「凡看見婦女就動淫念的，這人心裡已經與她犯姦淫了。」（馬太福音，5：28）這顯然非常嚴苛，我在路上看到漂亮的少女，只要心中有複雜的念頭，即使什麼都沒做，也已經犯罪了，這句話對西方人的心理造成了不小的影響。佛洛伊德做為猶太人對西方的宗教非常熟悉，他曾説：「很多人因為有罪惡感而去犯罪。」乍聽會以為他説反了，人應該先犯罪才會有罪惡感，如果沒犯罪又怎會有罪惡感產生呢？

　　罪惡感就是來自耶穌講的那句話，很多男人看到女人會產生非分之想，雖然自己什麼都沒做，也相當於犯了罪，由此會產生罪惡感；既然做與不做同樣有罪，人很有可能因此而真的犯罪。佛洛伊德的觀察非常深刻，直接觸碰到人內心最隱微的地方。宗教修行要在起心動念處下手，這談何容易？但正因為困難，才更需要修練。

---

87　原文：鄉人儺（ㄋㄨㄛˊ），朝服而立於阼階。

　　佛教有一個故事可以說明心念的重要性。一個老和尚和一個小和尚在河邊遇到一名美少女，少女不敢獨自過河，就對兩位和尚說：「你們誰可以揹我過河？」小和尚心想：「我們出家人怎能揹你過河呢？」老和尚聽了，說：「我來揹妳過河。」說完就把美少女揹過了河。回到廟裡，小和尚忿忿不平，到晚上終於忍不住質問老和尚：「今天你怎麼可以揹那名女子過河呢？」老和尚說：「我把她揹過河就放下了，你到現在還沒放下。」

　　老和尚的境界顯然較高，在他眼中沒有美或醜、男人或女人的分別，任何人需要幫助，他都會伸出援手，體現了慈悲為懷的態度。小和尚則修行尚淺，因為他對年輕或年老仍有分別心。揹誰過河並不重要，重要的是心中的意念。

　　天女散花時，小和尚拚命躲閃，卻落得滿身是花；老和尚不動如山，結果花全部滑落到地上，這說明心中的意念和動機的重要性。宗教戒律並非說說而已，它要求人從根本上改變對世界和人生的看法，否則，心魔總會在關鍵時刻讓人輕易陷落。

## 傳教團體

　　宗教的第四個條件是傳教團體，即在寺廟、教堂、修道院中修行的僧侶階層，他們要負責研究和宣傳教義、主持宗教儀式、督導戒律的執行並親身示範。宗教修行十分困難，需要經過長期的鍛鍊。譬如要成為天主教神父，通常先念哲學，再念神學，至少要花七年的時間；哲學研究思維的法則，神學研究神的學問，主要依據是《聖經》，神父只有對《聖經》非常熟悉，才能針對信徒的疑問給予清晰的解答。

　　在國外的大學，如英國的倫敦大學、劍橋大學、牛津大學都設有「三一學院」。「三一」是「三位一體」的簡稱，這是基督宗教

中最為奧妙的道理。「一體」代表只有一個神而不是三個神；「三位」代表神有三個位格：分別是父、子，以及由父子之愛產生的力量。這種力量被稱為靈，父、子、靈構成三位一體。

　　三位一體表明神並不孤單，神是愛，兩個不同位格之間有互動關係才稱為愛，沒有關係則談不上愛；這就好比一個人愛自己不叫愛，一定要有愛的對象，在彼此互動中才能不斷產生愛的力量。神創造了人類，又派子來拯救世界，後來子也升天了，現在世界上只剩下由父子之愛孕生出的靈的力量。可見，傳教團體需要經過長期訓練才能勝任傳教工作。

### 學理

　　宗教第五個條件是學理，即學說或理論，如基督宗教中的神學或佛教中的佛學，均以一般人可以理解的方式闡明宗教的道理，使宗教得以傳揚和推廣。

　　對宗教有一定程度的了解之後，個人就要決定是否去信仰。信仰是超越理性的一種抉擇，它永遠是一種冒險，有的人可能某天發現自己受騙了，有的人希望人生能夠重新開始，從而改變了信仰（也稱為改宗）。改宗的情況所在多有，因為人在生命的不同階段會有不同的體驗。

## 儒家是宗教嗎？

　　儒家是一種宗教嗎？很多西方學者在討論「中國宗教」這個題材時，很喜歡說中國有儒、釋、道三教。釋指佛教，佛教從印度傳到中國，發展出具有鮮明中國特色的大乘佛學；道教由東漢時期的

民間宗教演化而來，將道家的老莊思想融入其中。佛教、道教都具有教義、儀式、戒律等宗教必備的條件。

西方學者稱儒家為「國家宗教」，認為中國具有政教合一的特色。早在西漢時期，漢武帝聽從董仲舒「罷黜百家，獨尊儒術」的建議，儒家便成為統治者利用的「術」，儒家經典成為百姓共同遵守的教條。後來國家建立了文官考試制度，一個人若想從政，必須了解儒家思想。儒家慢慢展現出與宗教相似的格局：皇帝就像教主，大臣就像僧侶階級，百姓就像信徒。西方人看中國顯得旁觀者清，他們的說法並非毫無根據。

自秦漢以來，皇帝高高在上，大臣都要俯首稱臣、三叩九拜。自夏朝以來帝王就被稱為天子，意即皇帝是天的兒子而非常人，天是古代中國人共同信仰的對象，人類和萬物均由天所造。因此，國家的政治活動很像宗教儀式。

古代官員對皇帝叩拜時高喊「吾皇萬歲萬歲萬萬歲」，動不動就說「微臣罪該萬死」，後來演變出「君要臣死，臣不得不死」等更可怕的說法。古代大臣多是飽學之士，德行出眾，愛國愛民，為何會說出這些話呢？

事實上，大臣往往無罪，罪責多在皇帝。只有把這些話當做宗教語言才能被人理解，如果不是把君王當做全知、全能、全善的上帝，怎會有「君要臣死，臣不得不死」這樣的無理要求？與西方的情況進行對照，理解起來會更容易。

《聖經・舊約・創世紀》記載，猶太人的祖先亞伯拉罕快九十歲了還沒有兒子，但他相信唯一的神 —— 耶和華，神對他說，你將來的子孫像天上的星辰那麼多。他的妻子覺得自己不可能再生孩子，於是就把自己的婢女給了丈夫做妾，結果婢女真的生了一個兒子，從此變得很驕傲，看不起亞伯拉罕的妻子，後來神又對亞伯拉

罕説：「你的妻子也會給你生一個兒子。」

　　亞伯拉罕的妻子後來果然生了一個兒子，取名以撒。家中兩個女人經常發生爭執，亞伯拉罕就讓妾生的兒子到外面謀生，妾生的兒子就是阿拉伯人的祖先，妻子生的兒子以撒就是猶太人的祖先。猶太人和阿拉伯人之間的矛盾難以調解，正是因為他們有很深的歷史積怨。

　　以撒十歲左右，上帝試探亞伯拉罕説：「明早把你的兒子帶到山上，把他獻祭給我。」亞伯拉罕居然接受了，這在常人看來簡直違反人倫；但宗教和倫理屬於兩個範疇，亞伯拉罕相信，自己的一切都是上帝所賜，所以「上帝給的，上帝拿走」。第二天清早，他就帶兒子以撒上山，讓以撒揹一捆木柴，以撒很聰明，問祭祀的羊在哪裡，他説上帝自有安排。上山之後，他把兒子捆起來，正舉刀要宰獻以撒時，上帝説：「不要傷害他，我知道你是信賴我的。」附近有一隻羊，羊角被荊棘纏住了，亞伯拉罕就用牠代替了自己的兒子，這就是「代罪羔羊」。

　　「上帝給的，上帝拿走」就是宗教語言，「君要臣死，臣不得不死」的説法與之類似，所以西方人認為儒家是「國家宗教」有一定的道理。但問題是，歷史上國家經常改朝換代，天子頻繁換人，讓人無所適從，説儒家是宗教顯然十分勉強。清朝滅亡後，中國的帝王專制制度隨之瓦解，有的學者認為「儒家從此成為遊魂」，找不到寄宿的主體，這種説法有一定道理，但並不全面。

　　世界上只有印尼曾把儒家做為宗教，在蘇卡諾總統（Bung Sukarno，1901－1970）執政時期，華僑要成立孔教的提議得到了總統的首肯，孔教成為印尼的八大宗教之一。宗教合法的唯一條件是信徒不能是單一種族，所以當地華僑每逢週日就邀請印尼人聚會，由專人講解儒家的四書，大家跟讀，並一起向孔子禱告。蘇卡

諾下台後，孔教很快便被取締，因為大家都知道，儒家不是宗教，孔子也不是教主。

儒家有教義嗎？孔子向來不談生前死後，他明白地告訴子路：「沒有辦法服侍活人，怎麼有辦法服侍鬼神？沒有了解生的道理，怎麼會了解死的道理？」[88]（《論語‧先進篇》）這說明孔子雖有自己的信仰，但並不把自己視為宗教的教主。

儒家沒有神話，因此也沒有儀式。後來有人用神話來描寫孔子，是想利用孔子達到類似宗教的效果。儒家要求人們修身養性，《大學》中還談到「格致誠正修」，但這都算不上戒律。基督宗教、猶太教有「十戒」，佛教有「五戒」，各大宗教的戒律都十分明確，儒家卻從未有諸如不能喝酒之類的明確戒律。

今天有人想把儒家轉變為儒教，從宗教所需的條件來看，這是不容易成立的。儒家講究真誠，而所有宗教都不能脫離真誠，因此儒家可做為所有宗教的溝通平台。儒家談論的不是生前死後的真理，而是生死之間的整個人生，儒家思想如果能被清晰闡明，會受到所有宗教的歡迎。以儒家思想為基礎，不同宗教之間可以展開深入的溝通。

## 注意低級宗教

宗教可分為高級宗教和低級宗教。英國歷史學家湯恩比（Arnold Toynbee，1889 － 1975）對歷史的研究非常深入，他的代表作《歷史研究》（*A Study of History*）中，曾研究歷史上的宗教，指出宗教之高級和低級的三個判斷標準：

## （一）人性不完美

高級宗教承認人性不完美，人生有缺陷。因此，人們才需要信仰宗教。如果認為人性是完美的，人生沒有缺陷，人生還有何煩惱？所有高級宗教都會認識到人性不完美的事實：人很軟弱，很容易犯錯，人無法理解為何會有痛苦和罪惡，更無法超越死亡的限制。

低級宗教則認為人性是完美的，人生沒有缺陷，這顯然與事實不符。我一直反對宋朝學者將儒家說成「人性本善」，這明顯違背了事實。錢穆先生是學問大家，他在著作中不只一次提到「人性本善是一種信仰」，這表明「人性本善」不是哲學。哲學一定要從經驗出發，對人生經驗做全面的反省，從中歸納出生活的指導原則。基督宗教認為「人有原罪」，相當於說「人性本惡」，如果我們堅信「人性本善」就成了一種宗教信仰，但儒家不是宗教而是哲學。

善惡是一種行為表現，沒有人生下來便會區分善惡。人有理性可以學習如何分辨善惡，人有意志可以自由選擇，明知是惡的我偏要去做，或知道是善的我努力去做，這樣一來才有責任問題。對於還不會分辨善惡的孩子來說，我們不能評斷他的行為是善還是惡，也無法要求他承擔責任。

高級宗教面對經驗的事實，了解人性的真實狀況，認為人性不完美、人生有缺陷，因此才需要宗教信仰。宗教是信仰的體現，信仰是人與超越界之間的關係。人生在世，一切問題都來自於自我的執著，一切以自我為中心，無法超越自我，到最後損人利己，甚至損人也不利己。高級宗教會提醒人們，要超越自我的執著，不要執

---

88　原文：季路問事鬼神。子曰：「未能事人，焉能事鬼？」曰：「敢問死？」曰：「未知生，焉知死？」

迷於物質享受和名利權位，要愛人如己，不斷把愛心推廣到更大的範圍。

## （二）對罪惡的反抗

高級宗教反抗人間的一切罪惡，絕不與罪惡妥協。人類社會有兩個領域絕不能腐化：一是教育界，它覆蓋了從小學到大學的廣闊範圍，每一代人都要接受教育，教育界出現腐化對整個社會意味著災難；另一個是宗教界，如果宗教和社會保持和諧，社會出現問題，宗教隨之一起腐化，則後果不堪設想。

人在挫折困頓、憤懣失意之際可以從宗教中尋找依靠，使自己的內心恢復平靜。譬如，一個人到廟裡或教堂靜靜思考人生，宗教會給你一種力量，使人正視人間的罪惡，保持行善的勇氣，堅決向罪惡宣戰，這就是高級宗教的表現。

低級宗教則會隨俗從眾，向罪惡妥協。以前某地有一邪教，說加入該教可以幫人投資股票、發財致富，一時竟有多人跟風，這就是標準的低級宗教，非但不能幫助人們化解執著，反而刺激了人的欲望，當然難以為繼。

## （三）對痛苦的態度

高級宗教對痛苦有兩種態度：第一種是像基督宗教一樣，要求信徒跟隨耶穌背負十字架，承受痛苦，並當做一種磨練，以便替自己贖罪；第二種是像佛教一樣，把痛苦當做執著的結果，要設法靠智慧的覺悟而實現解脫。佛教的四聖諦「苦、集、滅、道」，是要讓人先明白眾生皆苦，再去找到痛苦的原因並設法消除，痛苦自然隨之瓦解，人生就此走上正道。高級宗教在面對痛苦時，或是把痛苦當做自己罪過的補贖，或是把痛苦當做自己覺悟的機緣，兩者都有正面的意義。

低級宗教則要人逃避痛苦，既不去勇敢面對，也不去尋求解

脱。有的宗教專門以氣功治病、強身健體為號召，恐怕走錯了方向。宗教並非解藥，其目的不是讓人解除身體、心理上的痛苦。如果一個團體組織各種業餘活動，使人暫時忘記煩惱和孤單，這樣的團體只能稱為俱樂部。宗教的目的是讓人返回生命的原始狀態，恢復自己的本來面目，使人透過修練抵達生命的更高境界或實現智慧的覺悟解脱。

湯恩比教授對於高級宗教和低級宗教的區分體現了宗教的核心價值。人活在世界上不能總想著逃避，馬克思曾説：「宗教是人民的鴉片。」他所講的只是宗教的負面表現，宗教的積極意義在於幫助人們提升自己的生命境界，超越人間的是非恩怨。

## 小心迷信陷阱

宗教和迷信有時難以分辨，很多人披著宗教的外衣，所做之事卻違背宗教的精神。到底什麼是迷信？迷信大致有以下四點特徵：

### （一）出於恐懼

人有欲望，一方面害怕得不到自己想要的，欲望滿足後，又害怕失去已經擁有的，由於患得患失而產生恐懼心理。有些迷信無傷大雅，比如很多孩子升學考試前吃三樣東西 —— 包子、蛋糕和粽子，代表「包高中（ㄓㄨㄥˋ）」，孩子吃了心裡篤定，老師或家長也認為有益無害，希望孩子有更好的臨場發揮，這些迷信的表現都出於恐懼心理。

很多人在考試前到廟裡燒香拜佛，祈求佛祖保佑。文殊菩薩掌管智慧，因此香火最旺，他的神像前堆滿了准考證的影本。一般人都會有心理依賴，依賴有絕對依賴和相對依賴，祈求考試高中屬於

相對依賴，這只是把拜佛祈福當做一種手段，一旦目的達成，就會把佛祖拋諸腦後。

在真正的宗教信仰中，超越界好比是巨大的「能源」，人一旦與其建立了關係，就好比接通了能源，由此獲得源源不絕的能量，使人的生命不斷向上提升，心中充滿了慈悲和博愛。信仰使人產生真正的愛心和向上超越的力量，能幫助我們消解自身的欲望、化解自我的執著，產生耶穌所說的「愛人如己」的胸襟，或抵達佛教所謂的「無緣大慈，同體大悲」的境界。

出於恐懼的迷信顯然無法產生同樣的效果，恐懼使人慢慢收斂，以致於一切僅以個人需求為考量。人在信仰宗教時要捫心自問：我是因為害怕下地獄才信的嗎？或是超越界使我的生命向上提升，使我的內心充滿喜樂，使我的心中有無限的能量可以關愛他人？

### （二）崇拜個人

這裡的「個人」指活著的人。釋迦牟尼和耶穌在生前也受到不少弟子或門徒的崇拜，這在當時也屬於一種個人崇拜，因而遭到諸多批判：釋迦牟尼怎能認定自己就是佛陀（覺者）？耶穌更是莫名其妙，怎能宣稱自己就是救世主？

但真正重要的是崇拜之後的行為表現。我曾很欣賞聲樂家安德烈‧波伽利，並透過欣賞他的音樂而獲得了審美感受，化解了生命當下的困難。我十分感謝他，但並不會因此而崇拜他的個人，我對於他個人的生活特色沒什麼興趣。

崇拜活人會有很大的問題，西方有句話說得很客觀：「做為一個人就可能犯錯。」如果張三還活著就說「張三不可能犯錯」，我們不免要懷疑張三是真正的人嗎？人會思考，有選擇的能力，誰能保證自己不會想錯？誰能保證自己的選擇不會給別人帶來傷害？人

可以自由選擇，但是誰也不能保證下一次還會選擇善行，因為我們還沒有遇到足夠的誘惑。我們千萬不要以為自己練就了金剛不壞之身而處處逞強，功夫再高的武林高手也有罩門。

因此，不要崇拜活著的個人，因為他也是人，只要是人就有可能犯錯，真正要崇拜的是他的精神。佛教有一句話說得好：「依法不依人。」我們要以佛說的道理為主，而不要執著於傳教者個人。

## （三）增強欲望

迷信會使一個人的欲望愈來愈強，邪教以教人投資股票、發財致富為號召，這顯然是一種迷信，真正的宗教應該幫助人們克服誘惑，消解欲望，超然物外。

## （四）過於執著

迷信會使人陷於執著，從而產生強烈的排他性。一個人信仰宗教本來是好事，但任何宗教都有原教旨派或基本教義派，認為只有經典中的話才是唯一的真理，將其他說法一概視為異端邪說而加以排斥，甚至對持不同意見的人加以迫害，在我看來這是標準的迷信，這些人完全忘記了宗教創始人慈悲為懷、普度眾生的超然心態。

真正重要的不是經典說了什麼，而是如何經由自身的實踐使真理得以呈現，使自己的生命表現出超越的性格，從而回到靈的層次。對於身、心、靈三個層次的特點可以概括如下：

1. 身體方面，人與人互相排斥。這個座位你坐了我就不能坐，這些錢你賺了我就賺不到。

2. 心的方面，可以互相溝通。我們一起上課、一起讀書，經過討論可以形成共識，甚至彼此可以成為默契良好的朋友，這說明身體會互相排斥，而心靈可以互相溝通。

3. 靈的層次，打成一片。進入靈的層次則完全沒有人我之

分，真正的宗教不排斥任何人，而迷信往往會過於執著。

迷信具有上述四點特徵，在選擇自己的信仰時要避免出現類似的問題。

# 宗教還有用嗎？

自古以來，宗教的多元化現象一直存在，不同宗教未來統一的可能性並不大。宗教是人類社會的產物，宗教為人而設，並非人為宗教而生。人是會思考的主體，很容易發現自己生命的局限性，因而有尋找根源的願望，宗教符合人性最深的要求。各種宗教雖然存在差異，但亦有相通之處。

## （一）宗教對人生價值的判斷

《聖經・新約》記載，有一次，耶穌面對銀庫坐著，看眾人怎樣向銀庫裡投錢[89]，有許多富人投了很多，後來來了一個窮寡婦，只投了兩毛錢。耶穌對他的門徒說：「我實在告訴你們，這窮寡婦投入銀庫裡的，比眾人所投的更多。」（馬可福音，12：43）富人捐的錢對他擁有的財富來說只是九牛一毛，而寡婦捐的兩毛錢是她的全部財產。宗教只看人心，而不看捐錢的數量，重「質」而不重「量」。

我小時候看過一部印度電影，對其中一幕仍記憶猶新。印度是一個多神教國家，主要有三大主神[90]。古時候沒有電燈，人們晚上去廟裡禱告要自帶蠟燭，一個人所帶蠟燭的大小與他的財富成正比，有錢人帶的蠟燭要幾個僕人來抬，一個寡婦只帶了一根很細的蠟燭。正禱告時，惡魔化作一陣狂風吹過，蠟燭從大到小全部熄滅，只有寡婦的蠟燭還亮著，在一片漆黑之中顯得分外明亮。

　　古代社會以男性為中心，寡婦沒有謀生能力，通常還要照顧孩子，屬於古代社會中最弱勢的群體。宗教就是要給孤苦無依的人帶來希望，因為宗教是為人而設的。

　　這兩個故事反映出宗教對人生價值的獨特判斷：生命的價值不在於擁有富貴，而在於是否虔誠，不在於「量」而在於「質」。真正的虔誠意味著超越有形可見的物質世界，全心全意對神奉獻，奉獻本身就是超越的過程，這正是所有宗教的相通之處。

### （二）宗教的最高境界 —— 密契經驗

　　所有宗教抵達最高境界時都會有「密契經驗」，也譯為「神祕經驗」，但「神祕」一詞給人一種神祕兮兮、不夠光明正大的感覺，因此最好譯為「密契經驗」。

　　密契經驗是指信徒與他禱告的對象合而為一，完全忘了自己是誰，自己的小我融入大我之中，成為一個密接契合的整體。密契經驗是所有宗教共有的最高境界，無論你信什麼宗教，只要謹守戒律，認真修行，抵達最高境界後就會產生密契經驗。

　　密契經驗有以下四點特色：

　　1. 超言說性（Ineffability）。密契經驗無法用言語來表達，正可謂「道可道，非常道」，那是合一的經驗，好像一滴水回歸大海，與大海融為一體。

　　2. 被動性（Passivity）。密契經驗不能主動安排。如果某次禱告時體會了密契經驗，不代表以後在類似情況下一定會有同樣體

---

89　猶太人在安息日（星期六）都要去會堂侍奉神，並捐錢祭獻，一般要將每月收入的十分之一獻給教會。

90　三大主神在印度諸神中地位最高，分別指梵天（Brahma）、濕婆（Shiva）以及毘濕奴（Vishnu）。

驗。密契經驗會讓人感到身不由己，一切都不受自己控制，好像完全墜入其中。

3. 知悟性（Noetic quality）。經過密契經驗，人將獲得某種洞見，產生某種覺悟，對世界和人生有了「獨特的辨認」，能夠看到自己生命的不同維度，讓自己走向不一樣的世界。

4. 暫現性（Transiency）。密契經驗暫時出現，通常不會超過兩小時。在這段時間裡，人會感覺在一剎那間離開變化的世界而進入永恆的世界，由此品嘗到永恆的美妙滋味。清醒後，整個生命充滿力量，好像接通了生命的能源，可以源源不斷地獲得能量。

各大宗教都有密契經驗，但因為無法衡量、無法說清，所以各大宗教對密契經驗都不多談，這屬於個人修行的領域。

對於人的精神所能抵達的最高境界，整個人類應該是相通的。莊子說：「天地與我並生，而萬物與我為一。」（《莊子·齊物論》）意即天地與我同時存在，萬物與我合為一體。西方學者研究道家思想，在介紹莊子時一定會提到這句話，認為莊子的表現是一種密契經驗。

與萬物合而為一的方法就是消解自我的界限。人好像一滴水，風吹日曬，水很快蒸發，人生也很快就會結束。如何讓一滴水永遠不會消失呢？答案是把它丟到大海裡，大海就是「道」或超越界，個人的生命在其中能得到完全的安頓。

有一位哲學家不信仰宗教，卻對宗教有很細膩的觀察，他說：「宗教對人類至少有一點啟發，它把人類社會上的大人和小孩永遠看成是一樣的。」大人像小孩一樣容易犯錯，也一樣可以改過，大人也需要安慰和鼓勵。這種看法頗有道理，宗教對所有人都一視同仁，我們生活在同一個世界上，都要在短暫的生命裡尋找人生的意義。

　　人生的最高目標究竟何在？宗教信仰可以提供給我們一種參考。我們一方面要知道宗教正面的價值，同時也要避免陷入迷信的陷阱。

第十四章

# 教育與自我

# 合作的大業

一談到教育，大多數人都會倍感壓力。人需要透過教育來發展自己的專長，學習做人處世的道理，但如何才能將教育辦好，自古以來都是一個大問題。關於教育理念有不少動聽的說法，比如自我教育、終身教育、全人教育、適性教育等，那麼到底什麼是教育呢？

西方談到教育通常有兩種思考方向：一種是由內而發，設法激發人的內在潛能，譬如教人製作手工製品；另一種是外加規範，譬如教人掌握駕駛技能。

學校教育也可分為兩個方向：首先人要接受社會化教育，掌握專業技能，學會如何與人相處，以更好地融入社會；一旦進入社會後，則要接受個體化教育，否則人的一輩子只是芸芸眾生之一，很難找到自己生命的方向。學校既要教會學生向外與社會融合，亦要使其向內找到個人生命的特色。

教育的內容主要包括兩方面：一方面是生活技能，屬於經濟層面，基本的生活技能使人有特定的專長可以在社會上謀生；另一方面是為人處世，屬於德行層面，即人的「應然」，每個人都知道應該行善，但究竟什麼是善？為何行善？這些問題都需要透過教育來使人了解。

孟子曾引用《尚書·泰誓》的話：「天降下民，作之君，作之師，惟曰其助上帝寵之。」（《孟子·梁惠王下》）意即上天降生萬民，為萬民立了君主也立了師傅，要他們協助上帝來愛護百姓。「君」代表政治上的領袖，「師」代表老師。百姓若無人領導，則無法團結一心，共同抵抗猛獸和其他族群的侵擾；百姓若無人教導，則不知該如何做人處事，就會和禽獸差不多。古人根據經驗觀察，

對教育的重要性已有清楚的認識，於是舜任命契（商朝的祖先）為司徒，教導百姓五種人與人之間的倫理關係[91]（《孟子‧滕文公上》）。

西方認為，有三種工作需要合作才能有成效：

第一種是農夫。不管農夫種田多麼努力，如果沒有天氣的配合也不會有好的收成，早在《尚書‧洪範》就已經提出農業豐收所需的五種條件：雨、暘、燠、寒、風[92]。

第二種是醫生。即便華佗再世，如果病人不遵照醫囑按時服藥或定期複檢，療效也不會顯著。孔子曾引用南方人的話：「人而無恆，不可以作巫醫。」（《論語‧子路篇》）這句話很容易受到誤解，正確的理解應該是：一個人沒有恆心的話，連巫醫也治不好他的病。一個人若缺乏恆心，本來已經占了卦卻不斷變卦，本來已經開了藥卻不遵醫囑，再好的巫師和醫生也拿他沒有辦法。

第三種是老師。對同一班學生，老師同樣用心去教，但不同學生之間的學習效果會有明顯差異。孔子在教學中特別重視啟發式教學，培養學生舉一反三的能力，他說：「不憤不啟，不悱不發，舉一隅不以三隅反，則不復也。」（《論語‧述而篇》）意即不到學生努力想懂而懂不了，幾乎快要生氣了，我不去開導；不到他努力想說而說不出，臉都快要脹紅了，我不去引發。告訴他一個角落是如此，他不能隨之聯想到另外三個角落也是如此，我就不再多說了。這說明教育需要學生主動配合，積極求知，努力實踐，所有的教育都是自我教育。

---

91　原文：人之有道也，飽食煖衣，逸居而無教，則近於禽獸。聖人有憂之，使契為司徒，教以人倫，父子有親，君臣有義，夫婦有別，長幼有序，朋友有信。

92　參見本書第九章。

　　人透過受教育，要避免兩種文盲：第一種文盲是沒有文化，古人由於缺少受教育的機會，很多人只能子承父業，雖然也能生存，卻無法不斷進步；另一種文盲是「意義上的文盲」，這種人可以讀書識字，卻無法全盤理解人生，他不知道快樂從何而來，痛苦為何而生，在人際交往時常常陷入困境。

　　人透過學習要使自己的生命呈現出立體的層次。人不能只知擴充生命的橫側面，一味追求知識淵博、見多識廣。對於人來說，更重要的是生命境界的不斷提升，應積極尋找良師益友，充分開發生命潛能，這就是「全人教育」的目標。

　　人生在世，最重要的任務是要找到人生的方向，問自己：我這一生究竟要成為什麼樣的人？這個問題是對每一個人的試煉。人與萬物最大的不同是：萬物生下來本性就已確定，只有人能夠不斷改善。

　　馬克思曾說：「再好的蜘蛛所結的網，也比不上一個最差的工人所造的房子。」蜘蛛結網是牠的本能，歷經千年而不改；但是人蓋房子會慢慢積累經驗，日臻嫻熟。但最重要的還是要問自己：隨著年齡的增長，自己在為人處世和德行修養方面有沒有提高？

## 怎樣教孩子

　　學校教育可以分為小學、中學和大學三個階段。英國哲學家懷德海是著名哲學家羅素（Bertrand Russell，1872 － 1970）的老師，他對教育很有研究，將教育分為三個階段：浪漫期、精密期和展望期。

## 浪漫期

小學階段屬於浪漫期。處於此一階段的孩子對世界只有模糊的認識。對於複雜的社會、多樣的文化、浩瀚的宇宙，就連大人也很難有全盤的了解，更何況是孩子。這一階段的孩子通常具有豐富的想像力、強烈的好奇心和驚人的敏感度，適合閱讀童話、漫畫和卡通之類的虛擬故事。這類故事有開始也有結局，可以幫助孩子建立對人生的全盤理解。

孩子無法接受新聞之類的不完整資訊，西方有研究表明，電視新聞中有百分之七十的內容令人沮喪，看後使人感到壓抑和不滿，這顯然超出孩子的心理承受範圍。

童話故事一般以「很久以前」做為開頭，說明它不是歷史上發生的真實事件，往往以「好人得到好報」、「王子和公主從此幸福地生活在一起」做為結局。童話故事幫助很多孩子建立了人生的基本價值觀念。

譬如，很多人相信「邪不勝正」，所以不管壞人目前多麼猖狂，自己的內心仍會保持繼續奮鬥的勇氣。也有很多人堅信「善有善報，惡有惡報」，這裡所謂的「善」通常很具體，比如像誠實、勇敢、忠誠一類的優秀品格。在童話故事裡，只要堅持這些優秀的品格，最終就能獲得成功和好報。孩子長大進入社會後發現，現實世界並不像童話世界那樣單純，可能會調整自己的觀念，但童話故事塑造的典型已深深銘刻在孩子心中，使他們在面對複雜的現實狀況時，依然有信心可以堅持下去。

談到西方的教育思想，就不能忽略柏拉圖的觀點，他並未像懷德海一樣將教育細分為三個階段。有趣的是柏拉圖從未結婚生子，他又是如何談論教育的呢？

　　柏拉圖說：「教育孩子不能依靠法律，而要靠勸告和訓誡，因為教育的場所是家庭。」孩子從小要靠父母的訓誡才能成長。譬如，父母告誡孩子：「火很燙，不能碰！」孩子一定要碰一下才知道什麼是燙，由此才會相信大人的話不是騙人的。父母的訓誡能幫助孩子慢慢建立基本的生活規範。

　　柏拉圖強調，教育孩子要避免溺愛和虐待兩種極端。

　　一方面不能溺愛孩子。溺愛會讓孩子脾氣暴躁，與其他人難以相處。柏拉圖嚴肅地指出：「要傷害一個孩子，最好的辦法就是讓他心想事成。」一個孩子從小要什麼就有什麼，他就不會懂得「只有努力付出才有回報，任何欲望的滿足都需要付出相應的代價」，這樣的孩子將來難以成長。電視劇中常說：「慈母多敗兒。」母親常常以為自己對孩子很慈愛，後來孩子誤入歧途，母親才追悔莫及。

　　另一方面也不能虐待孩子。古希臘時代在雅典有大量奴隸，必須對主人唯命是從。虐待孩子會使他覺得自己就像卑微的奴隸一樣，從小形成被動接受命令的心態，對孩子的成長很不利。

　　柏拉圖認為，要注意孩子身體和心靈兩方面的培養，因此他特別強調體育和美育。身體健康是心理健康的基礎，孩子應加強體育鍛鍊，如果缺乏運動會使孩子變得弱不禁風，性格也會因而變得懦弱。體育鍛鍊和飲食營養要密切配合，把孩子的身體底子打好，身體是一個人實現人生理想的重要基礎。

　　美育則更加重要，音樂可使孩子心靈和諧，誦讀健康向上的詩詞可幫助孩子建立正確的人生觀。但孩子的心智水準顯然還無法理解悲劇這一類的藝術題材。

　　孩子處於人生的初始階段，柏拉圖說：「一棵小樹，如果不幫它修剪枝葉，它不可能長高、長大。」如果任由孩子自由發展，到

最後可能一事無成。人生從小就要練習選擇，任何選擇必定有所取捨，譬如有十個選擇，選擇一個就意味著放棄了九個，所以練習選擇就是練習割捨，要讓孩子了解為何要如此選擇，培養他對一件事情的全盤理解。

在小學階段尤其要養成良好的習慣。古希臘的亞里斯多德說過：「習慣能造就第二天性。」中國古代《尚書‧太甲上》也說：「習與性成。」即習慣與本性互相配合才能成就一個人。德國哲學家康德的生活非常嚴謹，他每天去朋友家聊天，晚上七點一定按時回家。後來，小鎮上的居民問：「現在幾點鐘？」別人回答：「應該還不到七點，因為還沒有看到康德教授從這裡經過。」德國人普遍具有嚴謹的態度，這與德國哲學家宣導的風氣密切相關。

我們今天強調要實事求是，如果孩子從小養成實事求是的習慣，將來必會受益終生。小學階段屬於浪漫期，透過體育教育可使孩子身體健康，透過音樂教育可使孩子心靈和諧，只有在這兩方面打下堅實的基礎，孩子進入中學階段後才會有更出色的表現。我們要配合孩子在不同階段的生命特色來展開教育，讓孩子慢慢改善。如果急於求成，很小就讓孩子學習各種外語，到最後可能連母語和基本思維能力都掌握不好，恐怕會事倍功半。

## 中學怎麼念書

### 精密期

中學階段稱為精密期，就好比裝配機械零件要力求精確，否則整部機器將無法運作。小學階段要注重體育和美育，使孩子身體健康、心靈和諧。中學階段則要注重群育和智育，使孩子既能融入群

體，又能在知識方面打下扎實的基礎。

合群需要規矩。「規矩」就是儒家所說的「善」，即我與別人之間適當關係的實現。首先必須遵守法律，法律禁止一個人做出不正當的行為。做為中學生一定要了解規則，遵守紀律，尊重他人。柏拉圖的《理想國》中有專門的衛士階級負責維護治安，他們有嚴格的紀律，一絲不苟。

除了嚴格遵守法律之外，還應做到守「禮」，包括禮儀、禮節、禮貌，守禮可以使人際關係逐漸改善。法律只能禁止不良的行為，禮儀則可以引導行為朝積極的方向發展。

孩子在精密期如能掌握禮與法這兩個方面，則可以建立良好的行為規範。孔子說自己「三十而立」，就是指「立於禮」，從此可以在社會上立身處世。孔子曾問兒子孔鯉：「學禮了嗎？」孔鯉回答說：「沒有。」孔子說：「不學禮，無以立。」（《論語・季氏篇》）意即不學禮，就沒有立身處世的憑藉，無法與人長期互動。社會需要大家的通力合作，靠一個人單打獨鬥不太可能成功，因此學會謹守規矩、與人和睦相處就顯得尤為重要。

中學是學習知識的重要階段，絕不能有半點鬆懈。中學生學習的科目很多，常會熬夜苦讀，雖然艱苦，但對於今後的發展卻十分必要。俗話說「學好數理化，走遍天下都不怕」，其實語文同樣非常重要。

柏拉圖認為孩子超過十二歲之後要開始學習數學，數學是哲學的預備學科。柏拉圖在四十歲時返回雅典創辦一所學院，這是歐洲的第一所大學，學校門口寫了一行字：「不懂幾何學的人，謝絕入內。」數學裡的代數和幾何都屬於純粹抽象的學問。一個人若只能憑感官去感知現象而缺乏抽象思維能力，則無法進行深入的思考，因為思考需要使用抽象的概念。學習數學可以培養學生的抽象思維

能力，為進一步掌握哲學所需的辯證思維能力打下扎實的基礎。

柏拉圖提到很多學科，包括代數、平面幾何、立體幾何、天文學以及和聲學[93]。天文學實際上是指動力學，主要研究宇宙萬物運動的法則。和聲學屬於音樂，探討何種數學上的對稱和比例可以產生和諧的聲音。年輕人在二十歲時，優秀人才會被選拔出來做為國家未來的領導階層，三十歲進行第二次選拔，獲選者將學習辯證法，這才是真正意義上的哲學。

中學階段的主要任務是準備指考，因此學習要力求精確。我曾到德國進行過四個月的德文進修，每天早上背二十個新單詞，晚上複習，一個月能背六百個單詞，四個月能背兩千四百個單詞，以此為基礎，可以進行簡單的德文對話和基本閱讀，遇到不會的單詞再去查字典。

學習任何外語都可採用背單詞的方法。很多大學生非常用功，每天早上六點就起床到校園裡背單詞。我的朋友去法國或美國留學，也都採用這一方法。具備一定辭彙量之後，在課堂上就能聽清老師說的每一個字，這樣才能進一步思考老師說話的用意。

知識浩如煙海，不可能樣樣精通，但一定要有自己的專長，對於專業領域的每一個字詞和每一個重要學者都要非常熟悉。我在美國留學四年，對於哲學和宗教方面的英文書比較有把握，如果看《紐約時報》或《時代雜誌》也有很多字不認識，這時候就要查字典。

我們要習慣常常查字典。其實，國學也是一個非常廣闊的領域，我在閱讀古代經典時，遇到任何疑問都要查字典，並把查到的

---

93　參見《柏拉圖》，傅佩榮著，東大出版。

內容記到專門的筆記本中，晚上睡前複習一遍，每週再複習一遍，久而久之，對於很多奇特的字詞都能掌握，不這樣的話很容易鬧笑話。

　　我參加哲學會議時遇過兩個笑話。一個人長期在國外教書，很多漢字不會讀，他說：「很多人談這個問題是隔化（靴誤讀為化）搔癢。」有人成心看笑話，讓他再唸一遍，他還是讀成隔化搔癢，引得大家哄堂大笑。還有一位教授將《莊子》中「虛與委蛇」的蛇（一ˊ）讀成（ㄕㄜˊ），讓大家嚇了一跳。其實不必笑話別人，很多漢字就連我們都會唸錯。中文相當複雜，有「平上去入」四聲，聲調讀錯都不行，加上各地方言又有很大差別，真可謂學無止境。

　　我們要在自己的專業領域打下扎實的基礎，確保知識的精密。譬如我會下工夫記住中外哲學家的生卒年代，如康德（1724 － 1804）、王陽明（1472 － 1529）。如果不下這些笨工夫，在學術界一輩子都會覺得心虛。

　　中學階段的教育屬於精密期，在群育方面，要學會與他人和睦相處，以便在社會上生存和發展；在智育方面，要專心伏案讀書，確保知識的精密，絲毫不能馬虎。


# 大學要高瞻遠矚

## 展望期

　　懷德海將大學階段稱為展望期。對於這個階段的學習，他說：「你不應該再埋首於書堆，而要抬起頭來高瞻遠矚。」傅斯年（1896 － 1950）擔任台灣大學校長時，曾特別引用荷蘭哲學家斯賓諾莎的話來勉勵全校師生：「我們貢獻這個大學於宇宙的精神。」

上下四方日「宇」，代表空間；往古來今日「宙」，代表時間。宇宙是時間、空間的整體。可見，大學絕不是要培養工人或技術員，每個大學生都應敞開心胸，走出自我的範圍，把個人同人類社會以及整個宇宙連繫起來，甚至要同超越界建立連繫。

大學是教育的最高階段，因此十分重要。柏拉圖認為學習的最後階段要掌握辯證法，即學會以邏輯的方式進行思考和表達，由此才能領悟「理型」。合乎邏輯意味著根據前提可以做出合理的推論，前後不能自相矛盾，用今天的話說，就是對於任何事都要「給一個說法」。現代社會教育普及、尊重人權、重視民主，每個人都可以表達自己的想法，因此任何政治舉措都要透過合理的「說法」來達成廣泛的共識。

柏拉圖認為真正存在的是「理型」，大學的目的就是讓學生能夠領悟「理型」。「理型」就是宇宙萬物永遠不變的原始型態，類似於我們說的「原型」。譬如根據預先設計的機器人的原型，我們就可以大量生產機器人的複製品。柏拉圖希望人能超越感覺的範圍，使認識不斷向上提升，用理性掌握住事物的原型，這樣才能按照理想的方式去生活。

最高的理型是真善美的統一，人可以透過辯證法來接近真善美。柏拉圖的代表作是《對話錄》，對話一定有正反雙方，將雙方的觀點截長補短、取精用弘，可以達到更高的「合」的層次。但是，一旦有明確的「合」的立場，立刻就有與其相反的立場出現。透過對話，認識可以不斷向上提升，對話的目標是要找到最高的統合力量，這就是辯證法的來源。

對於知識的學習，中學只是打基礎；大學分科分系，才真正進到培養專業人才的階段。但大學的問題在於「分而不合」，而「哲學」的目標就是要讓人具有統合的人生觀念。

　　美國的耶魯大學、哈佛大學等一流學府都設有核心課程，或稱通識課程，所有大學生在大一、大二階段都要修習。以哈佛大學為例，學生在入學後要讀完二十五本書的重點篇章節選，以此了解西方文明的發展脈絡。其中主要是哲學作品，如柏拉圖的《對話錄》、亞里斯多德的《倫理學》和康德的《純粹理性批判》等，以此鍛鍊學生的辯證思維能力。

　　懷德海曾說：「西方兩千年來的哲學，只不過是柏拉圖思想的一系列注腳而已。」換言之，柏拉圖思想好似萬花筒，內容無所不包，後面西方哲學的發展只是將《對話錄》的部分內容抽取出來，詳加討論而已。譬如，「知識論」就是探討人類怎樣建構知識，除了要研究基本的邏輯（思維的方法）之外，還要進一步探討人的認識能力和範圍；在理性認知的基礎上還要配合修練，才會有更高層次的領悟。

　　蘋果公司的創始人賈伯斯，在波特蘭的里德學院讀了一年便輟學去研究電腦，但他說：「我願用一生的成就和財富，換取與蘇格拉底共處一個下午。」可見，西方的通識課程有一定的成效。

　　但是，大學生在校期間卻不一定用功讀書。美國一所大學曾做過實驗，暑假開始後一個月把上學期各班考試第一名的同學重新召集起來，將上學期期末考試的題目重考一遍，結果沒有一個人及格。這就是今天教育的問題，學生死記硬背以應付考試，放假一個月便統統忘光。懷德海提醒大學生不要死記硬背，要設法理解所學的內容，他說：「一定要等到課本不見了，筆記被燒了，你為了考試而記在心中的所有細節全部忘光了，你所學的東西對你才真正有用。」

　　我在耶魯大學期間，有位校長在某次畢業典禮[94]的致辭中說：「同學們到學校要記得三件事：要學習，要理解，要品味。」學習

不僅僅是聽老師講課和自己看書，還要設法理解為什麼要這樣講，慢慢培養自己判斷對錯的思辨能力，更重要的是透過親身實踐去細細品味。

孔子說：「知之者不如好之者，好之者不如樂之者。」（《論語‧雍也篇》）意即了解為人處世的道理，比不上進一步去喜愛這個道理；喜愛這個道理，比不上更進一步樂在其中。我們在大學階段應高瞻遠矚，最後的目標則是「文質彬彬，然後君子」（《論語‧雍也篇》）。

## 全人教育可能嗎？

除了正式的學校教育之外，人還需要進行自我教育。人生發展分縱向和橫向兩個方向，縱向指不斷提升自己，充分發揮自己的潛能；橫向主要指如何在社會上謀求發展。縱向發展對於一個人來說更為重要。

全人教育包括人才教育、人格教育和人文教育三個方面，分別對應於人的身、心、靈三個層次。學習哲學與人生，掌握思想的架構最為重要。人才教育與人的「身體」有關，人需要具有專業技能才能在社會中生存；人格教育屬於「心」的層次，人要學會自己做出抉擇；人文教育與「靈」的層次有關，它可以幫助人們化解生命中的各種困境，這些就是思考的架構。

---

94 在美國，畢業典禮都稱為開學典禮，這意味著畢業生從此要步入社會，畢業是另一種意義上的開學。

### （一）人才教育

人才教育的特點是「用之於外」，人應有自己的專長，以便用於社會。以孔子為例，達巷黨人曰：「大哉孔子！博學而無所成名。」子聞之，謂門弟子曰：「吾何執？執御乎，執射乎？吾執御矣。」（《論語・子罕篇》）意即達巷地區有人說：「偉大啊，孔子這個人，學問真是廣博，沒有辦法說他是哪一方面的專家。」孔子聽到這話，就對學生們說：「我要以什麼做為專長呢？駕車嗎？射箭嗎？我駕車好了。」對於古代的「六藝」（禮、樂、射、御、書、數），孔子每一樣都很精通，所以別人才會說他好像沒有特定的專長。

具有一定的專長才能在社會上立足。孔子三十歲左右，魯國大夫孟僖子參加國際交往活動時，因不懂禮儀而被嘲笑，於是讓自己的兒子孟懿子拜孔子為師學習禮儀。孔子讓想學的鄰居一起來學，對於十五歲以上的年輕人，只要想學，孔子沒有不教的。

孔子自己是人才，又將很多學生培養成才。司馬遷在《史記》中為孔子的弟子專門寫了一篇《仲尼弟子列傳》，並在《史記・孔子世家》中說：「孔子以詩、書、禮、樂教，弟子蓋三千焉，身通六藝者七十有二人。」孔子學生中人才輩出，孔子在世時就有好幾人做官，且有不錯的表現。可見，人才教育和社會群體有直接的關係。

### （二）人格教育

人格教育的特點是「求之於內」，即由自己來做出抉擇。卓越的人格顯然需要道德實踐。道德實踐不能僅靠法律和禮儀等外在規範，行為主體一定要有自我的覺醒，意識到自己是一個獨特的人，要對自己的行為負責。

美國曾統計某一年Google搜索的關鍵字，結果有兩個詞出現

頻率最高：一個是tsunami，另一個是integrity。Tsunami指海嘯，因為那一年印尼發生海嘯造成多人罹難，所以大家都很關心海嘯到底是怎麼回事，這是自然界的現象。Integrity這個詞則很難翻譯，通常指一個人有整體性、表裡如一、說話算數、能夠負責，這是人類社會的現象。Integrity能成為高頻率的搜索關鍵詞，說明這一點其實很難判斷，更難以做到，以致於很多人對此都充滿困惑。

我長年教書，經常幫學生寫推薦信，只要用integral來形容某個學生，代表這個學生人格完整，這可以算是很高的評價了。老師教一個學生兩、三年，對於學生的人格並沒有十足的把握，不能輕易替他打包票。一個人在沒有遇到真正的考驗之前，我們很難判斷他的人格到底如何。人格教育的關鍵在於誠實守信。孔子多次強調人一定要有信用，否則很難與人來往。

除了守信之外，人還要不斷改善自己。孟子曾給予子路很高的評價，他說：「子路，人告之以有過，則喜。」（《孟子·公孫丑上》）意即子路，別人指出他的過錯，他就歡喜。我們一般人則是聞過則怒，聽到別人說我的毛病，頓時火冒三丈，不知反省自己，反而責怪別人。孔門弟子中德行最出色的是顏淵，他能做到「不貳過」，即對於任何過失絕不重犯第二次，這就是人格教育的明顯成效。

## （三）人文教育

人文教育要實現的目標是「當下即化」。人經常會面對各種困難，比如受到批評而心情不佳，或是心中有很大壓力，人文教育可以幫我們提升自身的人文素養，從而化解當下的困境。提升人文素養有兩種途徑：一種可透過審美和藝術的修養，另一種可透過宗教信仰或宗教情操。心情不佳時，我們可以選擇自己喜歡的音樂來調節情緒；逆境出現時，我們可以透過個人的信仰使生命回到原點。

這個世界本來就有很多麻煩和問題，人怎麼可能希望在這個世界上得到真正的平安呢？

懷德海認為「教育是風格之培養」，風格就是個人為人處事所表現出來的特色。古希臘哲學家赫拉克利特曾說：「人的性格即是他的命運。」性格包括性向和風格。教育透過培養風格，可以塑造人的性格，從而改變一個人的命運。中國宋朝的學者喜歡講「變化氣質」，教育的目的就是變化氣質，一個人懂得道理之後還要勤加實踐，使整個生命不斷提升到更高的層次。可見，東、西方關於教育的很多觀念都是相通的。

# 文化資源可貴

人活在世界上，首先要明白人生究竟有哪些重要範圍。人生有四大領域：群體、自我、自然界、超越界。以下分別詳細介紹。

### 群體

人不能離開群體而生活，但是群體也會帶來壓力。現代人容易患憂鬱症、精神官能症等心理疾病，就與群體帶來的壓力有關。每個人都在社會中成長，需要學習這個社會的語言、了解它的傳統和規矩，接受社會帶來的壓力。

中華文明源遠流長，有五千年的文化積累，各種規矩名目繁多，難免給人帶來壓力。今天的中國社會比起清朝末年已經有了很大進步，當時的社會可以用「禮教吃人」來形容。禮教的出發點很好，希望人懂得禮儀之後，生活有一定的規範；但後來逐漸僵化，變成只注重外在要求，而忽略了禮儀的內在精神。像婦女纏足、男

人三妻四妾等，都是禮教吃人的表現。

特別是「三綱五常」的說法，如果對其缺乏深入的理解，很容易變成僵化的教條，變成兒子對父親要百依百順，無論父親對錯都要絕對服從。然而在《孝經》中，孔子明白地說：「故當不義，則子不可以不諍於父。」（《孝經‧諫諍章第十五》）即父親有錯，兒子一定要勸阻。

孔子也說過：「事父母幾諫，見志不從，又敬不違，勞而不怨。」（《論語‧里仁篇》）即服侍父母時，發現父母將有什麼過錯，要委婉勸阻；就算看到自己的心意沒有被接受，仍然要恭敬地不觸犯他們，內心憂愁但是不去抱怨。由此可見，儒家講孝順絕不是單向的、無條件的服從。君臣關係和夫妻關係也一樣，都不是單向的要求。

中國人從小便接受社會的各種規矩，也不知為何要接受。外國人看上去沒那麼多規矩，好像很自由。事實上，外國人有外國人的規矩，每個人在人群中都會有特定的壓力。群體固然給個人帶來壓力，但群體也有很大的優點，它儲存了人類社會長期以來所生產的文化資源。

二戰期間，德軍占領波蘭後追捕猶太人。一家猶太人在逃亡時，把十歲的兒子寄養在朋友家的閣樓上。閣樓非常小，隱密性很好，小男孩在閣樓上藏了四年也沒有被人發現。四年下來，他變成終身駝背；然而，他每天在閣樓上閱讀世界名著，後來居然成為著名的作家。人活在群體中，當發生戰爭時，即使呼天搶地也沒有人能拯救你，但是人類的文化資源卻可為我所用。一個人如果有心學習，許多偉大的著作都能給我們的心靈帶來慰藉，讓我們覺得做為一個人是值得的。

音樂的影響範圍更是無遠弗屆。今天我們接觸最多的是電影，

現在市面上很多電影都是鬧劇，缺乏深刻性。我很喜歡看根據重要著作改編成的電影，不僅劇情引人入勝，更重要的是從中能夠看到人生的邏輯，即所謂的善惡報應。現實社會中，沒有人是完全善的，也沒有人是完全惡的，在現實生活中討論善惡報應的問題會十分困難，但從電影中卻可以看到人性的細微之處，看到善惡的報應。

實際的人生不可能像電影一樣豐富多彩。我一輩子在學校教書，不可能像軍人一樣衝鋒陷陣，不可能像工程師一樣設計房屋，也不可能像商人一樣經歷「商場如戰場」般的商業競爭，透過小說、電影和戲劇，我可以體驗不同的人生遭遇，感受到人類共同的快樂，這是一種深刻的體驗。

人群給個人帶來壓力，個人一定要遵守社會的規矩，不能想當然耳。有個印度人準備到英國留學，與印度不同的是，英國開車都靠左行駛，於是他在印度練習靠左行駛，結果發生車禍而無法到英國留學。每個社會都有特定的規範，我們可透過閱讀了解其他社會的習俗，真遇到時也能較快適應。如果不讀書，真是人生的一大損失。

人生在世若想得到快樂，就不能離開群體。孔子認為有三種快樂對人有益：「樂節禮樂，樂道人之善，樂多賢友，益矣。」（《論語・季氏篇》）第一種快樂是以得到禮樂的調節為樂。「禮」區別長幼尊卑，藉此可以實現人與人之間的適當關係；「樂」可以使人群的情感交融和諧。第二種快樂是以述說別人的優點為樂。與別人來往時稱讚別人的優點，代表自己願意向他學習，彼此之間則更容易建立起良好的關係。最後一種快樂是以結交許多良友為樂。孔子提到的三種快樂均未脫離人與人之間的關係。

一個人當然可以自得其樂，但離開社會群體，個人將無法生

活。孟子說：「且一人之身，而百工之所為備。」（《孟子·滕文公上》）即一個人身上的用品，要靠各種工匠來製作才能齊備。人的衣食住行、生活的方方面面，都需要有專門的人員幫我們準備。

可見，群體既會給個人帶來壓力，也有豐富的文化資源。我們要善用社會的各類文化資源，充分發揮群體的優點以彌補其不足。閒暇時買一片CD，陶醉於悠揚的樂聲中，不與任何人發生衝突，完全可以自得其樂。群體與自我合起來構成了整個人類的世界，以此為出發點，可以更好地認識自然界和超越界。

## 從學習到品味

### 自我

「自我」對人而言是非常重要的核心概念。人一旦肯定「自我」的存在，就要面對七十五億的「非我」，一個人如果缺乏內在的修練，根本無法抵擋外在的壓力，更無法建構內在的價值。因此，對自我的認識和修練是人生的重點。

每一個人的生命都可分為身、心、靈三個層次，這是心理學通用的劃分方法，古今中外任何一位深思熟慮的哲學家都會有與之類似的看法。

譬如孔子認為人的生命有三個層次：

第一層是血氣。「君子有三戒」[95]所針對的就是血氣的問題，人有身體就有血氣，如果不加約束，經常會出亂子。

---

95　出自《論語·季氏篇》。原文：孔子曰：「君子有三戒：少之時，血氣未定，戒之在色；及其壯也，血氣方剛，戒之在鬥；及其老也，血氣既衰，戒之在得。」

第二層是心。孔子說：「回也，其心三月不違仁，其餘則日月至焉而已矣。」（《論語‧雍也篇》）即顏回的心可以在相當長的時間內，不背離人生正途；其餘的學生只能在短時間內做到這一點。

第三層是靈。孔子一直強調的「仁」就對應於「靈」這一層次。靈是看不到的，仁也一樣，如果不去行仁，則「仁」這一概念顯得很抽象，難以被人理解。

身、心、靈三個層次中，關鍵在於「心」的層次。如果談「身」的層次，每個人都有身體，可用「生老病死」四個字來概括。《禮記‧曲禮上》中有「欲不可從（縱）」、「樂不可極」的說法，縱欲則傷身，樂極則生悲，身體的欲望如果過度，就會產生諸多病痛和後遺症。「靈」的層次則較為抽象而不易說清楚，所以我們主要來探討「心」的範疇。

人做為萬物之靈，與其他生物的最大區別在於：人的心跨過反省的門檻，因而具有自我意識，能夠以自我為核心思考各種問題。我們已經知道「位格」是指具有知、情、意三種能力的主體，知、情、意就是人的「心」所表現出來的特色。

為了解「知」的特色，我們先引用詩人艾略特（Thomas Stearns Eliot，1888－1965）的一首詩：「我們在資訊裡面失去的知識，到哪裡去了？我們在知識裡面失去的智慧，到哪裡去了？」這兩句話恰好點出了現代人的通病。

所謂「資訊」是指每天隨處可看的各類資訊，通常都是零星片段的消息，缺乏完整性。我於二〇〇六年在新浪開設了部落格，前幾年讀者增長很快，每年新增一百萬閱讀點擊量，當時發表的文章都是幾千字的。後來隨著微博的流行，部落格的點擊量顯著下降，微博一次最多只能發布一百四十個字，這就是資訊，缺乏知識的系統性。

　　資訊給現代人的生活帶來了不少樂趣，我們可以隨時關注熱門話題、發現趣聞；但隨之也帶來了諸多困擾，各種資訊真假難辨，各類新聞頻繁更新，人的注意力無法集中，無法從中獲得有價值的知識。

　　知識是對某一專門領域進行深入研究後給出的理論解釋。孩子在中學時期要刻苦努力，為進一步的專業知識學習打下扎實的基礎。知識都要劃分專業，可謂「隔行如隔山」，學天文的不見得懂地理，學地理的不見得懂化學，學化學的不見得懂電機，學自然科學的不見得懂文學。可見，知識的特色是能分工卻不能合作。

　　智慧與知識不同，哲學就是愛好智慧，智慧的特色是具有完整性和根本性。我們不可能在大學階段就能領悟完整而根本的人生道理。那麼求知的目標何在？

　　求知的目標可分為兩方面：首先要具備系統的專業知識，合乎人才教育的要求；更重要的是培養自己的判斷力，知道如何選擇價值，這代表你的「知」在慢慢接近智慧。我們不能奢望自己擁有智慧，只能勉勵自己愛好智慧，始終保持好奇心，不斷接納更有價值的資訊，形成完整的人生觀和價值觀，這樣才能達到 integrity 的要求，即具備完整的人格，與人來往時能夠言而有信、言行一致。

　　在「知」這一層次，我們要不斷學習，學習之後要理解，理解之後要實踐，實踐之後要品味。求知的過程其樂無窮，學習如果有明確的目的則會帶來壓力，最好的方式是養成終身學習的習慣，透過閱讀增添生活的樂趣，效法偉人的言行示範，想像人生的最高境界。

　　自我的修練可以從求知開始，從資訊提升到知識，再從知識不斷提升到接近智慧的層次。學海無涯，永無止境，我們只有下定決心，合理規劃，才能達成此一目標。

# 利己與利他

自我的修練要注重「心」的層次，心有知、情、意三種能力。對於「知」，要使認知從資訊提升到知識，再到接近智慧。「情」包括人的情感、情緒反應和情操。「情」的特色是從「利己」開始，如果一件事讓我覺得開心，我當然很歡迎這件事。

人生在世都希望得到快樂，快樂主要與情感有關。與求知的快樂不同的是，情感的快樂一定不能脫離他人。一個人聽音樂很快樂，主要是因為音樂的旋律可以讓我們聯想到與他人交往時的情緒感受。

人都是利己的，這是探討情感問題的基本出發點。我們趕時間時，總希望火車或飛機能準點出發，不會考慮別人能否趕上，如果火車或航班延誤就會心生抱怨，這些都是以自我為中心的考慮。以自我為中心是生命的常態現象，符合人的求生本能。

我們要設法將「利己」推到「利他」。有位美國教授上課時一再強調人都是利己的，從沒有利他的。有一天，他在街上掏出五塊美金給了路邊的乞丐，恰好被學生看到，學生趕忙上前請教：「老師，您說人都是利己的，您為何給乞丐五塊錢呢？」教授說：「我走在路上本來心情愉快，可是乞丐在路邊拚命大聲喊『可憐我吧，給我點錢吧』，破壞了我的好心情，為了恢復我的好心情，設法讓他閉嘴，我才給他五塊錢，所以人歸根結底還是利己的。」

這個例子說明利己與利他並不矛盾。如果整條街的人都在哭，我一家人也高興不起來。要讓自己快樂，就要設法讓全家人快樂，由此推廣到讓整條街、整個鄉、整個國家甚至全世界的人都快樂，如果有外星人，則希望他們也快樂，這樣我個人的快樂才有保障。

然而人的思考範圍有限，力量更是有限，很多時候考慮不到那

麼廣的範圍。有些人缺乏修養，甚至會把自己的快樂建立在別人的痛苦上面，這就是人性的弱點。人活在世界上，一定要培養博愛的情操，要常常想到：別人和我一樣是人，我們享受共同的空氣、水源和公共設施，只有與別人互相感通，才能擁有真正快樂的生活。

中國哲學非常強調人與人之間的感通。孔子強調的「仁」這個字，左邊是「人」，右邊是「二」，意味著兩人相處才有行仁的機會。孔子說過「己所不欲，勿施於人」，就是希望我們推己及人，從身邊的人開始做起，進一步想到更多的人，從利己到利他，進一步到博愛。宗教強調的慈悲、博愛的精神也都是從情感出發。

「情」又可以細分為三種：

第一種是親情。家庭成員間的關係稱為親情，這是命定的。孔子說：「兄弟怡怡。」（《論語‧子路篇》）「怡」指臉色和悅，即兄弟之間應和睦共處。

第二種是友情。友情是自己選擇的，要自己負責。孔子說：「益者三友，損者三友。」（《論語‧季氏篇》）即三種朋友有益，三種朋友有害。孔子又說：「朋友切切偲偲。」（《論語‧子路篇》）「切切偲偲」指切磋琢磨，兄弟之間應和睦共處，不必相互期許達成什麼目標；朋友之間則應互相切磋勉勵。如果朋友在一起只是吃喝玩樂，從不勉勵對方進步，這樣的朋友就是「損友」。曾子說的很好：「君子以文會友，以友輔仁。」（《論語‧顏淵篇》）「文」包括文藝、文學、文化，即君子以談文論藝來與朋友相聚，再以這樣的朋友來幫助自己走上人生正途。

第三種是愛情。愛情要靠機緣，對於愛情要記住這樣一句話：有什麼樣的人格就有什麼樣的愛情，愛情不能使人格偉大，但人格可以使愛情發光。

親情、友情、愛情雖各有特色，但都不能脫離「情」這個字。

「情」既然需要與別人互動，就有可能產生負面情緒，我們可用審美的情操來調節個人的情緒，提升審美的品味。

不管去哪裡，我總會隨身攜帶幾本自己喜歡看的書，有段時間很喜歡看法國作家蒙田（Michel de Montaigne，1533－1592）的《隨筆集》，裡面介紹了很多古希臘和羅馬時期的重要觀念和故事，讀來十分親切。一個人的生命經驗難免有限，如果能敞開心胸，放開眼界，古今中外的文化資源都可以為我所用。

有不少中國古籍也很有趣，可以在旅行時隨身攜帶，隨時翻閱。如果帶整部書通常很重，所以我習慣將自己感興趣的部分摘錄成筆記。我對哲學、教育、宗教、文化各個領域都很感興趣，所以記了很多本筆記，出門時隨便挑一本，路上便可以隨時複習和回味。

紀伯倫說：「美——就是你見到它，甘願為之獻身，甘願不向它索取。」因為美本身就是最高的回報。人活在世界上，在獲得審美感受的一刹那，便會覺得一切都值得。人生不怕受苦，就怕受苦而覺得不值得。我們要設法找到讓我們覺得「再苦也值得」的法寶，以便隨時可以調控自己的情緒。

我們為子女付出是應該的，每當孩子表達感恩時，我們便會覺得再苦也值得；我們的工作可能很辛苦，但每當有人向我們表達感激之情時，我們就會覺得再苦也值得。

## 自己做選擇

人的「心」具有知、情、意三種能力，「意」代表意願或意志，一個人可以自主做出選擇，這是人最明顯的特色。在選擇方

面，大部分的人都是被動的，很多人一輩子都沒想過要主動做什麼事，有哪些事是我真心願意做的？有哪些事即使付出任何代價我都覺得很值得？

要做出選擇首先必須對事情有透澈的了解，這屬於「知」的範疇，我們常以為自己只有一個選擇，其實是因為認知有限，不知道還有其他選項。其次，還要問自己是否喜歡這一選擇，這屬於「情」的範疇，如果只是聽別人的，並非自己心甘情願做出選擇，則很容易心生抱怨。

關於意志方面的選擇，關鍵要化被動為主動。但是，很多時候我們要守規矩、盡責任，這些都是被動的，如何能化被動為主動呢？有一些很好的方法可供參考。

我教書近四十年，有時難免感到身心疲憊，但我在上課前常對自己說：「這是我第一次上課。」此時，心中立刻充滿了新鮮感和創造力。我會關心學生聽課的感受，設法讓內容更貼近學生的生活，讓理論能與人生實踐相配合。我的方法簡單說來，就是把「應該」變成「願意」，應該做的事是被動的，願意做的事是主動的，人生的祕訣就在這裡。

孔子最好的學生顏淵請教孔子如何行仁，即怎樣才能走上人生的正路，孔子的回答簡明扼要，重點就是四個字「克己復禮」[96]（《論語·顏淵篇》）。但「克己復禮」常被誤解，根據我的研究，這四個字的意思是指「能夠自己做主去實踐禮的要求」。

孔子在同一句話中，還說了：「為仁由己，而由人乎哉？」即走上人生正途是完全靠自己的，難道還能靠別人嗎？「由己」（靠自

---

96  原文：顏淵問仁。子曰：「克己復禮為仁。一日克己復禮，天下歸仁焉。為仁由己，而由人乎哉？」

己）代表主動，「由人」（靠別人）則代表被動，因此「克己」是指能夠自己做主，這樣孔子的這句話才不會前後矛盾。否則，如果將「克己」理解為克制自己，則與「由己」（靠自己）相矛盾。

另外，顏淵是孔子學生中最沒有欲望的，孔子教學的特點是因材施教，不可能對最沒有欲望的學生還強調要克制或約束自己，這不合常理。孔子向最好的學生闡述自己的核心觀念 ——「仁」，一定是用盡渾身解數，把自己的思想用一句話概括，就是要化被動為主動。人不可能不受時代的限制，在社會上工作不可能沒有責任和壓力，如果能夠化被動為主動，把應該做的事變成自己願意做的事，則壓力至少能化解一大半。

孟子一再強調舜的偉大，有一段話特別令人感動，孟子說：「舜之飯糗（ㄑㄧㄡˇ）茹（ㄖㄨˊ）草也，若將終身焉。」（《孟子·盡心下》）舜年輕時家裡很窮，每天到田裡耕種，吃乾糧，啃野菜，就像打算一輩子這麼過似的，坦然接受自己的命運。

舜德行出眾，父親、後母和弟弟合起來要殺他，他照樣孝順父母，友愛兄弟。堯聽說舜的事蹟，便把自己的兩個女兒都嫁給舜，讓自己的九個兒子都聽舜的命令，讓舜做代理天子管理文武百官。孟子接著說：「及其為天子也，被袗衣，鼓琴，二女果，若固有之。」即等舜當上天子，穿著麻葛單衣，彈著琴，堯的兩個女兒伺候著，又像本來就享有這種生活似的。

舜一貧如洗時，安心過自己的生活，沒有任何抱怨，這是因為他能夠化被動為主動，把應該變成願意，覺得自己能活在世間就很值得高興；後來舜當上天子，為民父母，他照顧百姓，盡天子之責，這時他穿著麻葛單衣，相當於今天 LV 等名牌，以手撫琴，十分高雅。他擁有了最好的物質條件，卻沒有因此而驕傲，更不會志得意滿、追求享受，而是「若固有之」，好像本來如此，內心非常

安穩，這是舜最令人感動之處。

孟子稱讚舜是最孝順的人，因為舜「五十而慕」（《孟子‧萬章上》），即舜到了五十歲還經常思慕父母，對父母噓寒問暖。可見，舜是一個極其真誠的人，能夠逆來順受。「順受」並非委屈接受，而是坦然面對。生活艱辛時，舜沒有抱怨和不滿；號令天下時，他善盡責任，以平常心面對，對外在的名利權位，全然不放在心上。

舜為何能有如此表現？孟子所說的「萬物皆備於我矣」（《孟子‧盡心上》）可以做為最好的解釋，意即我的內心一無所需也一無所缺。一個人活在世界上，能夠思考，能有情感，能做出選擇，這是多麼快樂和幸福的一件事！孔子身逢亂世，照樣可以做到「申申如也，夭夭如也」（《論語‧述而篇》），即孔子在閒暇之際，態度安穩，神情舒緩，不會整天愁眉苦臉，遇到任何情況，都能坦然接受。

一個人無法選擇時代和社會，無法選擇家庭和遭遇，只有修養自己的內心，使內心擁有穩定的力量。孔子說得好：「三軍可奪帥也，匹夫不可奪志也。」（《論語‧子罕篇》）即軍隊的統帥可能被劫走，一個平凡人的志向卻不能被改變。

我們每個人都一樣，如果打定主意，下決心做一個正直的人、善良的人，沒有任何人能夠改變你的選擇。其他的一切都是外在的，外在的可得可失，可有可無，內在的沒有人能拿走，這是人生哲學中最核心的觀念。如果沒有建立這樣的觀念，沒有人可以保證你的快樂；一旦建立了這種觀念，也沒有人可以奪走你的快樂。

# 自然界可愛嗎？

## 自然界

對人生來說，「群體」和「自我」構成人類的世界，人生的第三個領域是自然界。

自然界最主要的特色是公平，人間的公平則很難成立，因為每個人都有自己的標準和要求。耶穌說：「（上天）降雨給義人，也給不義的人。」（馬太福音，5：45）自然界對人沒有任何偏差的看法，不論好人壞人，下雨的時候都會被淋溼，不會因為你是好人就不會被淋溼，壞人就被淋成落湯雞。

但是，我們也不能把自然界想得太容易，人對自然界要採取四種態度：

### （一）競爭

人與自然界始終存在競爭關係。在「物競天擇，適者生存」的古代洪荒世界，人類因為學會使用火，才可以團結起來，抵禦洪水、猛獸等自然界的侵襲。二十一世紀的今天，我們仍要對自然界保持戒心，遇到毒蛇、虎頭蜂等動物的攻擊，不能還想著保護野生動物，與之和諧共處，而要趕緊躲避，確保自己的安全。自然界有食物鏈，我們要避免成為食物鏈的下游。

### （二）利用

人類需要利用大自然，從中取得生存所需的資源。《尚書‧洪範》中提到的「五行」（水、火、木、金、土）就是人賴以生存的五種自然界的資源。《易經》中出現最多的動物是馬、牛、羊、豬，這些動物原本都是野生的，人類發現牠們適合被利用，就將其馴化為家畜。今天的地球之所以能夠養活七十五億人，全在於農業科技的進步。人類可以利用自然界實現自身的生存和發展，這也是

人的生物本能之一。

人類應運用自己的智慧，設法實現永續發展，而不要竭澤而漁。孟子曾說：「不要耽誤百姓耕種及收穫的季節，糧食自然吃不完；細密的漁網不放入水池捕撈，魚鱉自然吃不完；砍伐樹木按照一定的時間，木材自然用不盡。……雞、小豬、狗與大豬這些家畜的畜養，不錯過繁殖的季節，七十歲的人就可以有肉吃了。」[97]（《孟子‧梁惠王上》）

可見，人永遠不能脫離他的母體 —— 自然界。在古代各國的神話中，都有把大地當做母親的神話，大地養育了我們這些子女，使人類得以生存和發展。

### （三）保護

人類在利用自然的同時，也要注意保護自然。自然界雖然保持著生態平衡，有完整的食物鏈，但自然災害也會導致某些動植物的滅絕。譬如有人統計過，在《詩經》中，草有一百一十三種，木有七十五種，鳥有三十九種，獸有六十七種，蟲有二十九種，魚有二十種，這其中很多動植物早已滅絕，今天只是空有其名，我們已經無法想像它們究竟長什麼樣子了。

因此，我們要更加用心保護自然資源，為子孫後代留下更好的生存條件。在《中庸》一書中提到，人最偉大之處在於：人可以在實現自我（盡己之性）、照顧人類（盡人之性）的基礎上，進一步助成天地的造化和養育作用（贊天地之化育）。我們應該對自然界善加保護，幫助萬物各自繁榮發展。

---

97　原文：不違農時，穀不可勝（ㄕㄥ）食也；數（ㄕㄨㄛˋ）罟（ㄍㄨˇ）不入洿（ㄨ）池，魚鱉不可勝食也；斧斤以時入山林，材木不可勝用也。……雞豚（ㄊㄨㄣˊ）狗彘（ㄓˋ）之畜（ㄒㄩˋ），無失其時，七十者可以食肉矣。

## （四）欣賞

今天人們熱衷於欣賞自然，譬如出國觀光一定要去風景區。風景有兩種：一種是人文景觀，欣賞時需要了解相關的歷史背景或專業知識；另一種是自然景觀，對於夕陽、河流或山谷等自然之美，每個人都可以直接感受。

但在欣賞自然景觀時，不要忽略人和自然之間的「競爭」關係，我們可能會遇到毒蛇、蜜蜂、細菌的侵襲，甚至還有自然災害的威脅。人在自然界中，只有兼顧競爭、利用、保護、欣賞四個方面，才能最終達到欣賞自然的目的。

自然界並非一成不變，而是始終處於週期循環之中。中國人將自然的週期和人文的節慶相配合：春節是新的一年的開始，大地春回，萬象更新；端午、清明、中秋、重陽……每個傳統節日既配合自然的節氣，又兼具人文的內涵，讓生活可以配合自然界的韻律，讓生命能夠定期感受到新的希望，這充分體現了中國人的智慧。

儒家對於自然界的態度比較明確，孔子提到自然界，總是用比喻的方式來啟發人生。道家對自然界多採取純粹欣賞的態度，但偶爾也會將自然與人類相類比，譬如莊子形容魚是「穿池而養給」（《莊子·大宗師》），一條小魚不需要大海，只要有一個小水塘讓牠自在游動，就供養充足了；人也一樣，人在「道」中可謂「無事而生定」，只要悟道，閒居無事便會覺得心中平靜而安定。

在欣賞自然時，可以參考許多聰明學者的建議，從不同角度去品味自然的美妙，但最後還是要設法回到自己的生命，使生命的境界可以不斷向上提升。

# 我需要超越界嗎？

## 超越界

人生四大領域最後一個是超越界。在談到宗教時，我們已經對超越界做了詳細的描述。人在身、心之外還存在「靈」的層次，它屬於人生命中超越的成分。人的「靈」、我們的祖先、鬼神以及宗教信仰的物件都屬於超越界。

瑞士心理學家榮格長期為歐洲上層社會人士治療心理疾病，有超過三十年的臨床經驗，他最後歸納說：「來進行心理治療的很多病人，他們身體健康，心智正常，但是並不快樂。」

身體健康說明這些歐洲的社會名流並無身體方面的疾病，心智正常說明他們可以讀書、交友、旅行，知、情、意三方面能力都很正常，可以過正常的社會生活。可是他們並不快樂，這說明在人的身、心之外，還有一個元素能夠決定一個人是否快樂，按照心理學的說法，稱之為「靈」。

「靈」並不神祕，它是每個人生命都具有的成分，雖然「靈」不像身體一樣可以看到，不像心智的表現一樣可以察覺，但是「靈」確實存在。比如，我們常說某人很勇敢、很謙虛、有修養、有犧牲奉獻精神，這都屬於「靈」的層次。

我們可用三句話來描寫身、心、靈三個層次的差異：

1. 身體互相排斥。你用了這張桌子，我就不能用；你賺了這筆錢，別人就賺不到。與生活相關的、有形可見的一切，如車子、房子等，都與「身」這一層次有關。

2. 心智可以溝通。我們共同讀一本書、聽一個演講，彼此之間就可以透過溝通達成共識。

3. 靈性打成一片。西方心理學最新發展出一流派超個人心理

學（Transpersonal Psychology），它超越個體，把所有人當成一體來看，人與人融為一體，體現出「靈性打成一片」的觀念。

我們應如何面對超越界呢？我們曾用四句話總結儒家的立場：「對自己要約」屬於自我這一領域，「對別人要恕」屬於人群這一領域，「對物質要儉」屬於自然界這一領域，「對神明要敬」就是對超越界應有的態度。

「敬」不僅意味著尊敬、敬畏，更代表了一種宗教般的虔敬態度。超越界是生命的另一個層次，祖先、神明和個人生命的「靈」都處於這一層次之中，每個人都必須回應超越界對自己的要求。這種虔敬的態度能幫助我們超越身體的欲望，化解心智的執著，使我們不再受困於世間的名利權位，不再羨慕人類心智的天才表現。

談超越界很容易聯想到宗教領域。一個人沒有受過教育，身體有疾病或缺陷，在宗教中反而會受到特別的關懷。超越界就是要設法超越人間的差異性，體現人與人之間的平等性。只要是心智正常、有情緒感受、能做出抉擇的人，彼此之間就是平等的。人活在世界上，如果缺乏靈性層次的修練和覺悟，則很難體會到人與人是平等的。佛教講「眾生平等」，認為所有生命都是平等的，則是更高的境界。

如果一個人沒有超越界的觀念，也沒有宗教信仰，又該如何提升自我呢？事實上，這個世界上真正的無神論並不多，只要承認人的生命有「靈」的層次，就不是無神論。譬如，中國人在清明節都會祭祖，只要承認祖先存在，進行祖先崇拜和祭祀，就不是無神論。

中國人有「祭天地、祭祖先、祭聖賢」的傳統，天地是萬物的來源，祖先是個人生命和家族成員生命的來源，聖賢是我們做人處事的典型標竿。天地、祖先、聖賢，在我看來都接近超越界的層

次，中國人不一定有特定的宗教信仰，只要進行這「三祭」，就能讓自己更加虔敬，使自己的生命不再局限於計較當下的利害，而能向上提升超越。

關於如何證明超越界的存在，我們再補充兩點：

一個是美國心理學家、哲學家威廉·詹姆士的說法，他的家庭有宗教信仰的背景，但他承認，他的一生從未有過神魂超拔或與神合而為一的「密契經驗」。他在研究了人類的歷史後認為，有神論更能合理解釋人類在地球上的行為。人在艱難困苦中依然要堅持活下去，在資源豐富時會充滿感恩之心，與他人分享，只有承認人死後有靈魂存在，才能解釋人類的這些行為。雖然我們無法證明神的存在，但人類的內心對於超越界和死後的世界，一直都有一定的要求和嚮往。

心理學家弗蘭克（Viktor Emil Frankl，1905 － 1997）是猶太人，他在二戰期間被關入集中營，親戚朋友全部罹難，只有他九死一生，僥倖存活。他在集中營時便開始思考：「為什麼許多人在等死的時候還堅持活下去？」他從這個問題出發，發展出一套「意義治療法」：你為什麼要活著？難道不怕受苦嗎？只要人生有意義，即使受苦也沒關係。

所謂「意義」就是理解的可能性。你理解人為什麼要這樣生活嗎？人的死亡並不意味著結束，死後一定還有另外的生命形態存在，人一生的言行表現將會受到準確的評判和適當的報應，這是人類自然的願望和要求。有超越界存在，才能讓我們的生命更加完整。

# 我認識自己嗎？

人的一生大致可分為少年、青年、中年和老年四個階段，每個階段各有一項重要任務，即：自我認識、自我定位、自我成長和自我超越。

## 自我認識

少年階段是人的一生中可塑性最強的時期，父母望子成龍，通常會讓孩子學習各種技能和才藝。但到了一定階段，孩子還是要自己決定這一生究竟要走什麼路線。

古希臘德爾斐神殿上面刻著一句話：「認識你自己。」自我認識是人生的出發點，也是一項高難度的挑戰。我們小時候在學校裡都做過性向測驗，這是西方心理學發明的一種簡單的測試方法。透過這一測驗，我們可以了解自己的興趣和特長，確定自己適合學文科還是理科。

後來開始流行用星座、生肖或生辰八字來測試性格，了解自己性格的優勢和不足，從而揚長避短。然而，生命是動態的過程，我們不能僅根據性格測試結果就認定自己無法改變。這個世界有七十五億人，如果按照十二星座來劃分性格類型，每種星座都有六億人，我們不可能和六億人的性格完全相同。所以，根據星座等方法歸納出的性格只是一個大致的分類。

中國人在小孩出生滿週歲時有抓週的習俗，也有「三歲定終身」等說法，這些方法或觀察僅能了解孩子的大致性格。年輕人應設法認識自我，知道生命是動態開展的過程，人活著就要不斷塑造自己的生命，找到自己的天命所在。孔子所說的「天命」是指一個人在世間的使命，西方人會用calling表達類似的意思，形容自己聽

到了某種召喚，好像有人打電話來找我去做什麼事。

年輕人可以多讀一些名人傳記，如果喜歡讀愛迪生、居里夫人等科學家的傳記，代表自己的興趣偏向於自然科學領域；如果喜歡讀帝王將相如何建功立業的傳記，代表自己對社會科學感興趣；如果對音樂家、藝術家、教育家、哲學家一類的傳記著迷，說明自己熱衷於人文科學。人的發展大致可分為自然科學、社會科學和人文科學三個方向。

古希臘時期，人們相信每個人內心都好像有一個精靈（Daimon），當你看到感興趣的書籍時，內心的精靈會發出呼喚，此時，人好似聽到了鼓聲，會不由自主向前邁進。每個人的興趣都不同，對於自己不感興趣的書籍，白送你也不會看；對於感興趣的書籍則會四處尋找，一旦發現，如獲至寶，由此可以反映出一個人的性向。

除了名人傳記，年輕人還可讀一些勵志作品。有些人批評勵志作品是心靈雞湯，但雞湯對身體有進補作用，勵志作品則可讓人鼓起勇氣，勇往直前。當然，勵志作品無法從根本上解決問題，年輕人還是要不斷尋找生命的可靠基礎。

除了上述方法，我們還可以問自己以下三個問題：

1. 什麼事會讓我感動？在電視新聞或報紙中，某些人的特殊表現會讓我們深受感動，產生「有為者亦若是」（《孟子·滕文公上》）的想法，希望自己也能有類似的表現，這樣才會對自己滿意。但通常感動來得快，去得也快，好似無源之水，很快就會乾涸，所以最好把令我們感動的事記下來。我喜歡看電影，電影中有些話配合著情節的鋪陳和人物的遭遇，會讓我覺得今天很有收穫、深有感悟，我就會把它記下來，留待日後慢慢品味。

2. 誰的作為讓我羨慕？譬如每當遇到自然災害時，常會看到有錢人慷慨解囊，我們不免心生羨慕，希望自己也能變成有錢人，

從而有能力幫助更多的人。

3. 我對自己滿意嗎？人活在世界上，常會對自己不滿意，有時會覺得自己只會念書，別的什麼都不懂，有時會埋怨自己為什麼做事總出差錯，與人來往時總有誤會。

人只有認清自我，才能更好地選擇未來的發展方向。人生如同航海，即使如鐵達尼號般的巨輪，在茫茫的大海上也只如一葉扁舟，如果沒有羅盤指引方向，則無法順利抵達對岸。人在年輕時需要對人生做出全盤的思考，正所謂「獨上高樓，望盡天涯路」[98]。人生的目標和方向一旦選錯，損失的不僅僅是時間，還會因此喪失奮鬥的勇氣。

認識自己是人生的出發點，年輕人可以透過上述方法找到自己的天命所在。人生有如拼圖，如果無法認清自我，最後很難拼成一幅完整的圖案。人生的起步階段非常艱難，卻又非常重要。孔子在教學中十分重視立志，我們當然要立志成為君子，也要同時立志成為專業領域的人才，還應兼具文質彬彬的人文表現，這樣才能達到「人才、人格、人文」全人教育的理想目標。

## 我往何處去

### 自我定位

「定位」包含兩個意思：一是「位置」，即你在哪裡；一是「方向」，即你要往何處去，兩者分別代表現在和未來。人生是動態開展的過程，需要將兩者結合起來進行思考。

我們要常常問自己：「我在哪裡？為什麼會在這裡？」一九八○年我在美國耶魯大學，每天讀書十二小時以上。耶魯大學位於美

國東北角，一年中有四、五個月在下雪，我從亞熱帶氣候來到冰天雪地中，刺骨的寒冷讓我難以適應。有時半夜一覺醒來，不知自己身處何方。我問自己：「我為什麼會在這裡？」我給自己的理由是：若想在大學教書，需要有博士學位，否則難有長遠發展。知道了理由就能接受各種考驗與挑戰。

我最近十年在大陸講國學，四處奔波。有時在飯店半夜醒來，還要想一想：「自己現在在哪一座城市？為什麼要來這裡？」我的理由是：推廣國學是我的天命。孔子所謂的「天命」是指一件事非你做不可。中國疆域遼闊，人口眾多，推廣國學需要很多人一起努力，我就是其中的一員。

如何界定天命？如果有人邀請我講國學，說明我講的別人可以聽懂，這種邀請就是使命的呼喚。我當然可以閉門謝客、修練自身，中國有很多人就在名山古剎中安靜清修，與世無爭；然而，做為儒家學者就不能置身事外，我們要追隨孔子的腳步，「知其不可而為之」，做多少算多少。

有人批評說：「你再講也沒有用，社會還是這麼亂。」但換一個角度來看，如果我不講，社會可能更亂，這當然無法用實驗來證明，但重要的是自己知道這樣做的理由，就會不辭辛苦。有時航班延誤，抵達目的地已過午夜兩點，第二天七點仍要起床，九點準時上課。因為有清晰的自我定位，我知道自己在做什麼，所以並不覺得苦，從美國留學到今天一直如此。

另一方面，要問自己：我要往何處去？方向正確嗎？如果知道自己的目標正確、值得為之奮鬥，那麼再苦也值得，對痛苦會毫不

---

98　出自北宋詞人晏殊（991－1055）的〈蝶戀花〉。

在意。在家雖然舒服，卻會使人發胖、變得懶惰；在外奔波勞碌，卻能不斷運動、保持健康。正所謂「衣帶漸寬終不悔，為伊消得人憔悴」。「伊」本指中意之人，這裡指人生的目標。人生是不斷選擇的過程，只有自己選定目標，才能化被動為主動，讓自己無怨無悔。

我在美國讀書期間，偶爾會有「壯年聽雨客舟中，江闊雲低，斷雁叫西風」[99]的淒涼感受，我那時三十歲，正值壯年，一個人旅居國外，就像乘著小船在異國他鄉漂泊，天氣陰霾，下著雨，天上的大雁找不到同伴，孤單地號叫，像是在叫西風。中國人認為西風從沙漠吹來，代表著肅殺之氣，有如「古道西風瘦馬，夕陽西下，斷腸人在天涯」一般的淒涼。

人如果有明確的目標，打定主意為之奮鬥，則一切苦難都不會放在心上，我們不會白費力氣，一切努力必有成果。基於這樣的信念，我在美國念書才會如此拚命，人生就是要拚一個值得不值得。俄國小說家杜斯妥也夫斯基說：「我最害怕的是人生受這麼多的苦，最後發現是白白受苦。」人生不怕吃苦，只要你認為值得，再苦也不會在乎。

孔子是我們學習的楷模，他「五十而知天命」，隨後順應天命，周遊列國。孔子在去鄭國途中與學生走散，學生到處打聽老師的下落，一個鄭國人對子貢說，有人站在東門那裡，長相、臉型、身高有明顯的特徵，就像喪家狗似的。子貢把這些話轉告孔子，孔子聽後欣然一笑，說：「不用理會別人怎麼形容我的外貌，但說我像喪家狗，確實如此！確實如此！」[100]（《史記・孔子世家》）

在人類歷史上，比孔子更了解自己的天命和人生方向的人寥寥無幾。除了蘇格拉底、佛陀、孔子、耶穌這四大聖哲，世界上大部分人都不清楚自己身處何方、目標何在、為了目標值得付出怎樣的

代價。

　　大學生處於青年階段，不僅要有清晰的自我認識，還要有明確的自我定位。生活在二十一世紀，我們不能不切實際地幻想漢唐盛世，而要老老實實地了解當今時代和社會的特色，設法充分釋放個人的生命能量，並帶動他人一同發展，這正是人類生命的偉大之處。

　　如果一個人多才多藝、能力出眾，就應該意識到：上天造就我是為了讓我服務更多的平凡之人，服務他人是人生的價值所在，「人生以服務為目的」是正確的前進方向。一個人如果自私自利，一切只為自己考慮，賺錢只為讓自己和家人享受，這樣的人生格局未免太過狹隘。人在青年階段要有清晰的自我定位，知道自己在哪裡，要往何處去，正確的方向何在，應立志為人類做出真正的貢獻。

## 愈大愈懂事

### 自我成長

　　人生步入中年階段需要自我成長。很多人成家立業後就停下了腳步，平凡度日，幾十年沒有什麼改變。其實，中年階段正是自我成長的重要時期，這種成長不再指身體的成長或知識的增長，而是

---

99　出自南宋詞人蔣捷的詞〈虞美人・聽雨〉。
100　原文：孔子適鄭，與弟子相失，孔子獨立東郭門。鄭人或謂子貢曰：「東門有人，其顙似堯，其項類皋陶，其肩類子產，然自腰以下不及禹三寸，累累若喪家之狗。」子貢以實告孔子。孔子欣然笑曰：「形狀，末也。而謂似喪家之狗，然哉！然哉！」

自我生命的成長和發展。

我們常聽到「人到中年萬事休」的說法，好像人到中年不會再有什麼發展，這種想法並不正確，應該改成「人到中年萬事新」，因為中年人具備了獨立自主的條件，能夠真正做出自己的選擇。

人在年輕時往往都是被要求的，一路發展會受到種種約束和限制，難有真正的自由和創新，創新一定需要與自由相配合。人到中年時則會具備一定的經濟基礎和社會地位，可以帶領一個團隊進行創新。所謂創新，就是找到不同的可能性，使原有的工作達到更高的水準，實現更好的效果。因此，自我成長需要與前期的個人發展相配合。

我看過一部名為「城市鄉巴佬」（*City Slicker*）的電影，描寫的是幾個四十歲左右的美國中年男子去西部體驗牛仔生活的故事。他們都已成家立業，卻遭遇中年危機，深感迷茫，不知人生的意義何在，於是效法美國早期西部拓荒的事蹟，加入從墨西哥到科羅拉多的趕牛隊，體驗兒時當牛仔的夢想。剛穿上牛仔服、騎上馬時，幾個人興奮異常，但很快就累得要命。

有一天晚上，他們聚在篝火旁聊天，談到小時候崇拜父輩的成就，希望做一個頂天立地的男子漢。長大後，兒時的夢想一一實現，卻並沒有得到想像中的快樂和成就感，到底什麼樣的人生才有意義呢？大家討論了很久也沒有答案。

這時，做為領隊的老牛仔走了過來，他從小放牛牧羊，沒念過什麼書，卻宣稱自己知道人生的意義何在，他舉起一根手指，說：「人生的意義就在於『一』，就是選定一個目標並堅持奮鬥。」老牛仔的答案可謂返璞歸真，他一輩子趕牛，談不上有多大成就，可是他內心安穩，目標專一，心無旁騖。人受教育的程度愈高，就愈容易被社會同化，離自我愈來愈遠。人在不斷社會化的同時，要設法

找到自己的人生之路，找回你自己。

自己和人群是相對的。如果孩子一出生，父母就對他說「要做你自己」，孩子根本無法理解，因為他還不知道什麼是「別人」。孩子接受教育，逐步融入社會，在社會中扮演某個角色，這就是社會化的過程。但年輕人進入社會後，應該透過觀察、學習和思考，逐步建立自己的價值觀，找尋自己生命的意義。否則，人到中年很容易隨俗浮沉、隨波逐流，偶爾午夜夢迴時便會自問：這就是我要的人生嗎？

人步入中年後，實現自我成長是可能的。有很多書，小時候閱讀無法深入理解，中年再看就會有深刻的體會。譬如我小時候喜歡讀金庸的武俠小說，如果你沒讀過，別人說你是岳不群，你以為岳不群是華山派掌門人，好像別人在誇你，其實別人在嘲諷你是偽君子，小說的典故已經融入了日常生活的語言。透過閱讀，我們可以更好地理解別人的話。

我年輕時讀金庸小說，會忙著分辨誰是好人、誰是壞人。後來發現，好人也有缺點，壞人也有優點。這時我就會問：到底什麼是正義？善惡的報應公平嗎？善惡不可能一刀切，人間不可能黑白分明，天下沒有如此簡單的事情。

中年再看金庸小說或是由小說改編成的電視劇，就會思考：如果我是劇中的某個人物，我會怎麼做？慢慢就會發現人的生命有其發展的邏輯。譬如東邪黃藥師之所以性情古怪，是因為他在年輕時有特殊的家庭背景和人生經歷。這樣一來，我們就能分辨，他的哪些行為出於無奈，可以被諒解；哪些行為屬於自由選擇的範圍，他應該為之承擔責任。此時對人生的理解就會更加完整，不會像小時候那麼片面。

我記得小時候看電影，一進場就會問父母誰是好人、誰是壞

人，小孩都天真地以為世界上只有這兩種人。慢慢我們就會發現，其實每一個人都非常複雜，不能簡單地判定好壞。譬如前面介紹過英雄和聖人的差別，一個人在關鍵時刻做了一件正確的事，就可成為英雄；而要成為聖人則必須經過長期的修練，在任何情況下都能做出正確的選擇，天下恐怕沒有幾個人能達到這樣高的目標。

中年人若想實現自我成長，一定要繼續讀書。哲學類的書籍比較適合中年人，因為哲學書側重於闡釋道理，描述的是生命的普遍現象，包含了許多人生經驗和感悟。人都希望安身立命，確立自己的人生觀，找到人生的目的和意義，哲學能夠提供思考的方法、架構和線索。很多哲學家的話值得反覆回味，一旦想通便有豁然開朗之感，能幫助我們實現自我的成長。

# 老了也開心

## 自我超越

人步入老年階段要進行自我超越。印度教將人的生命分為四個階段：[101]

1. 學徒期（八至二十歲）。學生住在老師家中，接受老師的言傳身教，學習如何做人處事。

2. 家居期（二十至四十歲）。人要成家立業，養兒育女，進入社會奮鬥。處於家居期的人是社會的中堅力量，具有三點特色：第一，有能力在社會上立足，取得成就；第二，結婚生子，得享天倫之樂；第三，承擔社會責任。

3. 林棲期（四十至六十歲）。待孩子成熟後，要把家讓給孩子，自己住進樹林裡，認真思考：我是誰？人生有何意義？印度文

化同猶太文化和中國文化一樣源遠流長、特色鮮明。印度重視對人生的規畫，人一過四十歲就開始思考人生意義的問題。

4. 雲遊期（六十至八十歲）。人到老年要雲遊四方，關鍵要設法讓自己從somebody回歸到nobody。somebody指有名有姓、有頭有臉的重要人物，nobody指無名小卒。這種回歸可謂返老還童或返璞歸真。

印度教的人生規畫令人感動：年輕時努力拚搏，爭取各種成就；年老後放下一切，返回生命最原始的階段。世界的不同文化都希望人能夠實現自我超越，而超越的關鍵在於從身、心層次走向靈的境界，化解自我的執著。

西塞羅是羅馬著名的文人，當時基督宗教尚未出現，他在《論老年》一文中，指出老年人的四點優勢：

1. 很多人認為老年人很可憐，不能再從事重要的工作，但西塞羅認為，偉大的工作不是靠體力和速度完成的，而要靠思想、性格和判斷，老年人思想更成熟，性格更圓融，判斷更精準，更富有遠見。年輕人做事，很可能出現「眼看他起朱樓，眼看他宴賓客，眼看他樓塌了」[102]的局面，老年人出謀劃策則會更加穩健。

2. 很多人認為老年人體力衰弱，不能再參與競爭和鬥爭，但此時正好發揮心靈的力量。老年人適合當顧問，指導後生晚輩從事實際的工作。俗話說「家有一老，如有一寶」、「不聽老人言，吃虧在眼前」，老年人的建議往往非常可貴，如果置若罔聞，將來很可能追悔莫及，所以年輕人對老年人應該保持尊重。

---

101 參見美國學者休斯頓‧史密斯（Huston Smith）的著作《人的宗教》（The World's Religions）。
102 出自清代戲曲家孔尚任所作〈桃花扇〉中的一段唱詞。

3. 還有人說，老年人無法享受身體的快樂。「身體的快樂」是指食、色方面的享受。然而，縱欲則傷身，食和色給人帶來快樂的同時也伴隨著痛苦和後遺症。人老後食欲和性欲會下降，人正好得以擺脫身體方面的快樂和欲望對自己的束縛，從而獲享心靈的自由，發揮心靈的力量。

4. 很多人認為，老年人接近生命的終點，來日無多，會感到死神的威脅。西塞羅則認為，對於死亡不用太擔心，他引用蘇格拉底在接受審判時提出的對死亡的看法，認為死亡只有兩種可能：要麼死亡意味著生命完全消失，人不再感到痛苦，既然這是所有人甚至所有生命的最後結局，就無所謂好壞；要麼死後靈魂存在，靈魂擺脫身體的束縛而重獲自由，可以抵達另外的境界，說不定可以得到更大的快樂。

西塞羅是羅馬時代的文學家，算不上可以建構系統的哲學家。與西塞羅所處的時代接近、能稱得上哲學家的是斯多亞學派的幾位代表，包括羅馬帝國的皇帝奧理略（Marcus Aurelius，121 － 180）、羅馬大臣塞內卡（Seneca，3 B.C. － 65 A.D.）以及奴隸出身的愛比克泰德（Epictetus，50 － 138）。

西塞羅的話提醒我們不要對老年太過擔心，老年反而會讓人從身走向心、從心走向靈的層次，生命最後復歸於平淡，正可謂「流水落花春去也，天上人間」[103]，慢慢感覺到生命的每一剎那、每個當下都很開心，更容易體會到高峰經驗。

高峰經驗（Peak Experience）是美國著名心理學家馬斯洛（Abraham Maslow，1908 － 1970）提出的概念。馬斯洛提出了人的「需求層次理論」[104]，將「自我實現」分為若干層次，他在晚年又提出了「自我超越」。所謂的「高峰經驗」是指，人在某一剎那，忽然覺得天地無限美好，存在的一切都恰到好處，無論自己多

麼辛苦勞累，看著眼前這平靜的利那，當下就好似永恆。這種感覺就像到了一望無際的高原，視線不再受到任何阻礙，很容易體會到生命的真正樂趣。

　　人走到生命的最後階段要問自己：一路走來可有遺憾？若有遺憾，就要提醒後生晚輩不要重蹈覆轍，如果自己有能力補救則盡力彌補缺憾；若沒有任何遺憾，就要充滿感恩之心，完整地走完此生。

---

103　出自五代十國時南唐最後一位國君李煜（937 − 978）的〈浪淘沙‧懷舊〉。
104　馬斯洛於一九四三年在〈人類激勵理論〉論文中提出「需求層次理論」之說。

第十五章

# 文化的視野

# 有人有文化

本章的主題是文化的視野。有些人將「horizon」（視野）譯為「視角」，但horizon原指地平線，好比人在草原上放眼四顧所能看到的範圍，因此譯為「視野」更為貼切。文化是人類創造出的最特別的東西，它具有四點特色：

1. 異於自然。文化與自然有顯著的不同。
2. 形成傳統。文化歷經歲月的積澱而形成傳統。
3. 自為中心。每種文化都認為自己處於中心位置。
4. 興盛衰亡。文化像人的生命一樣，有興盛衰亡的生命週期。

## 異於自然

文化不同於自然，有人類才有文化的創造。文化是人類生活的全部，古人生活留下的任何遺跡，都是考古學家研究的內容。人類的遺跡非常特別，與自然現象有明顯的不同。

自然界包括日月星辰、山河大地、花草樹木、鳥獸蟲魚，自然界的運作符合規律，可以預測，因此可以說「自然的就是必然的」。如有例外，可以修正原有理論，使人類對自然界的認識更加完整。

自然界的特色可以用「直」來形容，這出自《易經・坤卦》六二的爻辭「直方大，不習，無不利」。《易經》乾卦代表天，坤卦代表地。每一卦下面兩爻代表地，中間兩爻代表人，上面兩爻代表天。《易經》將人置於天地之間，透過觀察天地變化的規律來合理安排人類的生活。坤卦的六二爻最能代表大地的特色，「直」即直接產生，可見古人確實智慧超凡。

與「直」相對的是「文」，「文」字由兩條直線交錯而成，

「文」就是錯畫[105]，只有人類才有能力交錯。人有理智，可以利用自然，改造自然，使之更適合人類生存的需要，這就是人類文化的開始。

很多專家研究發現，黑猩猩、猴子等靈長類生物也可以使用工具，但卻無法改進工具。比如黑猩猩研究專家珍古德（Jane Goodall，1934－至今）博士[106]經過多年研究發現，黑猩猩可以使用竹棍把螞蟻從窩裡挑出來吃，卻無法改進竹棍。人類祖先開始可能也利用竹棍簡單地獲取食物，後來則不斷改進，造出鋤頭、扁擔等各類工具，使人類的生存條件不斷改善。

如果你到海邊散步時撿到貝殼，說：「大海真好，能長出美麗的貝殼！」每個人都會贊同；如果撿到一塊手錶，說：「大海真好，居然長出手錶！」別人肯定覺得很荒謬，手錶屬於精密儀器，沒有人的精心設計，絕不可能自己生長出來。如果在原始森林中看到一張桌子，代表一定有人來過，因為兩棵樹絕不可能自行交叉組合成桌子。可見，人類的文化極具特色。

德日進（Pierre T. de Chardin，1881－1955）在研究了地殼的構造後認為，地球從裡到外分為若干層，人類的出現顯著改變了地球的面貌，在地球最外層形成了「心靈層」。美國太空人曾聲稱在月球上能看到中國的萬里長城[107]，長城是古代中國人為了抵禦北方遊牧民族的侵略而修建的，它使地球的外貌變得不同。

今天地球上生活著七十五億人，世界各地已很難再找到原始的

---

105 出自《說文解字》。原文：文，錯畫也。象交文。凡文之屬皆從文。

106 一九六五年，珍古德因其對黑猩猩群體生態學的觀察和研究成果，被英國劍橋大學授予博士學位。

107 這是一名美國太空人以個人的名義隨意說的，經中國科學院研究確認，人在太空中憑藉肉眼無法看到長城。

自然生態。人類創造文化，目的就是使人的生活更方便、更愉快。如果問宇宙有意義嗎？假如世界上沒有人類，就不涉及意義的問題。所謂「意義」就是理解的可能性，一定要有像人一樣有理解能力的生物，才會出現意義的問題。

人類尚未出現時，恐龍曾是陸地上的霸主，各種生物構成食物鏈，彼此間展開生存競爭，宇宙日復一日運轉，千年如一日，沒有所謂「意義」的問題。人類出現後，就要問這一切是怎麼回事？有什麼意義？文化創作使人類生活顯示出某種特定的價值，這些價值就構成了文化的內涵。早期人類以狩獵為生，後來發展出農耕文明，透過對古代遺跡的考古發掘，我們很容易判斷出哪些是人類祖先留下的遺跡。

人類的特色在於人有理性能夠思考，可以自由做出選擇，因而不可預測，這與自然界「符合規律、可以預測」的特性完全不同。「不可預測」意味著人不一定能走上正路，如果缺乏適當的教育，後果恐怕難以設想，文化可能面臨危機。地球上曾出現過多種不同的文化，能流傳至今的則寥寥可數。接著還要對文化的興衰問題做進一步的探討。

# 傳統行不行

## 形成傳統

文化的第二個特色是形成傳統。傳統與時間密切相關，在時間的過程裡，文化從開始創造，到逐漸改善和發展，最後才形成某種傳統。任何一群人久居某地都會留下某些遺跡，後人可以據此判斷：這些人如何與自然相處，是過放牧生活還是以農耕為生；他們

如何與別人相處，有什麼禮儀、風俗或信仰。這些就構成了傳統。

個人的生命非常脆弱，只有處於某一傳統之中，才能順利成長和發展。但傳統也會給人帶來壓力，任何傳統都有某些禁忌，規定某些事不能做。這些禁忌非常重要，如若違背，可能會影響到整個族群的生存。

傳統的好處是給人提供思考的立足點，使人對於自然和社會的各種現象具備基本的判斷能力。人在思考判斷或表達觀點時，一定需要有切入點，就好比一個圓形的東西，若無切入點，則只能從表面觀察，無法得知內部是什麼情況。如果沒有特定的切入角度，一個人無法對任何事情表達任何意見。

譬如閱讀有關中國文化的書籍，隨手翻閱就會看到「孝順」一詞，外國文化對於孝順顯然不像中國人這般重視。這說明，中國的傳統文化在看待宇宙和人生的問題時，會從孝順這一角度切入。

「天人合一」的說法對中國人來說也耳熟能詳，但是其含義卻不易說清楚。有人將「天人合一」理解為人與自然要和諧相處，但「和諧」與「合一」顯然不同；有人將「天人合一」理解為人死後塵歸塵、土歸土，重新與自然融為一體，這樣的「合一」也談不上任何高明的境界。

世界各國的文化傳統都有看待宇宙和人生的特定角度。譬如印度人，除了有包頭巾的傳統外，還有嚴格的種姓制度[108]（Caste System），將印度人分為四個階級：

1. 婆羅門。地位最高，由宗教中的僧侶階級構成。
2. 剎帝利。即武士階級，佛教創始人釋迦牟尼佛的父親就是

---

108 一九四七年印度獨立後，立法廢除了種姓制度，但在實際社會生活中，該制度仍扮演著相當重要的角色。

古印度迦毗羅衛國的國君，屬於武士階級。古代印度時有戰爭，武士階級的勢力就會趁機迅速擴張。

3. 吠舍。即平民百姓，包括農、工、商等。

4. 首陀羅。即奴隸，古代印度種族眾多，有很多小國，戰爭後便出現大量奴隸。

除此之外，還有不屬於這四種階級的「賤民」。我們不必擔心印度社會不和諧，因為他們有自己的傳統和信仰。一位企業家到印度旅遊，乘坐當地的人力車時發現車夫拉車時笑得很開心，便好奇地問他：「你這麼辛苦地拉車，為什麼還能笑得如此開心？」車夫說：「我們相信人是會輪迴的，雖然我拉車很累，但一想到下輩子你替我拉車，我就覺得很開心。」

印度人的信仰幫助他們化解了人生的許多困擾。人只要能理解為何受苦，就能逆來順受，承受一切挑戰，這就是傳統的力量。宗教信仰是印度傳統的重要組成部分，印度人口超過十億，很多人很貧窮，如果沒有這些傳統，我們無法想像他們如何活得下去。

中東地區信仰伊斯蘭教，有些女性出門要戴面紗、頭巾，我們不必為她們抱屈，她們可能覺得甘之如飴。遵守這些規矩表明她們不是普通人，而是屬於某個特殊階層，她們認為拋頭露面對女性來說並不合適。不同國家和地區的傳統各不相同，我們要「入境問俗」，免得引起當地人的側目或排斥。

人類文化傳統中最主要的內容是語言和文字。許多地方只有語言，沒有文字，這樣的文化通常很脆弱，不如有文字的族群，可以充分借鑑祖先留下的思想和觀念。

譬如中國人講究的「孝順」用西方的語言則很難翻譯。除此之外，東西方文化還有一個明顯差異。西方人強調「罪惡感」，西方的宗教信仰使人相信：人是由神創造的，是受造物，人的生命很脆

弱，有開始亦有結束；然而，人有時居然自以為是、妄自尊大，基督宗教認為人有七大死罪，第一就是驕傲。對於神來說，人根本就是微不足道的，但是人居然以為自己了不起，可以自己做主來決定任何事情，甚至想變成和神一樣，這是不可饒恕的罪過。

中國受儒家思想的影響，不談罪惡感，而強調羞恥心，受中國文化影響的日本、韓國、越南等國家亦然。羞恥心在古代只有一個判斷標準，就是儒家所謂的「德行」，如果德行不如人會覺得很丟臉。從《詩經》、《尚書》到後來重要的哲學派別，都強調人要行善避惡，不要讓自己的父母和祖先丟臉。所謂的「光宗耀祖」只有一個原則，即行善避惡，而非升官發財。現在的中國人以賺錢比別人少、衣食住行不如人而感到羞恥，這並非中華民族的優良傳統。

傳統就是一群人久居某地後，形成一定的生活習慣和價值觀念。傳統給後代子孫提供了基本的立足點，幫助他們進行人生的重要判斷。形成傳統是文化的第二個特色。

# 各自有中心

## 自為中心

文化的第三個特色是自為中心，認為自己居於中心地位，而非東南西北四方的邊緣地帶。

古希臘時期的雅典人就認為自己的文明最為開化，與蘇格拉底同期的執政者伯里克利（Pericles，495 － 429 B.C.）曾在講演中自豪地說：「雅典是全希臘的學校。」他認為雅典不僅是地理上的中心，更是文化上的中心，雅典四周都是野蠻人。

世界各地的少數民族都有自己的神話和信仰，否則極易被其他

民族同化，無法持續生存和發展。神話中一定會提到，雖然本民族人數不多，但我們的祖先與神明有某種特別的關係，譬如猶太人相信祖先與神明訂立了契約，因而本民族要保持自身的純粹性，不能隨便被其他民族所同化。同樣的，雖然中國漢族人數眾多，但也無法把其他少數民族全部同化，即使想用漢字取代少數民族的文字也不容易做到。

每個國家和民族都需要「自為中心」，最明顯的例子是猶太人。其祖先可以推到距今三千多年前的亞伯拉罕，他堅定地信仰唯一的神——耶和華，由此開啟了猶太人的信仰傳統。

猶太人有三種稱謂：一是希伯來（Hebrew）人，意為從河對岸過來的人，亞伯拉罕的祖先曾在兩河流域放牛牧羊，亞伯拉罕帶領他的家人渡河遷居到迦南地，被當地人稱為希伯來人；二是以色列人，亞伯拉罕的孫子雅各曾在夜晚與天使打架，於是被天使稱為「以色列」，意為和天使搏鬥的人（創世紀，32：29）；三是猶太人，西元前一○○四年，大衛王建立以色列王國，後來於西元前九三三年分裂為北方的以色列國和南方的猶大國，北方的以色列國於西元前七二二年先滅亡，猶太人便前往猶大國避難，西元前五八六年南方的猶大國也滅亡了，後來便有了「猶太人」的稱謂。

雖有三個名稱，但重要的只有一點，猶太人相信自己是上帝的選民，他們為此而飽嘗艱辛。雅各的兒子約瑟在埃及任宰相期間，猶太人遷居到埃及以避開災荒，約瑟過世後，猶太人淪為奴隸，在埃及做了四百三十年苦役。

後來摩西帶領猶太人離開埃及[109]。如果今天沿著當年猶太人離開埃及的行進路線，步行十一天即可到達迦南地（今天的巴勒斯坦地區），但當時猶太人走了四十年之久，他們認為這是上帝在考驗他們。在埃及出生的猶太人有根深蒂固的奴隸觀念，在沙漠中行走

四十年，所有在埃及長大的猶太人幾乎全部過世，就連摩西也沒能進入迦南地，最終抵達的猶太人大部分是在沙漠中出生的。

成為上帝的選民要接受嚴峻的考驗，但猶太人也因此變得與眾不同。二戰期間，被希特勒屠殺的猶太人將近六百萬，直到一九四八年，猶太人才重新建立了以色列國。他們之所以能在敵對民族的包圍中堅持下去，正是因為他們相信自己居於中心地位。

中國早在孔子所在的春秋時期就有「夷夏之辨」。「夏」表示「大」和「光明」，代表中國；「夷」代表位於邊緣地區、文明尚未開化的少數民族。《論語》一書中，孔子特別推崇管仲，認為他以外交手段避免了戰爭，維護了中國的統一，使少數民族不敢侵犯中原地區；若沒有管仲，中國人很可能被少數民族征服而被迫「披髮左衽」[110]了。披散著頭髮，衣襟向左邊開，這是少數民族的風俗。可見，中國人對自己的文化有充分的肯定。

中國的「中」字代表「中心」。古代是圖騰社會，以龍、熊、蛇等圖案的旗子做為部落的象徵，部落領袖所在地插一面旗子，代表部落的中心，以此區分東南西北四方。風吹時，旗子兩邊飄揚，就演變成「中」這個字。「中」字的字源還有別的說法，但此說最合理。

更有趣的是，「中」字與「史」字很像，「史」字的上半部分就是「中」，代表歷史記載要秉持正確、正義、正當的原則，這體現了中國的文化傳統。中國古人認為中國就是天下，後來即便知道有世界各國的存在，中國人依舊認為自己講究禮儀和道義，是泱泱

---

109　參見本書第四章。
110　出自《論語·憲問篇》。原文：子曰：「管仲相桓公，霸諸侯，一匡天下，民到於今受其賜。微管仲，吾其被髮左衽矣。」

大國、禮義之邦。可見中國古代對「中」這個字有相當的肯定。

外國人不太可能認同中國的中心地位。羅馬帝國時期，西方人與秦國有了交流溝通，便用「秦」（ㄑㄧㄣˊ）字的發音代表中國。後來宋朝盛產瓷器，就用china表示瓷器，以此代指中國。但是瓷器很脆弱，中國後來的國勢積弱不振，以China一詞來了解中國，並不能體現中國的文化特色。

《左傳》中有「民受天地之中以生」[111]的說法，認為人處於天地的中間，後來進一步肯定人是「萬物之靈」、「五行之秀」。《漢書》有「建大中，以承天心」[112]的說法，「大中」就是《尚書·洪範》中的「皇極」，意即只有「絕對正義」，才能承繼上天的心意。中國的「中」字並非指地理位置的中間，而是指人生正道和絕對正義，這才是「中」字的真正內涵。

# 文化也會老

## 興盛衰亡

文化的第四個特色是具有興盛衰亡的生命週期。一種文化在興起之際，就像年輕人一樣具有豐沛的生命力，接著便會「盛」行於世，對周圍文化產生重大影響，甚至征服其他文化。古代社會中，一種文化興盛後通常會以武力掠奪資源。

古希臘曾取得了輝煌的文化成就，但由於它由分散的城邦所構成，並經歷了長期內戰，羅馬帝國一旦興起，它根本不是對手，很快便被羅馬帝國所征服。古代帝國如長江後浪推前浪，新興的帝國不斷用武力征服沒落的帝國。但俗話說得好：「馬上得天下，不能馬上治天下。」武力征服之後，還是要坐下來認真研究，如何讓百

姓安居樂業。

文化興盛期過後，便會盛極而衰。《易經・繫辭下傳》中提到：「窮則變，變則通，通則久。」文化若缺乏變通，則難逃衰亡的命運。變通不能依靠武力，不能只注重外在的形式，變通一定需要以智慧來洞察人性的奧妙。

英國歷史學家湯恩比在其代表作《歷史研究》一書中，研究了歷史上出現的二十一種較有影響力的文化，發現世界上現存的文化均是歷史上某種文化的延伸或調整後的型態。所有文化都要經歷興盛衰亡四個階段，每種文化都會面臨挑戰，只有適當地回應挑戰，才能長期存續和發展。大多數文化只有一度生命，即經歷一個興盛衰亡的週期後便徹底消亡，被其他文化所吸收或取代。湯恩比認為，中國文化的特別之處在於它有二度生命。

中國文化自商周時期一路發展，到春秋戰國時期形成百花齊放、百家爭鳴的局面。當時的中國社會從表面看來動盪不安，但正是危難激勵了有理想的知識分子提出各種觀念，設法救亡圖存，讓中國人繼續活在天地之間。中國文化由此推陳出新、發展壯大，經過兩漢、魏晉、隋唐的發展，直到唐朝末年五胡亂華，外族文化侵入中原，中國文化第一度走向衰亡。

經過五代十國的戰亂，宋朝興起後又大力弘揚中國文化，到後來歷經元、明、清等朝代，中國文化經歷第二度興盛衰亡的週期。一九一九年「五四運動」提出「打倒孔家店」，二十世紀六〇年代又經歷了文化大革命的浩劫，湯恩比很擔心中國文化將再度衰亡。

---

111　出自《左傳・成公十三年》。原文：劉子曰：「吾聞之，民受天地之中以生，所謂命也。」
112　出自《漢書・谷永杜鄴傳》。原文：竊聞明王即位，正五事，建大中，以承天心，則庶征序於下，日月理於上。

如果湯恩比活到現在，肯定會承認中國文化確實非常特別，它再度興起而開始了第三度生命。文化的興盛衰亡一般以幾百年為一個週期，盛極而衰似乎是一種不可避免的宿命。因此重要的是，我們要了解如何才能讓文化長盛不衰。

以羅馬帝國為例，它一度非常強盛。羅馬帝國有一座城市叫龐貝城（Pompeii），位於維蘇威火山（Vesuvius）附近。龐貝城的遭遇很不幸，火山突然爆發導致整座城市被火山灰所埋沒。對後人來說，這反倒成了很好的考古材料，地下出土的場景好似時間定格一般：許多人正在街上奔跑逃難而被熔岩燒焦，有些人吃了東西還未完全消化。整座城市完整保留了當時的原貌。

考古工作者發現很多大戶人家的門口都放了一口缸，透過研究缸裡面的物質，才知道原來這是吐缸。當時的有錢人吃飽後強行吐掉，以便能繼續吃喝玩樂。羅馬帝國鼎盛時期，到處徵稅，搜刮財寶，有錢人驕奢淫逸，三日一小飲，五日一大宴，人生的快樂只剩下食、色兩個方面。但食、色的欲望滿足後，刺激便會遞減，不斷需要更強的刺激，於是便出現了吐缸。這聽起來很恐怖，那個時代的人簡直和動物沒什麼差別。

為什麼會出現這種局面？因為在興盛階段若缺乏人文方面的修練，人的生命便無法轉向更深刻的要求和更高遠的理想，難免往下墮落而尋求身體的當下滿足，類似現象在各種文化中普遍存在。羅馬文化為何會衰亡？羅馬帝國靠掠奪他國資源實現富強，之後便樂不思蜀，安於享受，不再思考更複雜的問題，民眾每天到競技場觀看血腥的比賽。如果偶爾為之，也許還有一定樂趣，天天如此則令人難以忍受。

羅馬帝國盛極而衰，很快便分裂為東、西羅馬帝國。西羅馬帝國位於今天的西歐、北歐一帶，於西元四七六年滅亡；東羅馬帝國

位於義大利以東地區，於西元一四五三年被信仰伊斯蘭教的鄂圖曼土耳其人所滅。

現代人提到羅馬文化，只知道羅馬的法律很有名。羅馬神話大部分是抄襲古希臘的神話，將希臘神話中的宙斯改名為朱庇特，將厄洛斯改名為丘比特。羅馬信奉的神明也與希臘時代類似，每個神明各有其功能，最後甚至演變成功利性的，只要多加祭拜便有更多好處，連宗教領域也一起墮落了。羅馬文化留給人類的文化遺產相當有限，除了希臘文化遺產的延續發展和天主教的異軍突起之外，其他方面幾乎是一片空白。

文化不同於自然，它形成傳統，以自己為中心，有興盛衰亡的生命週期。到底什麼因素決定了文化的興衰，這是本章將要探討的核心議題。

# 愈方便愈好

文化是人類生活的全部表現，為了說明文化的內涵，我們需要對文化作結構上的分析。文化有三個層次：器物層次、制度層次和理念層次，分別對應人的身、心、靈三個層次。人有「身體」，需要器物滿足食衣住行的需求；人有「心」的層次，需要制度的規範；人有「靈」的層次，需要理念的指引。

## 器物層次

孔子在五十五歲至六十八歲時周遊列國，歷經十四個年頭，不過走了三個省而已。現在交通發達，繞中國一圈可能用不了三個星期。在器物層次，古代與現代完全無法相提並論。

　　唐朝詩人杜甫在〈春望〉一詩中寫道：「烽火連三月，家書抵萬金。」當時在戰亂中收到一封家信實屬難得；現在不管在世界的哪個角落，隨時都可與家人視頻通話，現代科技的發展是古人作夢都想不到的。我們生活在現代，在器物方面應充滿感恩之情，科技的發展促使經濟繁榮、國民收入提升，食衣住行各方面愈加便利。

　　有一次我做完國學演講後，一位聽眾問：「今天提倡國學，請問您是否贊成恢復漢朝的服裝？」我聽後覺得很詫異，現在都什麼年代了，居然還要恢復漢朝的服裝？不僅訂製價格昂貴，活動起來也不方便。

　　我在比利時魯汶大學教書期間，有一次到布魯日（Bruges）觀光旅遊，這座城市完整保留了中世紀後期的建築風格，每天都有上千名遊客慕名而來。繞城遊覽時，我覺得這裡古色古香，不免發思古之幽情，想像著中世紀騎士在其中戰鬥和生活的場景。忽然想上洗手間，進去一看，洗手間內部完全是現代化的設施，非常乾淨整潔。雖然現代人喜歡懷舊，但真要回到古代，恐怕難以忍受當時的生活條件。可見，器物層次愈先進愈好。

　　古代傳遞資訊需要飛鴿傳書，傳遞緊急軍情有六百里加急、甚至八百里加急，途中可能累死好幾匹馬；今天用手機短信，輕鬆一按，立刻收到。古代是農業社會，人們「日出而作，日入而息」，每日疲憊不堪，根本沒有時間休閒。古代要走幾個月的行程，現在一天就能抵達。在器物層次，人類將科技應用於衣食住行等各個方面，讓個人的身體得到安頓，使現代人擁有了大量的休閒時間，但是用這些時間來做什麼，反倒成了一個大問題。

　　談到器物層次，很多人認為西方的科技一直領先，中國只是在人文領域有較高水準，事實並非如此。英國生化學家李約瑟長期研究中國科技的發展歷史，編著了十五卷的《中國科學技術史》。我

們看到這部著作時難免感到慚愧，身為中國人竟然不知道原來這麼多東西都是中國人發明的。

李約瑟在歷史研究中借鑑了化學中的「滴定法」（titration），將各種發明放在一起，根據相互之間的因果關係，確定發明的先後順序。中國人一般只知道指南針、火藥、造紙術和印刷術這四大發明，其實這些只是九牛一毛。李約瑟指出：在西元一五〇〇年之前，中國的科技領先於世界；在此之後，以歐洲為代表的西方世界則全面超越了中國。

自西元一五〇〇年開始，西方出現了科學革命，從此西方科技一路領先，至今已有五百多年。現代科學革命為何會在西歐而不是在中國出現？中國領先了一千五百年，為何無法繼續領先？

在歷史上，歐洲經常處於分裂和戰亂之中，從來沒有像中國一樣能夠綿延兩千多年並基本保持統一，中國只有朝代更迭而沒有國家的真正滅亡，中國的科學技術得以延續發展，這是中國的優勢；中國社會的穩定也產生了一些缺點，即科學難免淪為服務政權的工具。譬如，新的帝王登基之後，很多科學家會迎合朝廷的需要而「改正朔」，重新確定正月初一是哪一天，頒布新的曆法，這樣就喪失了科學研究的求真精神。

如果西方沒有發生科學革命，中國的科技水準可能依舊領先。但科學革命後，西方人對宇宙和萬物的了解可謂一日千里；中國詩歌卻仍在讚美太陽從東方升起、西方落下，對宇宙萬物的認識仍停留在太陽繞地球轉的原始階段。科學革命使西方人的觀念發生了天翻地覆的變化，太陽和地球主客易位，使得整個自然界的境界變得十分開闊，中國人只能瞠乎其後，時至今日仍在追趕之中。

現代人在器物層次明顯超越了古代的水準，這使我們擁有了更多的休閒時間，但是該如何充分利用時間，則是一個更重要的問題。

# 人都考慮自己

## 制度層次

什麼是制度？任何文化傳統都有一些必須遵守的「禁忌」（taboo），規定了禁止做的事情，譬如不准近親通婚、不准吃人肉等。人有自由可以選擇，如果沒有禁忌，往往形成以強凌弱的局面，後果不堪設想。

人類社會需要制度，主要是因為人有「心」的層次，具有思考和選擇的能力，因此需要制度來加以規範。西方只要談到倫理學，談到人需要遵循的行為規範，出發點一定是「從自己的角度來思考」（self-regarding），任何人都會如此。

譬如，我家裡養一條狗，因為人在冬天怕冷，所以覺得狗也會怕冷，於是幫狗穿上衣服。我們以為自己是替狗著想，實際上則過於主觀，狗毛可以禦寒，幫牠穿衣服反而不好。美國社會近來興起了一種新的行業 —— 寵物心理治療，人幫狗穿衣服、給狗取名字，使牠分不清自己到底是狗還是人，導致很多狗出現了心理問題。同樣的，父母出於關愛之心對子女大包大攬，以為這樣對孩子好，其實未必如此。

社會之所以需要制度，因為人很容易以權謀私、以私害公。在宗教一章[113]我們講過，社會學家認為宗教是社會的工具，社會要利用宗教的上帝和善惡報應來約束個人。社會制度通常始於風俗習慣和禁忌，之後逐漸演化為憲法和各種法律，成為一個社會的具體規範。

制度沒有絕對的好壞之分，只要能夠正常運作，就表明大家都接受了這一規則。制度是否公平一般很難界定，因為每個人都站在自己的角度來評判，譬如你指考中榜，會認為這很公平，另一個人

落榜了，就認為這不公平。因此，公平很難有讓所有人都認可的標準。

世界上沒有完美的制度，任何制度都離不開特定的社會條件。譬如中國與西方從前都有專制政體，但兩者之間存在著顯著差別，歷史學家錢穆（1895－1990）認為中國的帝王專制有兩點特色：一是監察權，一是考試權。

所謂監察權，是指中央政府設立以御史大夫為首的監察系統，對百官實施監督，對皇帝直言進諫。這表明中國的皇權不是絕對的無上權威。其實，西方的皇權也有限制，如中世紀後期歐洲國家的皇權均受到羅馬教宗的制約。可見，各種文化在制度上都有它的特色。

中國古代的考試權也很有特色。中國本來沒有從民間選拔人才的機制，各種官位都由子孫世襲，像孔子本來也沒有機會做官。但春秋末期天下大亂，貴族子弟世襲官位、不學無術，根本沒有能力治理國家，為了在兼併戰爭中獲勝，各諸侯國只好從民間選拔人才，孔子和他的學生才有機會做官，成為「布衣卿相」。後來民間人才不斷湧現，於是需要制度來加以規範。

漢朝為了培養和選拔人才，設立了太學和「五經博士」。當時採取「舉賢良方正」和「舉孝廉」等方法，要求地方推舉品學兼優、孝順廉潔的正人君子到中央做官。後來，推舉制度演變成門閥士族壟斷官位，平民百姓階層的人才失去了從政機會。所以，隋唐時期開始出現科舉考試制度，以此網羅天下人才。此舉不僅使民間人才有上升機會而得以安頓，而且由於民間人才了解各地的風土人

---

113 參考本書第十三章。

情，更容易使全國百姓安居樂業。

科舉制剛出現時促進了社會的進步，演化到後來則出現嚴重後遺症，到明清時期出現了「八股取士」之風，即讓考生嚴格按格律做文章，內容卻是陳詞濫調，只要把《文選》[114]背熟，依葫蘆畫瓢，就有可能高中狀元。這樣的狀元可能只會背書，未必有實際的行政能力；只是文章寫得漂亮，滿口仁義道德，卻未必有實際的德行修為。

今日社會普遍推崇民主制度，但英國做為歐洲最早的民主國家，到現在仍保留著女王；日本做為亞洲最早的民主國家，到今天還保留著天皇。可見，追求好的制度不見得要與傳統完全決裂，重要的是透過教育和宣傳，使民眾對新制度形成廣泛共識。

世界上沒有哪種制度能適用於所有的國家，關鍵在於掌握某些重要的價值，譬如社會主義核心價值觀提出了十二點價值[115]，其中的民主、自由、平等、法治等價值普遍適用於各個社會。只要在制度設計中堅持這些核心價值，由此形成的制度一定可長可久，使天下人才各就各位，充分發揮各自的能力來為人群服務。政治是眾人之事，需要民間人才不斷湧現，有機會施展抱負，將學習心得應用於實際工作中。

西方有很多制度的設計初衷是為了防範弊端。西方的宗教傳統認為人有原罪，權力愈大愈要防止以權謀私。如果相信人性本善，不重視對官員權力進行監督和約束，未免太過冒險。制度不是為某一個人而設計，好的制度應該為整個社會提供公平合理的運作模式。制度層次是文化的第二層，它對應於人的「心」這一層次。

# 沒理想沒未來

## 理念層次

文化的第三個層次是理念層次。理念就是理想和觀念。人活在世界上，對未來的憧憬、對人生的理想以及言行表現出的價值觀和人生觀，都屬於理念的範疇。我們只能看到人的「身」、「心」層次，譬如一個人的想法會表現為具體的作為，卻無法看到理念的層次。文化中的理念到底有多重要呢？

歐洲的丹麥、瑞典，以及亞洲的日本等先進國家，普遍面臨著自殺率居高不下的問題。這些國家在器物方面非常豐盛，國民年均收入超過三、四萬美金，在制度層面亦非常完善，為什麼還有人不想活了呢？

有一年在瑞典發生了一起槍殺案，一個狂人殺了十幾個孩子，他被抓到監獄後接受電視節目採訪，任何人看後都會憤憤不平。瑞典監獄的內部設施幾乎相當於四星級酒店的標準，可殺人犯還在抱怨電視畫面的色彩不佳。一個兇殘的殺人犯居然受到這麼好的待遇，可見瑞典對人權的保障遠遠超過一般人的想像。

然而，對那些無辜的受害人，我們該如何交代？西方的宗教信仰使人能夠接受不幸的遭遇，雖然無法理解神為何如此安排，但既然人已經走了，活著的人也只好收拾自己的悲傷，繼續面對未來。西方的宗教情操固然有其特色，但我們不能忽略理念的重要性。為

---

114 南朝梁蕭統（501－531）編選先秦至梁的各體文章，取名《文選》，分為三十八類，共七百餘首，為我國現存最早的詩文總集。

115 社會主義核心價值觀：富強、民主、文明、和諧；自由、平等、公正、法治；愛國、敬業、誠信、友善。

什麼有人完全不顧惜別人的生命，甚至也不顧惜自己的生命？西方有人做過統計，富人患憂鬱症或自殺的比例均超過窮人，為什麼在物質豐盛、制度完備的社會，人們會自尋短見？原因就在於他們的理念已經空洞化了。

現代社會的發展使宗教信仰慢慢空洞化。人們發現，很多人信仰其他宗教，也像自己一樣虔誠、快樂，對於死後升天堂或是進入極樂世界、涅槃境界亦深信不疑。以前認為自己信仰的神是唯一的，現在面對多元化的信仰，不能再自以為是，於是對自己的信仰產生了懷疑。

由於現代科技的發展，電視、手機等各種媒體使資訊飛速傳播，真假、善惡、美醜等價值完全混淆，連實際生活的規則都變成相對的，所有的價值都被質疑。

難道所有的理念都是虛擬的，只是被設計出來用於教育下一代？其實我們要問，長輩要求我做的事和我身為一個人應該做的事是否矛盾？長輩要求我孝順、講道義、守信用，這違背了我的人性還是符合它的發展要求？這時就需要一套哲學來加以解釋。

其實，文學、藝術和宗教也能提供某種解釋，但只有哲學的表述最為完整和抽象，不涉及具體情況。否則，一旦涉及具體情況，很多人就有了逃避的藉口，他們會認為：「你提供的解釋只是個案，並不適合於我的情況。」

文學作品可以表現是非、善惡、美醜等價值觀，因而受到大眾的喜愛。今天的文學作品從廣義上講可以包括詩詞、小說、電視劇、電影等形式。文學作品的特色是將人無法實現的願望加以投射，使人產生「於我心有戚戚焉」的共鳴：一方面描繪出一個理想的世界，使人憧憬並為之奮鬥；另一方面也會赤裸裸地揭示現實，使人了解人性的複雜和殘酷。文學基本上要透過故事來表達，但任

何故事都有其特定的時空背景而無法普遍化。我們看古人的故事也許會深受感動，卻未必能將這種感悟應用於日常生活中。

　　欣賞藝術要透過視覺、聽覺、觸覺等感性可及的方式，去體會藝術家創造的新形式和新象徵，但有些人缺乏直接感受能力，無法體會藝術家的良苦用心。

　　宗教是一種圖畫式的思考，宗教中的故事好像圖畫一樣，使人產生豐富的聯想。唐朝畫家吳道子（約680－759）曾在長安寺廟的牆壁上畫過一幅「地獄變相圖」，描繪了十八層地獄的恐怖景象，畫好後一個月內無人犯罪。但一個月後，壞人看習慣了就不再恐懼，於是故態復萌。因此，宗教的影響力也有其限制。

　　著名物理學家楊振寧三十五歲就獲得了諾貝爾物理學獎，他在七十歲時出版自傳，其中有一段話令人印象深刻：「我三十歲之後做人處事全靠《孟子》。」在父母的教導下，楊振寧很小便會背誦《孟子》。《孟子》強調人格的修養，透過培養浩然之氣，使自己既要有勇氣堅持正確的立場，又能時常自我反省，避免自以為是。楊振寧由此學會了保持謙虛、尊重他人、替他人考慮，找到了做人處事的依據，這充分體現了哲學的重要作用。

　　在文化的三個層次中，理念最為重要，因為它決定了人生的意義和方向。學習中國文化要掌握其核心理念，即儒家和道家的思想，這兩個學派的創始人對人生有非常清晰和透澈的看法，掌握了完整而根本的智慧。

　　理念可以指引人的生命不斷向上提升，它與人的「靈」（或稱為精神）的需求有直接的對應關係。了解了文化的三個層次之後，將來遇到任何文化現象，都能準確判斷出它屬於哪一層次。

# 怎麼看宇宙

　　既然探討文化的視野，就須追溯現代文化是如何演變形成的，近代以來的幾次革命使現代人經歷了重重考驗。

## 天文學革命

　　天文學革命以哥白尼（Nicolaus Copernicus, 1473 - 1543）的「地動說」（地球圍繞太陽轉）為標誌，這使信仰天主教的歐洲人受到了極大震撼。《聖經》指出，地球是宇宙的中心，人類是上帝在地球上用心造出的，是萬物之靈。哥白尼的說法被認為大逆不道，如果地球只是一顆運轉中的行星，又該如何解釋上帝造人的特殊意義呢？哥白尼迫於宗教壓力，直到死前才敢發表他的著作。哥白尼之後的伽利略（Galileo Galilei，1564 - 1642）透過望遠鏡觀察和數學建模，建構了近代機械論的宇宙觀。天文學革命對人類的影響非常深遠。

　　為何科學革命會在歐洲出現？中國的科技水準在西元一五〇〇年之前一直領先，為何在這之後會被西方趕超？西方學者懷德海在他的代表作《科學與現代世界》（Science and the Modern World）[116]一書中對此提出三個理由：1. 希臘的悲劇；2. 羅馬的法律；3. 中世紀的信仰。這三點都屬於人文的領域，似乎與科學毫無關係，但是西方人經過這三方面的長期薰陶，培養出科學研究所需的實事求是的心態。

　　1. 希臘的悲劇。希臘悲劇的主角不是帝王將相，而是命運。命運有其既定的軌跡，不以人的意志為轉移。希臘悲劇幾百年的薰陶，使西方人能夠冷靜看待命運的無情安排。自然界的規律與命運相似，不因人的需要而改變。譬如我們舉辦奧運會都希望風和日

麗，但無論如何禱告，自然界該下雨就會下雨，任何人工干預的方法即使奏效也必有後遺症。在浩瀚的宇宙中，地球微乎其微，正如莊子形容的「中國在四海之內，就像穀倉裡的一粒米而已」[117]（《莊子・秋水篇》），希臘時代向奧林帕斯山諸神禱告不過是人的一廂情願而已。

2. 羅馬的法律。羅馬法律的特色是採用演繹法，規定了基本原則後，不會因為個別情況而改變，王子犯法與庶民同罪，從而形成天羅地網，完全沒有任何遺漏。科學亦有類似特色，科學理論必須保證在任何時空條件下，實驗結果都具有重現性。如果出現偏差，則需進行理論修正，以確保其普遍適用。

3. 中世紀的信仰。這是指天主教的信仰，即耶穌在《聖經》中的各種言論。耶穌說：「兩個麻雀不是賣一分銀子嗎？若是你們的父不許，一個也不能掉在地上；就是你們的頭髮也都被數過了。」（馬太福音，10：29 － 30）宗教信仰使人慢慢相信，整個宇宙都被一種無形的力量牢牢掌控，沒有任何東西會偶然出現，所謂「偶然」只是尚未找到原因而已。牆上不會偶然長出小草，我和朋友也不會偶然相遇，天下所有事情都被宇宙的自然規律所控制。

懷德海的解釋頗有道理，西方人經過這三種人文因素的長期薰陶，養成了實事求是的心態，從而得以跨過科學世界的門檻。我們很喜歡說「實事求是」，其實人很難站在客觀的立場上看問題，一定是先由主觀的立場切入，再設法超越原先的主觀立場。

我曾碰到過這種情況，開會時有兩種立場針鋒相對、爭論不休，有位同事到最後總是說：「不要吵了，聽我說，我這個人最客

---

116 該書被認為是繼笛卡兒的《方法論》之後，討論人的思維方法的最重要著作。
117 原文：計中國之在海內，不似稊（ㄊㄧˊ）米之在太倉乎？

觀。」其實，這樣的說法本身就不夠客觀，因為這個世界上沒有人能做到完全客觀。

文化形成的傳統可以為人的思考提供一種切入角度，沒有切入角度則不可能深入到事物內部，更不可能看到事物的整體。在思考中，關鍵要隨時提醒自己，不要被這一出發點所困，不要被自己的角度所限制，這樣才能做到相對的客觀。我們不要幻想完全的客觀，完全的客觀意味著不能採取任何立場，因而不能發表任何評論。

牛頓於一六八七年發表的《自然哲學的數學原理》（*Philosophiae Naturalis Principia Mathematica*）為古典物理學奠定了堅實的基礎。牛頓在西方的影響力之大，遠遠超過我們的想像。英國詩人波普（Alexander Pope，1688 － 1744）曾在詩中寫道：「上帝說：讓牛頓誕生吧，於是一切顯現光明。」這樣的描寫震撼人心，似乎牛頓出生之前，人類一直處於黑暗之中。

人們從前一直以為，太陽從東邊升起、西邊落下，太陽升起是為了向人類致敬。現在說地球繞太陽轉，為什麼人們不覺得頭暈呢？牛頓透過萬有引力定律和運動三大定律給出了合理的解釋。這樣一來，人類才能夠安心地住在地球上，相信地球繞太陽轉，並進一步探索宇宙的奧祕。

現代人遇到的第一個考驗就是天文學革命，我們由此擴大了宇宙觀，產生了人類生命共同體的感受。地球在浩瀚的宇宙中是如此的渺小，我們生活在同一個地球上，還有必要再紛爭不斷、動亂不止嗎？

# 社會是叢林嗎？

## 生物學革命

現代人遇到的第二個考驗是生物學革命，以達爾文的進化論為代表，但中國人不大容易接受這樣的說法。在科學上為了解釋某些現象，提出一種未經充分證實的觀點，就稱為假設，假設經過實驗的反覆驗證後才能成為確定的理論。「人是由高等靈長類生物演化而成的」的說法只是一種假設，不過，它已經受到了廣泛的肯定和推崇。

現代社會，很少有人再相信「上帝造人」的說法，有一種解釋更為合理：上帝創造了萬物，其中部分生物具有演化的潛能，慢慢演化為人類，這也能說明人為何具有生物的特質。

即使進化論的假設最終被證實，也並不影響中國人把人看作「五行之秀」、「萬物之靈」的觀念。如果進化代表進步，人類確實比較進步，人類跨過了反省的門檻，可以思考和選擇，並承擔相應的責任，其他萬物則只能靠本能生活。人與萬物截然不同，不愧為萬物之靈。

進化論的觀念被普遍接受，可能帶來兩種影響：

1. 人與其他生物的關係可能變得更親密。一旦接受進化論的觀點，我們就會意識到人與其他生物關係密切，特別是與靈長類動物同根同源，人類的祖先曾與這些動物同時生活在地球上，共同分享自然資源，今天我們仍應如此。

儒家對於人的生命狀態有相當深刻的觀察，孟子說：「人之有道也，飽食暖衣，逸居而無教，則近於禽獸。」（《孟子‧滕文公上》）即人類生活的法則是：吃飽穿暖，生活安逸而沒有教育，就和禽獸差不多。孟子又說：「人之所以異於禽獸者幾希。」（《孟

子·離婁下》）即人與禽獸不同的地方，只有很少一點點。孟子多次使用「幾希」來表示「一點點」的差別。人和禽獸的一點點差別並不在於「量」的差別，而在於人能否發揮「真誠」這一生命特色。

萬物之中只有人類有是否真誠的問題。《孟子》和《中庸》都提到「誠者，天之道」[118]，即真誠是天的運作模式，這裡的「天」包括天地萬物和人的身體，「誠」就是「實」，即實實在在的樣子。只有人可以思考和選擇，因此人需要「思誠」，更直接的說法是「誠之」，即設法讓自己真誠。孟子認為，如果人忽略了真誠這一特色，就與禽獸差不多了。

2. 人與其他生物的關係可能變得更血腥。也有人會認為，既然自然界的法則是「物競天擇，適者生存」，人類對其他動植物就不必客氣，不必同情與憐憫。

儒家認識到人類在萬物中的特殊地位後，便積極地希望人類能夠承擔更多的責任。《中庸》提出人應該「贊天地之化育」（第二十二章），「贊」就是幫助，對於瀕臨滅絕的生物，人類要設法加以保護。人對自然界有四種態度：競爭、利用、保護、欣賞。儒家比較強調對自然界的保護和欣賞。即使進化論是事實，人類還是要承擔自身的責任，這是比較正面的看法。

西方則轉到另一個方向，西方近代提出「社會學上的達爾文主義」，把人類在原始叢林中與其他生物競爭的法則應用於人類社會。人類在自然界的生存競爭中已經打敗了所有生物，如今又把社會當做叢林，把其他人當成競爭對手，一個人的成功可能意味著許多人的失敗甚至滅亡。

西方自古希臘時代起，就有「強權即是公理」的觀念。後來，馬基維利（Niccolò Machiavelli，1469 - 1527）在《君主論》（*Il*

*Principe*）中更是明確地說，達到和平的手段是戰爭，只要能取得勝利，就可以不擇手段。

現代社會雖然不見得有戰爭，但「商場如戰場」的觀念深入人心，為了取得商業競爭的勝利，人們不擇手段，諸如商業間諜之類的問題層出不窮。就算在大學教書都要拚升等、爭上位，人們不得不使出各種手段。鬥到最後，我們不禁要問：別人到底是我的同伴還是敵人？為達目的能否不擇手段？我這樣對付別人，別人是否也會以牙還牙？生物學革命讓我們更清楚看到人性的陰暗面。

從儒家的視角來看，生物學革命具有積極的意義，人在進化過程中，慢慢發展出屬於人的特性，應該予以充分發揮。孟子強調人心有特殊的作用，如果真誠地進行自我反省，立刻便有行善的要求，這樣的心是上天所賜，是人類天生具備的能力。人只要內心真誠，看到別人受苦，心裡便會覺得不忍。別人是我的同類，發生在別人身上的災難也可能發生在我或親朋好友身上，我又怎能袖手旁觀呢？

現在的人類對於其他生物來說，已經占據了絕對優勢，未來是依舊採用古代自然界的競爭法則，還是要再前進一步呢？有兩句話可分別代表兩種觀念：一句話是我的老師方東美上課時很喜歡說的：「做人就是要做神一樣的人。」（To be human is to be divine.）西方有句話說得更為直接，也更貼近事實，即「人都是會犯錯的。」（To be human is to err.）這兩句話體現了不同的思維和視角，唯有兩者兼顧，才能對人性有更為完整的理解。

---

118 《孟子・離婁上》原文：是故誠者，天之道也；思誠者，人之道也。《中庸》原文：誠者，天之道也；誠之者，人之道也。

# 內心很複雜

## 心理學革命

　　心理學革命的代表人物是佛洛伊德，天文學、生物學、心理學三重革命的說法正是佛洛伊德提出的見解。佛洛伊德曾與學生榮格一起到美國訪問，輪船抵達紐約之際，受到岸上人群的熱烈歡迎。佛洛伊德對榮格說：「如果人們知道我們帶來的是什麼，一定會嚇得跑光了。」

　　佛洛伊德不再透過人的行為來推測人的內心想法，他發展出深度心理學，發現潛意識的存在。佛洛伊德認為，潛意識無法被看到，裡面一團混亂，有很多打不開的情結（Complex）。人從五歲起，當願望不能實現而受挫時，內心就會產生一個結。這些情結可能一直無法被解開，使人一輩子都不快樂。

　　於是，佛洛伊德開始為病人做心理分析，找到病人小時候發生過哪些事引發了今日的煩惱，從而幫助病人解開謎團，減輕其心理負擔。佛洛伊德把複雜的潛意識簡化為「性需求」，再輔以生存及死亡需求，用以說明人類的一切行為。

　　潛意識的發現使平面心理學發展為深度心理學，確實具有革命性。但佛洛伊德習慣從病人的角度來分析正常人，他認為每個人都有心理問題，這些問題只是暫時得到壓制或緩解，尚未充分暴露而已。在心理醫師眼中，每個人都或多或少患有精神官能症。根據調查測算，世界上精神官能症患者大概占總人口的五分之一至四分之一，輕者表現出厭食、失眠等症狀，嚴重的還會形成躁鬱症或憂鬱症，甚至可能自殺。

　　精神官能症可能表現為人格分裂，即在不同情境下會表現出不同的人格特質。有一部電影描寫一個人居然有二十六種分裂的人

格，他説話做事的風格會瞬間轉變，突然間好像變了一個人，讓熟識他的好友感到難以置信。在有關犯罪的新聞報導中，常聽到有人説：「我認識他幾十年，沒想到他是這樣的人。」通常我們只能認識到一個人正常的一面，卻難以了解他內心的每一個角落。其實，我們對自己都很難有全盤的了解。心理學革命給人類帶來了很大的壓力。

佛洛伊德的學生阿德勒（Alfred Adler，1870－1937）調整了老師的學説，認為不能用性欲來解釋潛意識，他提出一種新的理論——自卑之超越[119]。每個人小時候身體都很柔弱，看到大人高大的身軀就會產生自卑感。在我的記憶中一直保存著這樣一幕畫面：父親伸開雙臂，我在上面可以像猴子一樣翻跟頭。長大後發現，父親比我矮也比我瘦，可見人在小時候很容易自卑。人的一生都在追求自卑之超越，由此出現了各種文化和文明產品。

阿德勒關於家中排行的理論更廣為人知，比如家中有五個孩子，排行第幾有什麼樣的心態？誰的壓力最大？誰更容易成功？他的分析很有特色，分析中大量使用了西方文化的資料做為佐證。

後來，馬斯洛發展出需求層級理論，得到很多人的肯定。馬斯洛用「需求層級表」來説明人有不同層次的需求，自下而上分別是：生理需要、安全與保障的需要、愛與歸屬的需要、自我尊重與受人尊重的需要，以及位於最高層的自我發展的需要。這些構成了自我實現的層級。

值得注意的是，馬斯洛在研究中所選的樣本都是傑出人士，這與佛洛伊德學派的研究方向不同，我認為這是一條正確的途徑。如

---

119 他的代表作為《自卑與超越》，又譯為《生命對你意味著什麼》（*What Life Should Mean to You*）。

果試圖尋找人性的弱點則數不勝數，傑出人士身上亦有不少弱點，但這些人透過奮鬥取得了非凡的成就，實現了自我，這更值得我們借鑑。馬斯洛的理論被稱為優質心理學，展現了人的優良品質，與病態心理學完全不同，西方很多心理學家都選擇了類似的途徑，如弗蘭克、羅洛‧梅（Rollo May，1909 － 1994）等。

中國儒家經典《中庸》一書中，認為孔子「祖述堯舜，憲章文武」，即孔子遠承並講述堯舜的理想，取法光大文王武王的德政，從這句話我們就知道孔子屬於哪一派心理學。儒家以堯、舜、周文王、周武王做為推崇的對象和表彰的楷模，意在鼓勵每個人都成為君子。成為帝王需要具備一定的條件，成為君子則是每個人都可以實現的目標。

人生難免遇到苦難、挫折等考驗，孟子說：「故天將降大任於是人也，必先苦其心志，勞其筋骨，餓其體膚，空乏其身，行拂亂其所為，所以動心忍性，曾（ㄗㄥ）益其所不能。」（《孟子‧告子下》）這是對儒家心理學最好的一段描述。

人生在世不可能一帆風順，即便一帆風順也未必會覺得快樂。除非一個人自己懂得如何快樂，否則想讓他快樂比登天還難。沒有人可以保證讓別人永遠快樂，這是不切實際的幻想，很多人曾努力嘗試卻均以失敗告終，而且還無法得到別人的感謝，「愛之適足以害之」的例子不可勝數。

對於西方心理學革命，我們要設法使之轉向優質心理學，以成為君子做為人生的目標。

# 新的挑戰來了

## 資訊革命

　　資訊革命直接導致了資訊氾濫。如今，電腦、手機以及人工智慧（Artificial Intelligence，AI）的表現令人驚訝，阿爾法圍棋（AlphaGo）透過「深度學習」，打敗了世界上所有的圍棋高手。資訊革命對人類造成了重大影響，科技發明的本意是幫助人類延伸自己的力量從而掌控世界，結果人類反而被自己發明的工具所控制。

　　有位朋友一天上班忘了帶手機，結果一整天坐立不安、魂不守舍，生怕別人找不到自己而誤事；回家一看，只不過有三個不太重要的電話而已。還有人用三部手機與不同的人聯絡，貌似掌握了更多資源，實際上「擁有即是被擁有」，他完全失去了主宰自己生命的能力。有很多人離開手機就找不到路、乘不了車、買不到東西，連能否活下去似乎都成了問題。

　　資訊革命還催生了虛擬實境（VR）技術，它能在遊戲中營造逼真的場景，正應了《紅樓夢》的那句話：「假作真時真亦假，無為有處有還無。」真假虛實完全混在一起，使人產生真切的感受，真正的生命經驗反倒變得不再重要，因為經驗能留下的也只是一些感受而已。

　　沉醉於虛擬的世界中，人分不清到底什麼才是真實的生活，也不知道要對什麼事情負責。現在有很多宅男、宅女可能一個月足不出戶，透過網購讓自己吃飽喝足，每天活在虛擬的世界中，看似自得其樂，卻遠離了整個社會。人是社會性的動物，每個人的成長都離不開長輩的照顧和社會的教育。如果人到了可以獨立的青年、中年階段，完全不與別人來往，這樣的社會恐怕難以繼續發展。

　　有人開玩笑說，有三個蘋果對人類影響巨大：第一個是伊甸

園裡亞當和夏娃吃的蘋果，兩人因此被逐出伊甸園，成為人類的祖先；第二個是掉到牛頓頭上的蘋果，牛頓透過思考蘋果為什麼不往天上飛，推導出萬有引力定律，徹底顛覆了人類對宇宙的認識；第三個是賈伯斯創立的蘋果電腦，它做為資訊技術的代表，顯示出資訊革命給人類造成的深遠影響。

資訊革命讓現代人一天內接收的資訊量相當於從前人們一生接收的資訊量。你的內心有多少內在的能量可以承受如此多的資訊？資訊大都是碎片化的，不成系統，這會造成人格的分裂。比如我看電影時沉浸在虛擬的世界中，看完後很短時間內又要切換成其他角色，現代人雖然有身分證（ID），卻很難有自我的認同。

資訊革命給人類帶來的衝擊仍在不斷深化中，未來如何發展，我們很難預測。現在又出現了假資訊氾濫的問題，許多假消息四處蔓延，也不知道是誰最先捏造的，讓人惶惶不可終日，導致人與人之間的信任危機，這是更大的社會問題。

## 基因學革命

談到基因學革命對人類的影響，大家都知道現在有基因改造食品，很多人反對這項技術，認為食用基改食品對健康有很大的風險，很多專家清楚提出了相關證據。

但更麻煩的是複製人的問題。複製技術在動物上的應用已經屢見不鮮，有人覺得自己的狗很可愛，在牠老死或病死之後，便花錢複製一隻完全一樣的狗，複製的訂單源源不絕。一九九六年，經過兩百七十七次實驗，全球首隻複製動物桃莉羊誕生，這意味著前面兩百七十六次實驗都失敗了，很多胚胎可能發育成畸形羊，身體殘缺不全。如果複製人也出現殘缺不全該怎麼辦？複製人的出現還會引發一系列複雜的倫理和社會問題。

譬如，有些人年輕時身體健康，但老了之後會出現某種病症，根據他的細胞複製的複製人，老了之後也會得類似的疾病，這個複製人豈不是很委屈？有些人有心理障礙，根本搞不清楚自己是誰，由他複製的複製人會出現更大的麻煩，他根本無法實現自我認同，「我是我本身還是別人的分身？」

複製在倫理學上也會出現問題。如果複製人犯了罪，到底該由誰負責？複製人很容易把責任推給他的原版，如果原版的人已經過世了，就不知道該由誰負責了。而且，複製人的來源很難確定，我們不知道他來自哪裡，若要結婚則很難界定是否屬於近親關係，結婚後下一代有什麼問題就更難說了。

科學為人而設，所有的科學都應該為世人謀福利，而不能倒過來「為科學而科學」。如果科學的發展導致出現變種的妖怪、恐怖的野獸，人類的未來又該何去何從？

近代以來，人類經歷了多重革命的衝擊，每一次革命都給人類帶來極大震撼。我們要換一個角度思考，設法讓各種革命產生積極的正面影響，這是現代人必須面對的挑戰。

## 後現代的困擾

「後現代社會」一詞有特指的含義，西方把十八世紀啟蒙運動之後的社會稱為現代社會。啟蒙運動充分肯定理性，代表人物有知名作家盧梭（Jean-Jacques Rousseau，1712 – 1778）、伏爾泰（Voltaire，1697 – 1778）等人，他們對於人的未來非常樂觀，認為人類開始用理性思考，用合乎邏輯的方式互動，一切以理性為基礎，人們不再受到宗教的束縛，不再陷於迷信的深淵，從此可以頂

天立地。這些樂觀的想法在二十世紀兩次世界大戰中受到嚴峻考驗而幾近崩潰。於是，二十世紀後期進入了「後現代社會」，不再純粹用理性來建構社會價值。

每個社會都有傳統的理念，如若違背，就會受到社會的壓力。做人循規蹈矩、遵守規範、敬老尊賢、公平競爭等都屬於理性的範疇，但理性顯然沒有這麼大的約束作用。後現代社會在人的認知、情感、意願方面顯示出三點特色：

### （一）知識碎片化

在認知方面，每個人都希望學習知識，最好能擁有智慧。後現代社會中，系統的知識已經不復存在，只有碎片化的知識。任何知識都有基本的立場，一有特定的立場則代表不見得完全正確。譬如，文學家看到月亮，會說：「月亮真美，充滿光明，讓人產生各種想像。」科學家則認為月亮只是一個星球而已，沒什麼特別的。對同一樣事物，不同行業有不同的說法，世界上沒有哪種知識具有普遍的價值。

英國近代哲學家培根（Francis Bacon，1561 － 1626）曾說：「知識就是權力。」他所謂的「權力」不是指可以懲罰別人的政治權力，而是指廣義的「能力」。譬如，有一輛汽車，只有掌握了駕駛和維修等相關知識的人，才有能力開車，知識就是能力的體現。知識也代表權力，我負責開車便可以決定開往何方。

尼采說得更清楚：「這個世界上所有的知識都是重新做一種解釋。」掌握權力的人會透過重新解釋來鞏固自己的權力。因此，每個國家在編寫教科書時，都會根據政權的需要，對古代歷史和英雄人物重新加以解釋，使百姓相信當前政權的合法性，古今中外無一例外。

對於兩國交戰，兩國各自寫的戰爭史則完全不同，每個國家都

會挑選對自己有利的素材，用以教育下一代。可見，世界上沒有客觀的真理。後現代社會將過去累積的知識加以匯總，導致知識碎片化，無法形成一套既有客觀價值又能普遍適用的知識。

### （二）情感瞬間化

人的情感本該深沉厚重，與別人交往時應情深義重，現在卻變得「瞬間化」，只顧當下的快樂，不考慮如何與人長期互動，情感變化很快，還以「彼一時，此一時也」為藉口。情感瞬間化表明生命陷入激情的漩渦，完全無法自主，這是一種非常原始的生命狀態。這種現象愈來愈普遍，人與人之間的感情失去了以往的深刻脈絡，不易長期維持和發展。

### （三）意願虛擬化

現代人有很多時間處在虛擬世界中，對於自己的選擇不必承擔責任。人的任何選擇都會帶來某種後果，人要為之承擔責任。如果選擇後不用負責，意味著選擇的自由是假的自由。

教育孩子有一個重點，就是孩子做出選擇後要自己負責。如果大人總是在孩子做錯事後幫忙善後，這樣的孩子永遠也長不大，他永遠都是小孩的心態，不能自己負責。將來他擁有了權力或財力之後，很可能鑄成大錯。

如今意願虛擬化的情況愈來愈普遍。各類電子遊戲使人長期處在虛擬世界中，四處殺人直到出現「Game Over」，遊戲結束後又可以從頭開始。如果有一天在街上看到別人開槍殺人，也感覺好像是個遊戲。如果面對真實的人，你沒有信守承諾會受到別人的責怪，而在遊戲中守不守信用最後都一樣，一切都會重新開始。久而久之，人在意願方面便無法落實。

後現代社會的普遍口號是：所有被接受的價值都要重新接受質疑[120]。對此可做如下理解：

1. 一切歸零。文化不是零，文化的重要性在於，它為人們了解現實世界提供了特殊的切入角度。沒有文化做為基礎，人不可能了解任何東西。然而，後現代社會將一切價值歸零，過去的都不再考慮，讓人設法從零開始。

2. 從當下的感覺開始。現在覺得快樂就是快樂，談過去或未來都沒有意義，現在的感覺是最直接的體驗，即使感覺常常變動也無所謂，人就在感覺的漩渦中打轉。

3. 隨時更換。我可以隨時更換我的價值觀，對一個人的好惡態度可以隨時改變。

這些表現正是現代人的危機所在。任何社會的存續都要依靠這個社會的中間階層，年輕人如果太早接受了後現代社會的觀念，我們無法想像未來的世界會變成什麼樣。哲學好像航海的羅盤，可以為人生指明前進的方向，如果讓一個孩子從零開始，恐怕他連基本的思考都會變得非常困難。


# 休閒生活

談到文化與人生的關係，有位西方學者寫過一本書，提到人生有五種快樂：

1. 從事創造性的工作。譬如做為工程師設計一座新的城市，做為建築師蓋一幢房子，或是做為老師遇到天資聰穎、善於思考的學生，都屬於創造性的工作，人在其中可體會到自我實現的快樂，很多人都有類似的經驗。

2. 健全的人際關係。與別人相處的快樂不言而喻。我們常說，飯菜是否豐盛並不重要，重要的是與誰一起分享。好友相聚

時，即使簡單的食物也會吃得津津有味，彼此間深有默契，可謂「相視而笑，莫逆於心」（《莊子・大宗師》）。親情、友情、愛情都會給人帶來快樂。當你心情愉快地乘車，看到全車人都平安健康，一瞬間會覺得人生很美好，做為一個人很幸福。

3. 休閒生活。本節將著重探討休閒生活的快樂。休閒意味著沒有特別的壓力，不用上班工作，沒有承擔特別的責任。此時如何安排時間？做哪些事情才會快樂？為何會感到快樂？我們在飛機上常會看到旅行團，只要做好計畫、一帆風順，一次可以遊覽很多地方，旅遊是一件輕鬆愉快的事，如果經濟條件寬裕則更加舒心。

4. 藝術欣賞。藝術欣賞代表審美的快樂。

5. 性愛。這一點年輕人很容易體會。

一個人如果不懂得如何安排自己的休閒生活，可能出現以下三點問題：

1. 生活懶散，不求上進。有些人在工作中一有機會就偷懶休息。然而，休息不等於休閒，休閒一定要有具體的內容。

2. 喜歡說閒話。閒暇時，幾個人聚在一起聊天，不到三分鐘就開始聊「八卦」消息，對別人衣食住行的各種細節都要品頭論足，這就是海德格所批評的「說閒話」，它分散人的注意力，使人不再注意到自己，因為一旦注意自己，便會遇到「我要過什麼樣的生活」、「這是正確的選擇嗎」等令人煩擾的問題。

3. 耽於逸樂。整天沉溺於生活的享受。

孔子也說過：「三種快樂對人有害，以驕縱享樂為樂，以縱情遊蕩為樂，以飲食歡聚為樂，那是有害的。」[121]（《論語・季氏

120 出自法國哲學家李歐塔（Jean-Francois Lyotard, 1924－1998）的《後現代狀態》（La Condition Postmoderne）。

篇》）這些事情雖然快樂，對人的成長卻沒有幫助，沉溺多年後驀然回首，除了變老了，沒有任何長進，豈不可惜？

我在美國念書是在二十世紀八〇年代，有一天我在宿舍裡問一名黑人女清潔工：「學生放暑假後，你去做什麼事？」她說：「出國觀光旅遊。」我嚇了一跳，想不到外國人的福利這麼好，連清潔工都能在放假時出國旅遊。經濟發達後才發現，這本來就是正常的休閒生活，只是在幾十年前我們還不敢如此想像。

一九九七年至一九九八年，我在荷蘭教書，這才真正領教了什麼是休閒生活。荷蘭人每週休息兩天，週六上午，全家進行大掃除，媽媽和女兒打掃整理家裡，爸爸和兒子修理自行車。荷蘭當時的人口有一千六百萬，自行車有一千五百萬輛，把嬰兒都算上幾乎平均每人一輛，每家有兩、三輛自行車不足為奇。騎自行車既環保又健康，到週末則要修理維護。週六下午荷蘭人通常進行大採購，超市裡人滿為患。

週六晚上是互相拜訪的時間。有人過生日，則親戚朋友都來為他慶祝。做客時一定要帶三樣東西之一：一束鮮花、一瓶葡萄酒或一盒巧克力。這些都是荷蘭盛產的物品，所以價格並不貴，如果三樣都帶，主人一定非常開心。聚會從晚上七、八點鐘開始，不到午夜不會散場。

荷蘭人都有宗教信仰，週日早上要上教堂，在新的一週開始時讓自己能夠收心，反思最近是否有虧欠別人之處，以求改善。週日下午，街上充滿了歡聲笑語，祖父母帶著孫子孫女，父母帶著子女，全部出來逛街。街上有很多復古的遊戲：投一枚硬幣，就有小玩偶跳出來唱歌，街邊賣著棉花糖……我不禁感慨，荷蘭不愧是發達國家，懂得如何休閒生活。

真正的休閒生活需要達到三個目標：

1. 安靜。安靜不僅意味著沒有聲音，還包括內心的平靜和寧靜，使人蓄勢待發。透過休閒使自己安靜下來，準備重新出發，這是生命化被動為主動的關鍵。

2. 慶祝。假期是最好的休閒時間，通常都有多姿多彩的慶祝活動，很多國家都有特定的民俗，如西班牙有奔牛節，一大群人被牛追趕，跑得慢的還可能被牛頂傷，其他地方還有番茄採摘、潑水節、各種嘉年華等活動。人生在世，工作和人際互動會帶來很大的壓力，透過過年、過節的慶祝活動，壓力可以得到適時的紓解。

3. 整全。現代人要上班工作，與別人交往時還要扮演特定的角色，我們好像只是具備某種專長的工具而已。休閒生活可以幫助我們恢復生命的完整性。

一個國家的經濟發展到一定程度，人們就會走向休閒生活。出國觀光只是一種選擇，它耗費大量的金錢和體力，不見得符合休閒的本來用意。真正的休閒可以讓人有力量重新出發，產生源源不絕的創意，並進而感覺到人活在世界上是一件快樂的事。

## 重建概念

本節介紹人文主義的思想。人文主義並非某種特定的主張，而是一種普遍的心態。西方近代最重要的哲學家康德認為，絕不能只把別人當做手段來利用，同時也要尊重每一個人都是目的。這句話是對「人文主義」的最佳定義。人文主義很容易被忽視，因為在這

---

121 孔子曰：「益者三樂，損者三樂。樂節禮樂，樂道人之善，樂多賢友，益矣。樂驕樂，樂佚游，樂宴樂，損矣。」

個世界上，人們已經習慣於講求功利和效用。

契訶夫（A. P. Chekhov，1860－1904）曾寫過一部短篇小說《苦惱》，描寫一個馬車夫的兒子去世了，馬車夫對每一個乘客都說：「我兒子過世了。」有些客人覺得馬車夫莫名其妙，於是很不耐煩；有些客人會簡單問一下是什麼情況，客氣地安慰兩句。最後馬車夫回到家，對他的馬說：「馬兒啊，馬兒啊，只有你了解我！」

小說很短卻發人深省。人與人本是同類，卻不如人與馬之間更容易溝通，馬不會講話，卻能傾聽馬車夫的心聲。為什麼有很多人喜歡 Hello Kitty 的玩具貓？因為它沒有嘴巴，你可以盡情向它傾訴卻不用擔心它會講話。每個人都希望別人能傾聽自己的心聲，卻沒有想過自己也可以傾聽別人。在今日世界，人與人之間的關係特別值得我們用心思考。

探討人與人的關係就會提到人文主義，人文主義究竟該向何處發展？我們講到儒家思想時，一再強調「善」的定義，即善是我與別人之間適當關係的實現。從我的家人、親戚、朋友到天下人都是「別人」，在判斷關係是否適當時，需要考慮三點：內心的感受要真誠，對方的期許要溝通，社會的規範要遵守。我們要真誠地面對我和別人的關係，透過溝通了解對方的期望，避免自以為是，並遵守社會的既定規範。我們要把儒家的人文主義思想置於今日的思維框架之中。

談到人與人的關係，有一位哲學家特別值得注意，他就是列維納斯（Emmanuel Lévinas，1906－1995），出生於立陶宛的一個猶太家庭。猶太民族十分特別，他們有深刻的宗教信仰傳統，具有很強的內在反省能力，從整個民族到每個猶太人都飽經憂患。列維納斯自幼接受俄國文化教育，大學期間熟讀法國哲學，曾師從胡塞爾（Husserl，1859－1938），並結識了存在主義學者馬塞爾和沙

特等人，他們都屬於法語系哲學家。他後來研究猶太教經典，並長期執教於巴黎大學。

列維納斯認為，西方傳統的形上學為了追求整體性，而把「他者」化約為「同一」，因而錯估了差異性。形上學的目的是探求宇宙萬物的本體，只有當本體是一個整體時，才能被人的理性所掌握。「他者」（others；the other）就是別人，現在已變成哲學術語。把「他者」化約為「同一」是指：把別人看成和我一樣，別人就是另外一個我。

列維納斯認為「他者」有兩種：一是可以被化約為自我的相對他者，比如，當我在街上看到一個人過馬路有危險，我會想到我有危險時也一定希望別人來幫忙，把別人看成和我一樣；二是絕對的他者，不能被化約為自我或同一。

我們以前說「把別人看成和我一樣」、「己所不欲，勿施於人」，都是強調對別人要尊重，別人和我是平等的，應互相關懷。列維納斯認為，他者不是另外一個我，而是我所不是的。天下沒有任何人和你完全一樣，世界上有七十五億人，這個世界無疑是多姿多彩的。「他者」這一概念的出現是為了強調人的差異性，保護他者免受「同一」的侵害。

因此，我與他者的關係不是融合，而是「面對面」，他者顯示了不同的「面貌」，面貌是不可把握的，它把我引向彼岸。這樣就把人文主義中對他人的尊重提升到更高層次。每個人都不再被化約為人類的一員，每個人都是一個獨特的人，有其特殊的面貌。他者有如神明顯示，看到任何人都要想到他的背後有神明（或道、梵）的顯示，每個人都充滿神祕的力量。我對於別人，同樣也會顯示出特別的力量。

此時與別人建立關係，不再是把別人當成自己來對待，而是將

其轉向生命的不同層次。耶穌說的「愛人如己」在歷史上從來沒有人能真正做到，它只是一個努力的目標。列維納斯由此建立起他所謂的倫理學，並肯定「倫理學是第一哲學」。

關於上帝，他說：「我是透過人與人的關係來確定上帝，而不是採取相反的途徑……當我應該對上帝說些什麼時，我總是從人的關係出發。」他把人與人的關係推到人與上帝的關係，「上帝」可以理解為道家的「道」或儒家的「天」，人與人的關係由此超越了我們生活的平面世界，而展現出全新的維度。

列維納斯的說法肯定了人類生命的神祕性，他人不僅僅是一個具有法律地位的個體而已，每個人都具有無限的可能性和廣闊的發展空間，這稱為開放的人文主義。與之相對的是封閉的人文主義，他們主張人是唯一的實在，譬如沙特曾說：「我們自己要成為神。」對這些說法我們無法苟同。我們要設法在人與人的關係中將彼此的關愛之情提升到更高層次。

# 讓自己開放

關於文化的視野，最後要談如何重建文化理念。面對方興未艾的「國學熱」，我們在理論和實踐上究竟該做些什麼？首先在理論上要解決三個問題，否則談國學不易有開創性。

## （一）設法跨越兩千多年帝王專制對儒家思想的扭曲

今天談國學若不能扭轉這一局面，中國文化難以重見天日。國學最寶貴的價值在於先秦時代由儒家、道家發展出的理念。但中國自秦始皇到清朝末年經歷了兩千多年的帝王專制，儒家思想沒有得到適當的研究和發展。自漢武帝採納董仲舒「罷黜百家，獨尊儒

術」的建議之後，儒家變成儒「術」（統治的技術），形成了「陽儒陰法」的局面：表面打著儒家的招牌，以古代經典教育百姓，但在實際統治中，採用法家的手段以維持帝王專制的格局。

儒家的人文思想在歷史上從未被充分推廣，但儒家關於教育的相關材料卻被反覆利用，「三綱五常」即是最好的證據。孔子、孟子從未提過「三綱五常」的說法，自西漢的董仲舒（179 － 104 B.C.）到東漢的班固（32 － 92），用了近兩百年時間才確立了這一表述。後來很多人就把儒家思想等同於「三綱五常」的規定和要求，這些說法其實只是為了維護帝王專制統治的需要，像「君為臣綱」表現得最為明顯。

宋朝雖有很多學者對儒家的文本進行了深入思考和重新詮釋，但依然無法跳出帝王專制的格局。中國自隋唐之後便有了科舉制度，朱熹的《四書章句集注》於元朝皇慶二年（1313 年）被列為主要參考書，於明朝洪武二年（1369 年）又被確定為科舉考試的教科書，在之後長達六百餘年的時間內，所有中國人學習儒家，首先看到的都是朱熹的注解。朱注採用宋代的文言文，相對於孔孟的原話更容易理解。然而朱熹注解的儒家，並不等於孔孟的儒家。

朱注有兩個最明顯的問題：一是朱熹在注解中始終強調「人性本善」，這並非孔孟的想法，我們已多次論證過這一點，不再贅述；二是朱熹一貫認為孔子是天生的聖人，但孔子說：「我非生而知之者。」（《論語・述而篇》）即我不是天生就有知識的。他又說：「吾少也賤，故多能鄙事。」（《論語・子罕篇》）即我年輕時貧困卑微，所以學會了一些瑣碎的技藝。最明顯的證據是，孔子親口說：「若聖與仁，則吾豈敢？」（《論語・述而篇》）即像聖與仁的境界，我怎麼敢當？孔子絕非天生的聖人，他是透過修德行善慢慢修養自己，最後抵達超凡入聖的境界。如果孔子是天生的聖人，

我們平凡人反正也做不到，又何必向他學習呢？

朱熹注解的影響長達六百多年，使後代所有讀書人都先入為主地接受了不正確的觀念，如此一來，儒家思想該如何開展？

## （二）設法跨越和修正宋朝以後的儒家學者對於佛教和道家的批判

宋朝以後的儒家學者年輕時都聽過許多佛教、道家或道教的思想，後來因為要爭奪儒家的正統地位，便對佛、道思想展開了批判，《宋元學案》和《明儒學案》中有很多相關材料，從周敦頤（1017－1073）到王陽明及他的學生，一直到明朝末年一向如此。

然而，這些批判中有很多曲解和誤解。北宋學者程頤的學生就直接指出，前輩不念佛書，批評沒有把握到重點；他甚至說程頤不念《莊子》，批評時口氣卻很大，把莊子說得很淺顯，好像沒什麼了不起。顯然程頤對莊子的思想也只是道聽塗說。中國文化的傳統除了先秦的儒家和道家思想，還應包括大乘佛學。佛教傳入中國後，在隋唐時期發展出了大乘佛學，亦有很多精采的表現。今天談國學，要設法跨越宋明學者對佛、道思想的誤解。

## （三）要回應西方文化對理性思維的要求

今天若想把中國文化介紹給西方和全世界，要有合理的思維和表達，別人才能聽得懂。如果沿襲以前的說法，則不易被重視理性思辨的西方人所接受。

發揚中國文化，在實踐方面應做好兩件事：

## （一）重新編輯《三字經》

《三字經》朗朗上口，適合於孩童啟蒙，但《三字經》是由南宋學者王應麟所編，依據的是當時的時代背景和思想需求，對於元明清直到近代的七百多年歷史無法編入，這恰好是離我們最近的一段歷史，如果孩子完全不了解，實屬可惜。其實，西方文化也有很

多觀念非常適合孩子的啟蒙教育。因此，當代學者應合作重編《三字經》，讓處於記憶黃金期的孩子熟讀成誦，直接掌握正確的宇宙觀、人生觀和價值觀。

## （二）重訂生命禮儀

現在家中長輩、親人過世，幾乎都要找佛教、道教等宗教界人士來安排後事，好像中國文化本身沒有禮儀一樣。其實，中國古代最講究禮儀，周公制禮作樂，喪禮、祭禮、婚禮、成年禮是古代最重要的禮儀。我們不能直接照搬古代禮儀，而要像孔子一樣斟酌損益，以適合新時代的需要。中國文化源遠流長，中國被稱為「禮義之邦」、「禮儀之邦」，我們今天應重建禮儀的價值，讓人們在婚喪喜慶等重要的生命關口，透過恰當的禮儀形式，展現出內心的真誠情感。

以上便是在重建文化理念的過程中，在理論上和實踐上需要考慮和解決的問題。

## 第十六章

# 拓展生命

# 人不應該自殺

最後一章的主題是拓展生命，涉及兩方面問題：1. 人生的意義何在？2. 如何進行自我修練？關於人生的意義，心理學家弗蘭克的說法非常可取，他認為可以經由三條途徑肯定人生的意義，即：有工作可以做，有人可以關懷，有痛苦可以受。

## （一）有工作可以做

思考人生問題，要從人的身、心、靈三個層次考慮。「工作」針對的是人的身體這一層次。我曾到一所養老院演講，那裡的老人平均八十五歲，院長向我介紹，他們做過一個簡單的實驗，把老年人分為兩組：第一組每人負責照顧一盆花；第二組什麼都不做，純粹養老。在身體狀況相似的情況下，第一組負責照顧花的老人，平均多活兩年以上，這其中原因何在？

第一組老人有屬於自己的工作，雖然只是簡單為花澆水、修剪枝葉，但老人因此產生了責任感，希望把事情做好，從而激發了生命的能量；第二組老人什麼都不用做，純粹養老，這反而使他們喪失了奮鬥的意志。

人活在世界上，想要發揮身體的能力，就要融入人類社會。一個人上班期間可能非常辛苦，但一想到社會的發展與自己的努力密不可分，便會覺得生命的價值得以實現。因此，尋找人生的意義，有工作可以做是一個最基本的出發點。

在二〇〇八年汶川地震後兩週，我進入四川綿陽災區給北川中學的學生演講，學生們受到了很大鼓勵，第二年再度邀請我去演講。這次我嚇了一跳，第一排的學生全部坐著輪椅，這些學生不僅要承受與親人生離死別的悲傷，還要承受身體傷殘的痛苦。

演講完畢後是公開提問時間，第一個問題就是「人為何不能自

殺？」我結合自己多年學習哲學的心得，給出了三個理由：1. 人的生命並非是自己努力爭取來的，而是父母所給的禮物，對於禮物，我們只能充分使用、盡量發揮，卻無權消滅；2. 人有理性，理性應幫助自己解決困難、化解痛苦，不能倒過來把自己「解決」了，自殺違反了人的理性；3. 任何人離開世界，都會有人為之難過，為了自己的解脫而不顧別人的痛苦，這是不道德的行為。

在場的上千名同學聽後都覺得很有道理，但如果深入分析，這三個理由都有進一步的探討空間。不過，世界上沒有圓滿的答案，沒有任何一種理由可以完全化解別人輕生的念頭，除非他自己體會到個人的生命與人群密不可分。

我們是父母愛情的結晶，從小在父母和長輩的關愛中慢慢成長，經過學校的教育，最終進入社會，找到一份工作。工作使我們的內心感到踏實，所謂「三百六十行，行行出狀元」，我們未必是最成功的，但每個人都可以腳踏實地，成為最快樂的。

人不可能隨心所欲、擁有想要的一切。馬克思（Karl Marx，1818－1883）年輕時喜愛作詩，寫過許多關於神仙、仙女的唯美詩作，充滿了浪漫的情懷。他後來提倡共產主義，目的是希望每一個人都能擁有完全的自由：想打獵時就當一名獵人，想寫詩時就當一名詩人，想耕田時就去享受田園生活……這當然是人們內心的普遍願望，不過顯然太過理想化。一個人只要在世界上有一份工作，有一個固定的角色，就會使他感到自己的人生是有意義的。

當我們試圖了解人生時，首先要考慮如何讓我們的身體變得有用，身體是必要的，所謂「必要」是指「非有它不可，有它還不夠」。我們透過工作賺錢，可以買車買房、成家立業，這些都是工作的成果，是必要的，但只有這些還不夠。除了身體之外，我們的生命還有心和靈的層次，我們思考的架構要有助於發揮生命的全部

潛能。針對身，要有工作可以做；針對心，要有人可以關懷；針對靈，要有化解痛苦的方法和信念。這樣思考，便會在每一個層次上都能發現生命的意義。

如果沒有工作使自己朝積極的方向發展，沒有建立人與人之間的適當關係，生命可能會變得消極。如果別人問你：「你每天不工作，怎麼沒有患憂鬱症？」你回答說：「我每天都從網路、電視上看到很多八卦消息和稀奇古怪之事，覺得世界好複雜、好混亂；相比之下，自己的生活雖然平淡，但卻很安穩。」靠別人的不幸遭遇來肯定自己的安全和快樂是非常危險的，久而久之，人會養成幸災樂禍的習慣。

人到中年最怕「重複而乏味」，如果時常感慨「年復一年，馬齒徒增[122]，生活不斷重複，未來不過如此」，則很容易患上憂鬱症。要問人生有何意義，首先要肯定「有工作可以做」，對於青少年到中年階段，都可將之做為基本的答覆。工作可以使人積極地承擔責任，並從中發現人生的意義。


# 有人關心真好

### （二）有人可以關懷

人與人相處的情況各不相同，十分複雜。法國社會學家涂爾幹的代表作《自殺論》出版已逾百年，至今仍有借鑑意義，他將自殺分為三種類型：

1. 利己型。原本對自己有利的條件全部消失，從而失去活下去的勇氣。

2. 利他型。為了群體的福祉而犧牲自己的生命，如在戰爭中

加入敢死隊，明知九死一生，卻義無反顧，這樣的人堪稱英雄，不過較為少見。

3. 斷裂型。遭遇時代的重大變化，自己熟悉的時代一去不復返，因而不願繼續存活。

中國近代著名學者王國維先生只活了五十歲便自殺，令人深感遺憾。他生於清朝末年，二、三十歲時便有機會到清廷負責文書方面的工作。清朝的滅亡使他產生了斷裂之感，他不願再受割據軍閥的侮辱，於是選擇自殺，這屬於斷裂型的自殺。

明朝末年有許多學者同樣遭受了國破家亡的痛苦，卻沒有自尋短見，他們堅決不在清朝做官，埋頭讀書著述，反而取得了很高的學術成就。隔了兩、三代之後，他們的子孫生在清朝，還是要出仕做官，在社會上發展自己的潛能。

人的自殺大多屬於利己型和斷裂型，一旦遭遇與親朋好友的生離死別，人往往會倍感孤獨，有些人無法化解便可能自殺。因此，人活在世界上一定要互相關懷。

大人常常為孩子崇拜影視明星、運動員而煩惱，這些明星都是由鎂光燈和宣傳包裝打造出的大眾偶像，孩子不好好讀書卻崇拜偶像，著實令人擔心。不過從另外的角度來看，孩子從小受到家庭和學校的壓力，到中學、大學的階段，內心往往有孤獨無助之感，如果有自己崇拜的偶像，跟著偶像一同喜怒哀樂，生活會變得充實、有趣，進而體會到關懷別人的快樂。

二○○三年四月香港影星張國榮跳樓自殺後，香港在九小時內有六人跳樓自殺，這些人都是張國榮的鐵杆粉絲（fans的音譯，即

---

122 意為：馬的牙齒有多少，就可以知道牠的年齡有多大。比喻自己年歲增加，學業或事業卻沒什麼成就。

影迷歌迷），他們之所以能活下去就是因為偶像的存在，如今偶像離去，他們便不想活了。可見，偶像不是孤身一人，公眾偶像肩負著很大的社會責任。但社會上各個領域的偶像往往只關注自我，以自我為中心，不去考慮對眾多粉絲的責任。

一九九九年台灣發生九二一大地震後，交通部電信局發布消息說，地震發生後十分鐘，電話和手機線路幾乎全部塞爆。危難之際人們紛紛想到要關心自己的家人和朋友，其實平時就應該多去想一想。

人活在世界上無論遭受什麼樣的苦難，只要還有一個人關懷我，或者還有一個人值得我關懷，就有勇氣可以撐下去。美國發生過一個真實的故事，一個二十出頭的女孩因心情抑鬱而投河自盡，一名素不相識的男生情急之下跳到水中去救她，不過這個男生不會游泳，於是在水中拚命掙扎，這個女孩會游泳，便把男生救上岸。女孩覺得：一個素昧平生之人都願意捨身相救，我不是更應該珍惜自己的生命嗎？於是放棄了自殺的念頭。

一個陌生的路人看到有人輕生，心生不忍，竟然忘記自己不會游泳，跟著跳下去救人，這說明只要機緣成熟、時機配合，每個人都可能成為你的朋友。當然，如果不小心也很容易得罪別人，搞得彼此間不好相處。

我們要經常問自己：這一生有哪些人照顧過我們？對於從小到大教過我的老師，我一輩子心懷感恩，他們的言傳身教奠定了我這一生為人處世的基礎。後來研究國學，我對中國古代哲人也充滿了感恩之情，學習儒家、道家的思想讓我深感幸福。身為中國人，從小以中文做為母語，無疑是十分幸運的。長大後我們透過閱讀中國的經典，可以感受到中國文化深刻的人文情操與人道關懷，進而驚喜地發現，原來我們生活在一個有情有義的世界之中。

　　如果與人交往時流露出真誠的情感，一定會得到別人真誠的回應。我們不能像孩子一樣總是等待別人的關愛，一旦站穩腳跟，就要回饋社會、照顧他人。我平均每月都會收到兩、三封世界各地的來信，人們從YouTube等網站看到我有關儒家、道家和《易經》的講座，聽懂之後感覺受益匪淺，便寄信致謝，這讓我十分高興。我一向把自己當做橋梁，希望透過我的介紹，所有人都能準確無誤地接觸到古人的智慧。我永遠都把自己當做一名學生，要不斷努力求學。對於西方哲學亦然，我希望自己能把西方深刻的思想講得更清楚，讓更多朋友可以一起分享。

　　今天若想找到可以互相關懷的人，最好的辦法是在家庭和社會之間建立一些「仲介團體」，可分為三個領域：1. 求知類，可以參加求知類型的團體，大家有共同的興趣，一起研究某一門學問，不一定非要研讀古代經典；2. 審美類，可以參加與審美有關的團體，如合唱團，有些朋友退休後參加合唱團，每天過得很開心；3. 行善類，可以參加行善的組織，與他人一道做好事。人與人之間互相關懷，這樣的人生將會非常充實。

# 受苦助人成長

### （三）有痛苦可以受

　　人生的意義在於「有痛苦可以受」，這樣的說法不易被人接受，難道受苦受難的人生才有意義嗎？很多時候，人經過苦難的煎熬後，才會發現其中蘊含的意義。所謂「意義」就是理解的可能性，一件事之所以有「意義」，是因為它讓我理解了某些道理。

　　我家有七個兄弟姊妹，我母親年輕時太過勞累，五十歲以後便

半身不遂。母親生命的最後一段時光是在醫院中度過的，我們兄弟姊妹各自成家，平時少有來往，在母親住院的半年內，我們每週都會相聚。母親去世後，我們才理解母親受苦的意義，原來母親希望我們在這段時間內經常相聚，恢復過去的手足之情。

人生是不斷轉變的過程，不管你喜歡與否，許多事情該出現就會出現。一位女作家到郵局接收匯來的稿費，郵局服務人員認出她的名字，羨慕地說：「您是有名的作家，我讀過您寫的小說。」女作家說：「會寫小說有什麼用，頭髮都白了。」郵局服務人員說：「我不會寫小說，頭髮也會白啊！」人總是會隨著時光的流逝而慢慢老去，但如果為了值得奮鬥的目標而主動承受痛苦的考驗，這樣的苦難便能激發我們生命的潛能。

這個世界上凡是有所成就之人，年輕時無不經歷痛苦的磨練，否則怎能激發潛能而出類拔萃？這就是痛苦帶給人生的意義。如果一個人含著金湯匙出生，像溫室的花朵般受到呵護，人生一帆風順、心想事成，他只是一個被豢養、被過度保護的寵物而已。父母長輩能保護他多久呢？一旦進入真正的世界，他能承受日曬雨淋嗎？

對於痛苦我有切身的體驗，我常在各地授課和演講，別人覺得我的表達能力還算可以，當聽說我小時候曾有口吃的經歷，便問我後來是怎樣治好的。我從小學三年級到高二，有九年時間在教室內一言不發。我小時候本來可以正常說話，後來因為鄰居家小孩口吃，我一學他，想不到自己也變得口吃了。

此後每逢老師叫我朗讀課文或回答問題，我便成了全班嘲笑的對象。我於是拚命念書，用優異的學習成績來平衡內心深深的自卑感。我當時最喜歡考試，因為考試時不准講話，我便沒有了心理壓力。

　　高二時，在老師的建議下，我參加了口吃矯正班，老師教會我如何克服口吃：一方面要克服心理障礙，要告訴自己，聽我說話的人都是善意的，大家都是朋友，這樣一來便不再緊張；另一方面，某些字的發音容易卡住，要設法避開。經過兩個月的訓練，我逐漸克服了口吃的問題。對於青少年階段來說，九年的時間十分漫長，長期的痛苦使我有了兩個改變：

　　1. 我這一生都不會嘲笑別人。我從小在別人的嘲笑中長大，很了解被嘲笑的痛苦，很容易有同理心。同理心（Empathy）和同情心（Sympathy）不同，譬如我走在路上，有個乞丐大聲喊：「可憐我吧！」我掏出硬幣丟給他，這屬於同情心。如果看到乞丐後，我開始設想：假如我是他，希望別人怎麼對我？是把硬幣亂丟一地，還是輕輕地放在碗中？這就屬於同理心，它與同情心的差別就在於「假如我是他」這五個字，這正是儒家強調的「恕」，用今天的話說叫「換位思考」。假如我是他，我希望自己有何表現？

　　2. 我非常珍惜說話的機會。教書是我的職業，只要有機會上課或與人交談，我都會設法讓別人聽懂我在說什麼。哲學這門課不好教，學生經常會感到難以理解，如果我賣弄玄虛，多說一些「道可道，非常道」之類的話，很容易讓大家一頭霧水。

　　我教書四十年，給自己定的目標是：我講出來的每一句話都要讓別人聽懂。因此，我會運用各種比喻和故事來加以說明。但是，對於很多複雜高深的道理，光靠說是不夠的，隨著聽者生命經驗的不斷累積，他才能慢慢體會。因此，我也只能陳述自己的經驗，隨時觀察聽眾的反應，盡力而為。

　　台灣電子業有位企業家四十來歲時身患癌症，治癒之後，他把自己資產的一大半捐給了一個宗教團體，經過病痛的折磨，他看透了人生應該追求什麼。患病前，他是一個純粹的商人，將本求利，

一心賺錢，常與其他有錢人比較，看誰的財富更多；癌症的威脅使他覺悟，錢是身外之物。不過，這句話對很多人來說並不適用，因為他們並沒有多餘的財力來做自己想做的事。

人活在世界上，不可能不受苦。痛苦的範圍很廣，欲望無法實現也是一種痛苦。痛苦有兩種：一種是被動的、無奈的，比如人都會慢慢變老；另一種是主動的、積極的，這正是我們在本節所強調的，當我們被人冤枉、受人欺負或遭遇不幸時，特別容易激發我們生命的潛能，苦難的考驗會讓我們變得更加強壯，正如尼采所說：「凡是不能使你致命的，都將使你變得更強壯。」[123]

## 什麼是重要的

在肯定人生有意義之後，重要的是如何進行自我修練。人生有兩個方向：1. 橫向，你一生到過多少地方、認識多少人、做過多少事，這些都屬於橫向，即人生的寬度如何；2. 縱向，你向上提升或往下扎根都屬於縱向，即人生的高度或深度如何。人的生命包括身、心、靈（精神）的層次，在個人修練的過程中，關鍵要設法掌握精神的層次，了解人生的意義何在。如果只關注身和心的層面，希望透過養生活得更老，希望廣交朋友而心情愉悅，這樣是遠遠不夠的。為什麼要發展靈性（精神層次）的生命？有以下四點理由。

### （一）界定身心活動的意義

只有依靠精神層次的活動才能界定身心活動的意義。從文化的視野來看，很多文化在器物層次非常豐盛，在制度層次非常完善，卻有很多人自殺，這說明在理念層次已經空洞化了。從個人來看亦然，有些人信仰宗教是因為師父用氣功治癒了他的病痛，這只是在

身體層面讓自己活得更久，就算是師父最後也難免一死，這樣的信仰並不能使自己理解人生的意義。

我們先說明三個觀念：身體健康是必要的，心智成長是需要的，靈性修養是重要的。用「必要」、「需要」、「重要」分別對應人的生命的三個層次。所謂「必要」就是「非有它不可，有它還不夠」，身體的層次也包括各種有形可見、可以量化的成就，這些都是必要的，沒有車則出行不便，沒有衣服則無法保暖，但是僅有這些是不夠的。

心智成長是需要的。首先在認知上要記得：活到老，學到老。隨著年齡的增加，我們應不斷學習，提升認識水準，逐漸接近智慧的境界，不能總是原地踏步、毫無長進。古人云：「三日不讀書，便覺面目可憎，言語乏味。」[124] 與之形成鮮明對照的是：「士別三日，當刮目相看。」這說明一個人透過讀書學習可以不斷進步。

在情感上，人可以從「為自己考慮」逐漸提升到「利他」，最終抵達「博愛」的境界。在意志上，人可以化被動為主動，自主做出選擇，從而表現真正的自由，使自己更加真誠，有更強的力量行善。

靈性修養之所以重要，是因為它為身心活動提供了目的和意義。

如果問一個人：「你活著有什麼目的？」假如他有孩子，八成會說：「我活著的目的就是給孩子最好的教育，讓他得到更好的照顧。」很多人為了孩子的教育而移民，想方設法把孩子送出國。但

---

123 出自尼采所著的《善惡的彼岸》（*Jenseits von Gut und Böse*）。
124 出自《黃庭堅文集》，原文：士大夫三日不讀書，則義理不交於胸中，對鏡覺面目可憎，向人亦語言無味。

是曾幾何時，我們自己也是父母的目的，如果將人生的目的全部放在另一個人身上，恐怕並不穩妥。

我們一生努力工作賺錢、做官服務百姓、不斷學習進步、保持良好的人際關係，這些身心活動目的何在？《紅樓夢》第一回的〈好了歌〉[125] 提到一般人追求的四種目標：功名、金銀、嬌妻和子孫。然而到最後你會發現，這些都是身心活動的成果，都是靠不住的，一切都會過去，生命終將結束。人生在世，誰也無法保證自己一定能活多久。很多年輕人為了理想而獻身，很多人在亂世中仍見義勇為，為了報效國家不惜犧牲生命，也有人為了保全自己的家族和自己的愛人而犧牲。

身心活動總有它的極限，關鍵要問自己：我這一生是為了什麼？很多孩子天資聰穎，對任何事都喜歡問為什麼，他會問父母為什麼把他生下來，這是根據現在的結果向前追溯過去的原因。我們在思考時要加一個字，進一步問：我活著是「為了什麼」？

人生總要有個目的，對未來總要有一定的期許。所有偉大的老師，譬如孔子，在教學生時都會強調要立定志向，所謂「志向」就是問自己「為了什麼」、「未來要往哪裡走」。如果沒有明確的目標，遇到選擇時就會迷茫，很容易人云亦云、隨俗浮沉，人生在不知不覺中已荒廢了一大半。

如果想讓自己的人生過得充實，一定要開始思考「這一生是為了什麼」，什麼樣的目標才是值得一生奮鬥的，為了這個目標，再苦也值得。

人生中有很多考驗都是自己選擇的，我三十歲時到美國念書，正是自討苦吃，但我覺得受這樣的苦是值得的，因為我的目標是要留在學校教書、做學術研究，為了在學術界能有長遠發展，必須拿到博士學位。為了用四年的時間拿到博士學位，在美國受了多少

苦，我至今都不願回想。但是當時的我甘願受苦，因為我知道苦不是目的，而是過程，「不經一番寒徹骨，怎得梅花撲鼻香？」

我在學校教書至今已逾四十年，我可以一直專心做研究，並與其他人分享我的研究心得，覺得十分快樂，可見年輕時的選擇是正確的。我這一生一路走來，因為有明確的目標，所以自己的身心活動基本可以算是走在光明的坦途之上。

# 不被盲點所困

### （二）化解潛意識盲點

佛洛伊德將複雜的作夢現象用潛意識來解釋，他的說法有一定根據，可以被接受。潛意識中蘊藏著豐富的內容，亦有很多盲點。人在五歲左右可能遇到一些特殊的生活經驗，由於年齡太小，無法充分消化，更無法反抗，只能被動接受，於是在潛意識中便會形成很多個「結」。

譬如，一位女孩告訴心理醫師，每次看到黑色維尼熊玩具時就會感到害怕，醫生幫她催眠，設法讓她回憶起小時候的經歷。原來在她五歲的某天，她和維尼熊玩扮家家酒時忽然被一陣雷聲嚇到，從此以後，每當她看到黑色維尼熊便會感到恐懼，這個心結一直無法解開。

---

125 原文：世人都曉神仙好，惟有功名忘不了！古今將相在何方？荒塚一堆草沒了。世人都曉神仙好，只有金銀忘不了！終朝只恨聚無多，及到多時眼閉了。世人都曉神仙好，只有嬌妻忘不了！君生日日說恩情，君死又隨人去了。世人都曉神仙好，只有兒孫忘不了！癡心父母古來多，孝順兒孫誰見了？

　　心理治療雖然有一定的作用，但也不宜過分誇大。心理醫師也是人，他們接受了專業的訓練，每天幫助心理病患者進行治療，久而久之自己的心理也會出現問題。「沉默的羔羊」（*The Silence of the Lambs*）等許多美國電影都是描寫心理醫師如何變態的故事。

　　美國有本書叫《前世今生》（*Many Lives，Many Masters*）就是一個典型的心理治療的案例。一位女病人透過醫生的催眠和引導，在夢中講了各種故事，醫生根據她的描述，認為她曾經輪迴了八十六次。最後結論是：許多人在不斷輪迴中又不斷相聚，這是為了清償前世的恩怨。

　　這就好比說，你在工作中總和一個同事吵架，原因是你們倆在前世曾有某種特定的關係，你欠他的債沒有還清，所以輪迴時再度相遇。而且每一次輪迴時，彼此的角色各不相同，從這位病人的講述中可知，她的男朋友在幾世前曾經是她的爺爺，她的老闆在幾世前曾經被她所殺。這簡直太可怕了，有誰知道過去幾世我們和周圍的人之間發生過什麼事情？這本書出版後搞得大家人心惶惶，吃不下飯，睡不著覺，常常會想：我身邊的這個人對我這麼兇，到底我前世欠他什麼？我為此專門寫了好幾篇文章，指出該書的問題所在。

　　書中這位女士的年齡和我相仿，進行心理治療時大概三十來歲，她在敘述自己輪迴的經歷時，說她曾經是十三、四個國家的人，她當過古埃及人、希臘人、西班牙人、日本人……但她輪迴了八十六次，居然沒有一次成為中國人，這很值得懷疑。中國人口眾多，按概率總該輪到一次，她為什麼能輪到做日本人，卻沒有輪到做中國人呢？原來，在她四、五歲時，日本偷襲珍珠港，她當時住在美國鄉下，周圍的人提到日本人都很害怕，這種感覺就進入了她的潛意識。

潛意識就像一個劇場，它從不同管道獲得資訊，然後把這些材料進行有機組合，編成有頭有尾的劇情後再上演。潛意識像一個很大的黑箱子，把人的意識中的資訊全部收集起來，然後混和重組，使很多事好像真的發生過一般。

有一次我到瑞士蘇黎世出差，下飛機後嚇了一跳，看到山上的美景，我確信自己來過這裡，可我是第一次到蘇黎世，以前不可能來過。仔細回想才隱約記起，小時候家裡掛的月曆上印有世界各國的風景圖片，其中一張圖片就和我後來實地看到的一模一樣，連取景角度都很一致。我在五、六歲時看到的這幅畫面進入了我的潛意識，讓我感覺自己好像來過這裡。

可見，潛意識中有許多盲點，如果全靠心理醫師來幫忙化解，未免太難為他們了。美國的心理醫師有很多都會出現心理問題，所以美國多個州規定：凡在本州領有執照的心理醫師，每半年必須互相分析一次，確認心理正常後才能繼續執業。否則，若心理醫師自己心理變態，對病人來說就太可怕了。

因此，求人不如求己。如果一味地向潛意識深處挖掘，找出個人的特殊遭遇，則很容易自憐，覺得自己很不幸。愈向下挖掘，愈容易注意到人和人之間的差別，使得自己不知該何去何從。

所謂「求己」就是透過靈性修養，讓自己的生命向上提升，慢慢化解自己的偏見和執著。人生是一個趨勢，是由不斷的選擇所構成，每次選擇都是重新開始的機會，透過不斷的選擇，我們可以改變自己的生命，這才是對人生的正確態度。

我們不要再向下挖掘了，小時候發生的事已經過去，就算父母和長輩的某些做法造成了你的心結，他們通常也是無心的，他們有自己的痛苦和煩惱，你只是被牽連其中而已。我們不斷成長，當自己可以獨立思考後就要向上提升，尋找自己和別人的相同之處，不

要只關注自己和別人的不同之處。慢慢我們就會發現：原來沒有一個人是完全幸福的，也沒有一個人是完全無辜的。

黑格爾在他寫作的哲學史序言中說：「萬物中只有人不是完全無辜的。」人可以透過思考做出選擇，我們屬於人類的一員，對於人類造成的所有災難，我們都有一部分責任，就算不是直接責任也有間接責任，因為我們畢竟沒能阻止災難的發生。

將生命向上提升後就會發現，我們每一個人都有共同的命運，與其在潛意識裡自憐，不如向更高層次去發展。


# 勇於承擔使命

### （三）將命運轉化為使命

發展靈性修養，可以將命運轉化為使命。每個人活在世界上都有某些既定的條件，你出生在什麼時代、社會和家庭，成長環境如何，上什麼學校，遇到哪些老師和朋友，這些條件大多數都不是自己能完全左右的。命運就是一種遭遇，它是盲目的、被動的、無奈的，既然碰上了也只好接受。

我們千萬不要隨便羨慕別人。有個小孩的鞋磨破了，腳指都露了出來，他覺得自己很可憐。他在公園看到一個小男孩穿著漂亮的衣服和鞋子，十分羨慕，覺得命運很不公平。這時有人推輪椅來接小男孩上車，原來小男孩的腳有問題，不能走路。比起小男孩不能走路，自己沒有好鞋又何必抱怨呢？

類似的故事有很多。有個人因為沒錢買鞋而難過，忽然看到馬路對面一個人沒有腳，撐著拐杖仍面帶微笑。人活在世界上，對於命運要了解而不要抱怨，抱怨於事無補，不如去了解實際的情況，

接受不幸的遭遇。譬如，比起前輩，我們沒有遇到戰爭，這不是很幸運嗎？如果和下一代比：他們生下來就有各種優越的條件，但由於生活標準的普遍提高，他們可能覺得自己還不夠好、不夠幸福；我從小在鄉下長大，光著腳到處跑，說不定反而更健康。

古希臘哲學家赫拉克利特說：「人的性格即是他的命運。」因此，要想改變命運，首先要改變性格。然而「江山易改，本性難移」，改變性格談何容易！我們需要透過教育，特別是自我教育來改變自己。只要每天讀書，接受新的觀念，人生就會不同。並非因為我是讀書人便有責任勸人讀書，我自己確實從讀書中受益匪淺。

西方有句話說得很生動：「一個人有什麼樣的觀念就有什麼樣的行為；有什麼樣的行為就養成什麼樣的習慣；有什麼樣的習慣就塑造什麼樣的性格；有什麼樣的性格就決定有什麼樣的命運。」因此，好的命運來自於好的觀念，而觀念來自於閱讀。

閱讀要養成記筆記的習慣。我會把閱讀中看到的有趣的笑話、名言警句或精闢論述都記下來。人很健忘，有時剛剛看過一轉頭就忘記了。我的手邊會準備幾個筆記本，分類記錄整理，每週、每月翻閱複習，使筆記變成自己的心得，成為自己記憶庫的素材。有些人博學多聞、令人羨慕，他們也只是在這方面做得更加到位而已。

談到將命運轉化為使命，到底什麼是使命？使命有三種型態：第一種是群體所賦予的，譬如你擔任某個官員、承擔一定的職責，這是別人賦予你的；第二種是個人所規劃的，譬如我從小立志要當飛行員、工程師，這屬於追求自我的實現；第三種是自覺有某種使命，其來源既非群體也非自我，而是為了更高的理由。

譬如孔子為何如此關懷社會？打個比方來說，國家好比一輛遊覽車，國君好比司機，他要開車載著國人去一個風景美好的地方，一個流著牛奶和蜜的地方。但車開到一半，司機突然心臟病發而倒

下，此時誰有使命和責任繼續開車？自然是懂得怎樣開車的人。知識分子的使命感不是別人賦予的，特定的時代背景決定了他必須有這樣的自覺。

能夠理解這一點，便不會誤會儒家學者是狂妄之人。孔子在匡地被圍困，隨時有生命危險，他說：「天之未喪斯文也，匡人其如予何？」（《論語・子罕篇》）即天如果還不要廢棄這種文化，那麼匡人又能對我怎麼樣呢？還有一次，宋國的司馬桓魋（ㄊㄨㄟˊ）要殺孔子，孔子說：「天生德於予，桓魋其如予何？」（《論語・述而篇》）即上天是我這一生德行的來源，桓魋又能對我怎麼樣呢？這些話並非虛張聲勢，而是孔子認為自己肩負了上天賦予的文化傳承的使命，使命未完成之前，他相信自己不會莫名其妙地遭遇不幸。

孟子亦然，他離開齊國時，學生充虞在路上問說：「先生好像有些不愉快的樣子。以前我聽先生說過：『君子不怨天，不尤人。』」「不怨天，不尤人」最早是孔子說的，孟子也用這句話來教導學生。孟子說：「夫天未欲平治天下也，如欲平治天下，當今之世，舍我其誰也？」（《孟子・公孫丑下》）這就是儒家學者的使命感，他們不是為了爭權奪利，而是因為自身具備了專業的知識、德行和能力，便希望替百姓服務。

有一次史學家錢穆到軍中演講，他對著幾百個士兵說：「一個士兵如果在站崗時全神貫注、全力以赴，比上將站得更好，他就是『小兵的聖人』，也是『聖人的小兵』。」他的比喻非常恰當，只是忽略了一點，上將是不用站崗的。「小兵的聖人」是說雖然你現在是小兵，但你依然可以努力做到最好；「聖人的小兵」意味著成為聖人之後，今天即使做小兵，也一定做得很好。

可見，做「什麼」事並不重要，重要的是你「如何」做這件

事,「如何」代表了你的態度。人生在世,不可能變成和別人一樣,每個人都有自己的命運,關鍵是如何將自己的角色扮演得盡善盡美。成功的人生不在於握有一副好牌,而在於如何把一副爛牌打得可圈可點。將命運轉化為使命,化被動為主動,這樣的生命才更有價值。

# 信仰有正途

### (四)宗教信仰的正途

發展靈性修養是宗教信仰的正途,由此可以避開迷信的陷阱。在人生信仰、政治信仰和宗教信仰三者之中,宗教信仰最為純粹,我們不必聞之色變。信仰是人與超越界之間的關係,它是宗教的本質所在,可以讓人的生命超越身和心的局限而不斷向上提升。從「身」來看,人生不過百年;從「心」來看,發展情感或做出選擇會受到諸多限制。如果發展靈性修養,宗教信仰正好可以幫助人向上提升超越,做到慈悲、博愛,這是人生的正確方向。

宗教信仰和人的「靈」性層次密切相關。耶穌說過,真正朝拜的人不用在耶路撒冷,而是用你的心靈(你的精神)去朝拜神(約翰福音,4:23)。基督宗教(包括天主教、東正教、基督教)是目前世界上最大的宗教,信徒超過二十五億人,耶穌這句話令我們警醒:不用急著到處朝聖,如果精神沒有提升,即使到耶路撒冷也未必有什麼成效;還不如幫助身邊那些需要幫助之人。幫助別人意味著走出自己,化解自我的執著,隨著我與別人關係的逐漸改善,我與超越界的關係也將變得更加完善。

佛教《金剛經》提出「無我相、無人相、無眾生相、無壽者

相」[126]，即在四方面都要超越：「無我相」即化解自我的執著，不要以自我為中心，這樣才更容易與別人相處；「無人相」即不要把別人當別人，其實別人和我一樣都是生命體，同屬於「人」，不要刻意分辨好人、壞人、美女、醜人；「無眾生相」即不要將各種生物區分貴賤，眾生是平等的；「無壽者相」是說不要認為活得久就一定更好。

這些說法都在提醒我們要化解各種執著。不過，《金剛經》最後一句話「一切有為法，如夢幻泡影，如露亦如電」，念多了也會變得消極，如果一切都是夢幻泡影，人生又該如何安頓？對於宗教教義，我們在尊重的基礎上，要學會選擇那些可以幫助我們向上提升的觀點。

宗教對於超越界的描述有三個特色：

1. 關係性。信仰是人與超越界的關係，所以要從自己和神、佛的關係上來說明，不談關係而空談神、佛是什麼，那只是一個很抽象的概念，沒有人可以理解。

2. 功能性。我們不能說「請把神、佛找出來讓我看看」、「把涅槃境界說出來讓我聽聽」，人無法掌握超越界的本體，只能看到超越界的功能，這就是所謂的「即用顯體」，即透過它的功能和作用使本體得以顯示，天下沒有任何東西可以脫離功能而直接顯示。

3. 象徵性。宗教中有關神明、菩薩、佛的描述都是象徵語言。

從上述三點來理解宗教，就能避免執著。尼采認為「上帝已死」，他反對宗教，並說：「所有宗教設立的偶像，目的就是要被打破。」[127]他認為自己正是打破偶像者。人有感官和各種具體的需求，因此需要偶像。沒有偶像，人活著並不容易，譬如青少年就需要有崇拜的偶像。西方學者卡萊爾（Thomas Carlyle，1795－1881）在他寫的《英雄與英雄崇拜》（*On Heroes and Hero-Worship and the Heroic in History*）一書中說：「每一位英雄在年輕時都會崇拜另外一位英雄。」我們從關係性、功能性、象徵性來理解宗教信仰的最高物件時，便不會陷於迷信的困境。

如果希望與超越界建立關係，就要努力培養自己精神的層次。要常問自己有哪些終極關懷，是否有絕對依賴的感受，把握雅士培所謂的「界限狀況」，在生命的某些關鍵時刻，讓自己勇敢抉擇而不要退轉。

人生會遇到很多關鍵時刻，它逼著你面對自己、認真思考。海德格強調「向死而生」，當人面對死亡時，才會認真看待自己的生命，不會再隨隨便便地過日子。生命應該有所成就，不是向外追逐，不是橫向發展，而是向上提升。

儒家的思想不是宗教，卻具有明顯的宗教情操。儒家認為人只要真誠，內心就會產生一種力量，要求自己去行善。人性向善的「向」至為關鍵，它代表永無止境，只要還活著，就一直有向上提升的空間和要求，這就稱為「宗教情操」。人最怕說「我退休了，這一生已經到頂了」、「我的身體不行了」之類的話，身心狀態只是提供存在的條件，真正存在的價值在於透過靈性修養使自己不斷向上提升。

道家的思想展現出宗教的維度（宗教向度），只要聽到「道」這個字，馬上就能感覺到一個廣大無窮的世界，那是萬物的來源和歸宿之所在。人只要花點時間稍微思考一下「道」，就會覺得好像一滴水回到大海，生命由此找到了很好的歸宿，不用再為任何事擔驚受怕，你只會覺得安全自在，好像回到童年，回到了母親的懷

---

126 出自《金剛經》第十四品，離相寂滅分。
127 出自尼采所著的《偶像的黃昏》（*Gotzen-Dammerung*）。

抱，老子正是用母親來比喻「道」。

人為什麼要進行靈性修養？因為靈的層次是身心活動的意義所在，靈性修養可以幫我們化解潛意識的盲點，將命運轉化為使命，並提供宗教信仰的正途。

# 情商可以提高

人的生命有縱、橫兩個側面，我們多次強調要從縱側面向上提升，但亦不能忽略橫側面 —— 拓展生命的寬度，本節從智商和情商的角度來簡單加以說明。

大家對智商（IQ, Intelligence Quotient）並不陌生。我小時候在學校做過「智力測驗」，如果我今年十歲，達到同齡孩子的平均智商水準，我的智商就是100，如果智商達到120則可以念大學。如今大學教育普及化，智商不夠120也有機會上大學了。若要小學畢業需要智商達到75。

在由奧斯卡影帝湯姆‧漢克斯主演的「阿甘正傳」（*Forrest Gump*）中，阿甘的智商就是75，雖然他的智商只夠念到小學畢業，但他對自己認定的事能夠堅持到底，譬如他練習打乒乓球就比一般人更為認真，最後成為國家隊選手而被總統召見，其他方面也有很多超越常人的表現。可見，智商只能決定孩子是否適合念書，人只靠智商是不夠的。

傳統的智商測驗只能測試出一個人適合讀文科還是理科。一九八三年美國教育心理學家嘉納（Howard Gardner，1943 - 至今）提出多元智慧理論（The Theory of Multiple Intelligences），將智慧分為五種：一是語言和文字的理解能力；二是數學和邏輯的

推理能力；三是對空間的圖像或形象的掌握能力，此方面能力出眾者將來可以做建築師；四是肢體活動的協調能力，有這方面天分的人將來可以做舞蹈家；五是音樂方面的天賦。因此，如果孩子念書成績不好，父母不必太過擔心，孩子的智慧發展有很多途徑。

相對於智商來說，情商（EQ）顯然更為重要。《EQ》一書又稱作《Emotional Intelligence》，意即情緒方面的智商，現在普遍譯為情商。一個人若能合理調節自己喜怒哀樂的情緒，在適當的時候流露出適當的情感，就是情商高的表現。高智商只能讓一個人考上頂尖大學而成為專業方面的人才，但如果情商不高則會顯得性格孤僻，不善於與別人相處及合作。

我們要學會如何自己化解負面情緒的困擾，情緒不佳時不必非要找人傾訴，互相訴苦有時只會徒增煩惱。《EQ》一書給出了五種調節情緒的方法：

1. 運動。心情不佳時，換上球鞋去跑步、打球，全身心投入其中，讓自己滿身大汗，煩惱自然被拋在腦後。人的很多煩惱都是杞人憂天，有些專家的研究結論很有趣：人們煩惱的事情中，真正會發生的往往不超過三成，其餘七成都是自尋煩惱。運動很容易調適心情，疲勞也容易改善睡眠品質，通常一覺醒來，負面情緒便會有明顯的改善。

2. 善待自己。譬如平常為控制體重不敢吃巧克力，情緒低落時就吃一塊吧。不過吃後一定要增加運動，不然會愈來愈胖。

3. 改變觀點。煩惱往往來自於互相比較，有一句話盡人皆知，「比上不足，比下有餘」，真正做到的人卻不多。總和比自己更幸運、更傑出的人去比較則難有快樂，但只向下比較則會使自己志得意滿而止步不前。最好和自己的同行比較，譬如我升正教授時拖了一年，為此很抱怨，後來發現有人比我拖得更久，所以不要總

覺得別人比你更幸運。不過因為我姓傅，所以永遠都被人稱為「副
（傅）教授」，也只好接受了。改變觀點之後，心情立刻能得到調
整。

4. 幫助別人。心情不好時要記得幫助別人。雖然自己心情不
佳、自顧不暇，不過別人需要的幫助對你而言可能只是舉手之勞，
幫助別人時你會發現自己還有內在的能量。有時我心情不好，遇到
遊客向我問路，我忽然覺得自己很有用，至少可以做一張活地圖。
幫助別人會讓我們走出自憐、自嘆的情緒。

5. 信仰宗教。不要把宗教都當做迷信，我對信仰宗教一向有
兩個看法：

第一，信仰宗教一定要自己深受感動才去信。不要有從眾心
理，看到周圍的人都信，自己也跟著信。宗教中有各種團體的儀式
和活動，但就信仰本身來說，需要以真誠之心為基礎，需要以個人
的身分與超越界建立關係，因此絕不能盲目跟隨大家一起信教。

譬如我覺得有幾個宗教都不錯，正考慮要信哪個，有一天忽然
被一個人的行為深深感動，別人不願做的事他去做，別人爭奪的他
不爭，他之所以有這樣與眾不同的表現，是因為背後有宗教信仰的
支撐，這時我就可以考慮接受他所信仰的宗教。社會上常看到很多
人在傳教，其實傳教的最好方法是信徒表現出的實際行為。很多人
傳教時自以為是，一再強調自己信仰的宗教是唯一的真理，說得再
多也不能令人感動，這種情況下就不宜輕信。

第二，信仰宗教需要有適當的機緣。一旦機緣成熟，你就會自
然而然地接受。

我們可透過上述五種方法調節自己的負面情緒，我們要相信自
身具備這樣的能力，要靠自己把負面情緒適時予以化解。對於人生
的橫側面，我們透過 IQ 來選擇適合自己的工作，透過 EQ 來調控自

己的情緒，實現與別人的良性互動，如此一來，一個人就會站得很穩。下一節我們繼續介紹AQ，即逆境智商。


# 逆商可以改善

人生在世不可能一帆風順，遇到逆境時該怎麼辦？西方在智商（IQ）、情商（EQ）的基礎上，發展出逆境智商（AQ），即Adversity Quotient。

世界上的人大致可分為三類：

第一種是止步不前的放棄者。看到一座高山，覺得自己爬不上去便放棄攀登，在山腳下很輕鬆，何必要爬山呢？

第二種是半途而廢的中輟者。他們開始時努力攀爬，爬到山腰發現一處休息的平台便不想繼續前進，覺得在這裡蓋個房子、看看風景也很好。人到中年，很容易覺得自己好像到了山腰，再努力也不過如此。也許我們在人生橫側面，即財富、名位方面無法超越前輩的成就，不過依然可以在人生的縱側面努力向上攀登。

第三種是永不退縮的攀登者。他們一直努力爬到山頂，實現既定的目標。

人生正如爬山，只有少數人能夠登頂，當他們遇到困難和逆境時，知道目標在更高的地方，不會稍有成就便安於享受。聯合國第二任祕書長達格・哈馬紹（Dag Hammarskjöld，1905－1961）曾說：「不要衡量一座山的高度，除非你已經到達山頂。」人生就是不斷成長的過程。

增進自己逆境智商的方法稱為LEAD，四個英文字母各有其含義：

L（Listen）代表聆聽。要聆聽自己對逆境的反應，是驚慌失措還是鎮定沉著？

E（Explore）代表探索。要探索自己和逆境的關係，逆境的原因何在？該由誰負責？這一點很重要。譬如我被朋友排斥而非常難過，要先反思自己是否有不當的言行，不要總認為責任都在對方，很多時候我們都是作繭自縛，令自己陷入困境。

A（Analyse）代表分析。要分析找出的證據，哪些證據證明逆境的起因，哪些證據證明這個逆境需要更多時間才能化解？

D（Do）代表行動。最後要以行動改善挫折。對於因自己性格缺陷導致的不當言行，應勇於承認，朋友看到你有誠意，一般都會諒解。

對於好朋友的毛病，如果不管怎麼勸他也不改，我們只好包容。不過，很多毛病如果任其發展會導致嚴重後果，令人追悔莫及，人都應該為自己負責，真正生活的是自己，如果自己不能從挫折中汲取教訓，誰勸也沒有用。

如果真的遇到逆境，還有以下四種方法能幫助我們化解：

1. 讓自己喘一口氣。

比如，已經和別人約好了時間，但車開到一半拋錨了，或航班臨時取消了，該怎麼辦？先不要著急，讓自己喘一口氣，這種情況下，生氣、抱怨都無濟於事。你要問這個困境是不是自己造成的？如果因為下大雪而高速封閉，或因為飛機故障而航班取消，這並非自己的責任，別人也一定會諒解。人活在世界上，不需要那麼緊張，沒有什麼事非今天做不可，不管錯過了多麼重要的事，明天太陽依舊升起。美國人常說「Give me a break」，就是讓我喘一口氣，暫時避開眼前不利的情況。

2. 凡事有因必有果。

　　現在遇到的困境一定有其原因。佛教有句名言：「菩薩重因，凡夫重果。」一般人往往在事情發生後才會尋找原因，感慨「早知如此，何必當初」，結果總是一而再、再而三地重蹈覆轍。我們要慢慢練習，從逆境中吸取教訓，提前預防，避免類似情況再度發生。

　　3. 站在局外人的角度看問題。

　　如果在家中看到新聞說美國某處發生雪崩、歐洲某處發生地震，你不太會放在心上，最多覺得他們很不幸。同樣的，當災難發生在自己身上時，別人也是類似的心態。不要認為自己是宇宙的中心，我遭遇了不幸，天好像也要塌下來，全世界都要和我一起悲傷，其實別人照樣過他的生活。

　　因此，當遇到災難時，如果能站在局外人的角度看自己，則很容易化解。一旦跳出自己的視角便會有輕鬆之感，有時候還會覺得很幽默而發出會心的微笑，既然別人也可能遭遇這樣的災難和困境，自己又何必太過擔心呢？這樣一來，自身承受的壓力便得以釋放。

　　4. 一切復歸於平淡。

　　雖然春天裡姹紫嫣紅，但到最後「也無風雨也無晴」[128]，一切終將歸於平淡。無論你如何在意，最終總要面對逆境，逆境也終將過去。重要的是，我們從逆境中學到了什麼？摔跤不要緊，但一定要問自己為什麼摔跤，並提醒自己今後不要再犯同樣的錯誤，不要再陷入同樣的困境。如果以這樣的態度面對逆境，我們的逆境智商將會不斷提升。

---

128　出自宋代文學家蘇軾的〈定風波・莫聽穿林打葉聲〉，末句為「回首向來蕭瑟處，歸去，也無風雨也無晴」。

# 哲學給人方向與希望

我們都聽說過「心理治療」，當心情不好、人生充滿困惑時，可以找心理醫師來幫助自己。近十幾年來，歐美等先進國家興起了一種新的學問「哲學治療學」，使用的方法叫作PEACE，可譯為平安法或寧靜法。

在心理治療中，心理醫師透過催眠和對夢的解析，也許能找出病人小時候哪些遭遇在他的潛意識裡造成了情結，卻不一定能夠化解病人的苦悶。這就好比一個人出門時一腳踩在鐵釘上，鞋子被戳破，腳被戳傷而非常痛苦，他於是想：是誰故意害我，把釘子放在我門口的？為什麼我的鞋底不夠厚，不能防扎呢？就算找到了答案，腳痛的問題依然沒有解決。同樣的，就算心理醫師找到了痛苦的原因，但痛苦的事實依然存在。

在這種情況下，哲學治療法應運而生。PEACE五個字母分別代表不同的含義：

P（Problem）代表難題。「難題」與「問題」不同。一般在演講結束後都有問答時間，英文用Q&A表示。任何問題（Question）都預設了答案（Answer），一旦找到答案，問題便迎刃而解。但人生不是「問題」，而是「奧祕」，因此用難題（Problem）更能體現人生的複雜性，人生的難題一直存在，因為它的癥結在內不在外。

E（Emotion）代表情緒反應。遇到難題，我心情激動或沮喪，需要醫生幫我疏導。

A（Analysis）代表分析。針對問題和情緒，分析是什麼原因導致我目前的心理狀態。前面這三步與心理治療並無差異，心理醫師也很擅長分析問題，後面兩步則有明顯不同。

C（Contemplation）代表沉思冥想。透過沉思冥想，理解自

己目前的狀況。哲學治療不採用催眠的方法，而是由澄清概念著手，參考古今中外各派哲學家的觀點，以此做為沉思冥想的材料，汲取前人的智慧。

E（Equilibrium）代表平衡。一般用 balance 形容靜態的平衡，這裡的 equilibrium 則指動態的平衡，即理解當前的狀況，找出未來行動的契機，從而保持一種動態平衡。

對於 PEACE 的後兩步，透過舉例說明更容易理解。有一家公司，辦公室的座位都採用現代化的隔屏互相隔開，公司允許座位靠牆的職員可以任意布置臨近的牆壁，以使辦公環境更加輕鬆活潑。有名男職員找了一幅高更[128] 的《海灘裸女圖》的複製品掛在牆上，認為這是世界名畫，應該沒問題。不到一個月，老闆便要求他把這幅畫摘掉，因為很多女同事因為這幅畫而投訴他性騷擾。老闆警告他：「要麼把畫拿掉，要麼就辭職。」這讓他心情十分鬱悶，心理幾近崩潰。

如果這時去找心理醫師，心理醫師則會給他催眠，問他：「你幾歲時第一次看到裸女？小時候發生過什麼？」用這種方法找出他喜歡裸女的原因，但這並不能從根本上解決問題。

哲學治療師則會問他：「你有什麼感覺？」「我感覺不公平。」「我們來分析一下什麼是公平？蘇格拉底一生沒做過壞事，卻被人誣告，七十歲時被判死刑，這公平嗎？耶穌三十三歲被人冤枉，告他煽動群眾、褻瀆神明，而被釘死在十字架上，這公平嗎？在這個世界上，有誰覺得自己受到了公平的待遇？不公平是普遍現象。」這樣分析便能化解他的負面情緒。

---

128 高更（Paul Gauguin，1848 − 1903），法國後印象派畫家、雕塑家，與梵谷、塞尚並稱為後印象派三大巨匠。

　　接下來，再分析什麼叫「性騷擾」，根據法律的界定，性騷擾不見得是有意為之，只要讓別人感到不舒服，別人就有權抗議。女同事只是對這幅畫感覺不舒服，不代表她們討厭你。

　　經過這樣的分析，這名職員自然覺得豁然開朗，心情平靜了許多，但問題仍未徹底解決，最後一步要設法達到動態平衡，找到因應的方法。可以給他如下建議：選十幅你最喜歡的世界名畫，請同事們從中挑選出能接受的，把最多人接受的那幅畫掛出來，就不會有問題了，大家皆大歡喜，辦公室的氣氛也會明顯改善。這樣便透過觀念的接引使問題得以解決，體現了哲學的特色和價值。

　　本書探討了很多有關西方哲學和中國國學的內容，最後為大家推薦我寫的幾本書。

　　如果對西方哲學感興趣，可以參考立緒出版的《西方哲學心靈》一書，我在其中特別介紹了二十四位西方哲學家。我在介紹西方哲學時不敢有什麼創見，只是設法做到忠實，忠於西方哲學家原初的想法，並儘量設法表達清楚。

　　如果對國學感興趣，可以參考天下文化出版的《國學與人生》一書，對於中國的國學，從古代的《易經》、《書經》、《詩經》……一直到王陽明的思想，該書都做了簡明扼要的介紹。

　　如果對個人心靈的修練感興趣，可以參考天下文化出版的《人生，一個哲學習題》一書，對於個人生命的身、心、靈如何實現全方位的發展，該書做了較為完整的介紹。

　　希望本書只是愛好智慧的開始，未來我們繼續一起學習、一起進步，共同感受生命的真善美！

# 索引

國家圖書館出版品預行編目(CIP)資料

哲學與人生（下）/ 傅佩榮作. -- 第二版. -- 臺
北市 : 遠見天下文化, 2018.01
　　冊；　　公分. -- (文化文創 ; BCC027)
ISBN 978-986-479-369-3(下冊 : 精裝)

1.人生哲學

191.9　　　　　　　　　　　　　106024280

文化文創 BCC027

# 哲學與人生（下）
## 全新修訂版

作　者 —— 傅佩榮

總編輯 —— 吳佩穎
責任編輯 —— 方怡雯；陳孟君、李依蒔、李承芳（特約）
封面設計 —— 江儀玲

出版者 —— 遠見天下文化出版股份有限公司
創辦人 —— 高希均、王力行
遠見・天下文化 事業群董事長 —— 高希均
事業群發行人／CEO —— 王力行
天下文化社長 —— 林天來
天下文化總經理 —— 林芳燕
國際事務開發部兼版權中心總監 —— 潘欣
法律顧問 —— 理律法律事務所陳長文律師
著作權顧問 —— 魏啟翔律師
地　址 —— 台北市 104 松江路 93 巷 1 號 2 樓
讀者服務專線 —— (02)2662-0012　傳　真 —— (02)2662-0007；2662-0009
電子信箱 —— cwpc@cwgv.com.tw
直接郵撥帳號 —— 1326703-6 號 遠見天下文化出版股份有限公司

排版 —— 立全電腦印前排版有限公司
製版廠 —— 東豪印刷事業有限公司
印刷廠 —— 祥峰印刷事業有限公司
裝訂廠 —— 精益裝訂股份有限公司
登記證 —— 局版台業字第 2517 號
總經銷 —— 大和書報圖書股份有限公司　電話／（02）89902588
出版日期 —— 2018 年 1 月 30 日第二版第 1 次印行
　　　　　　2023 年 2 月 8 日第二版第 4 次印行

定價 —— NT 600 元
ISBN —— 978-986-479-369-3
書號 —— BCC027
天下文化官網 —— bookzone.cwgv.com.tw

天下文化
BELIEVE IN READING